L'ÉPOUVANTAIL

Michael Connelly

L'ÉPOUVANTAIL

roman

TRADUIT DE L'ANGLAIS (ÉTATS-UNIS)
PAR ROBERT PÉPIN

ÉDITIONS DU SEUIL
27, rue Jacob, Paris VIᵉ

COLLECTION DIRIGÉE
PAR ROBERT PÉPIN

Titre original : *The Scarecrow*

Éditeur original : Little, Brown and Company, NY
© 2009 by Hieronymus, Inc.
ISBN original : 978-0-316-16630-0

Les droits français ont été négociés avec
Little, Brown and Company, New York.

ISBN 978-2-02-092385-9

© Éditions du Seuil, mai 2010, pour la traduction française

www.editionsduseuil.fr

Ce livre est dédié à James Crumley
pour Le Dernier Baiser

1

La ferme

Carver faisait les cent pas dans la salle de contrôle en surveillant les quarante de devant. Les tours s'étendaient devant lui en rangées absolument parfaites. Elles bourdonnaient si calmement et avec tant d'efficacité que même avec ce qu'il savait, Carver ne pouvait que s'émerveiller de tout ce que la science pouvait faire. Tout cela en si peu d'espace ! Car ce n'était pas un ruisselet de données qui coulait tous les jours devant lui, mais bel et bien un fleuve aussi rapide que bouillonnant. Et tout cela grandissait devant lui dans des empilements d'acier de plus en plus hauts. Il n'y avait qu'à tendre la main pour regarder et choisir. C'était comme de laver le sable pour trouver de l'or.

En plus facile.

Il vérifia les jauges de température au-dessus de lui. Tout allait bien dans la salle des serveurs. Il baissa les yeux sur les écrans des postes de travail devant lui. Ses trois ingénieurs travaillaient de concert sur le projet en cours. Une tentative d'intrusion enrayée grâce au talent et à la vigilance de Carver. Ça se paierait.

S'il n'avait pas réussi à enfoncer les murs de la ferme, l'intrus en puissance y avait laissé partout ses empreintes. Carver sourit en regardant ses hommes recueillir les indices et, traque à grande vitesse qui les ramenait à la source, retrouver les adresses IP en en remontant la piste par les nœuds de réseaux. Il allait bientôt savoir qui était son adversaire, pour quelle firme il travaillait, ce qu'il cherchait et l'avantage qu'il espérait en tirer. Alors il prendrait des mesures de rétorsion qui laisseraient le malheureux prétendant à genoux et complètement détruit. Carver était sans pitié. Toujours.

L'alarme du sas se déclencha au-dessus de sa tête.

— Écrans ! lança-t-il.

Les trois jeunes gens installés à leurs postes de travail entrèrent à l'unisson des commandes qui masquèrent leur travail aux visiteurs. La porte de la salle de contrôle s'ouvrit et McGinnis entra avec un homme en costume que Carver n'avait jamais vu.

— Voici notre salle de contrôle et là, de l'autre côté des baies vitrées, vous pouvez voir ce que nous appelons « les quarante de devant », dit McGinnis. Tous nos services de colocation sont concentrés ici. C'est l'endroit où, grosso modo, seraient stockées les données de votre entreprise. Nous avons ici quarante tours contenant pas loin de mille serveurs dédiés. Et, bien sûr, il y a de la place pour davantage. La place, nous n'en manquons jamais.

L'homme en costume hocha la tête d'un air pensif.

— Ce n'est pas la place qui m'inquiète, dit-il. Ce qui nous préoccupe, c'est la sécurité.

— Bien sûr, et c'est pour ça que nous sommes passés dans cette salle. J'aimerais vous présenter Wesley Carver. Il porte plusieurs casquettes dans cette maison. C'est notre grand responsable technologie, mais c'est aussi notre meilleur ingénieur en matière de menaces et celui qui a conçu ce centre de données. Il pourra vous dire tout ce que vous avez besoin de savoir sur les questions de sécurité en colocation.

Encore un petit numéro pour impressionner. Carver serra la main du type en costume. Un certain David Wyeth du cabinet Mercer and Gissal de Saint Louis. Le genre tweed et chemise blanche impeccable. Il remarqua que le type avait une tache de sauce sur sa cravate. Chaque fois qu'un client débarquait en ville, McGinnis l'emmenait manger au Rosie's Barbecue.

Carver débita son baratin par cœur en disant tout ce que l'avocat aux socquettes de soie avait envie d'entendre. Wyeth était en mission barbecue-et-rapport-complet. Dès qu'il rentrerait à Saint Louis, il dirait à quel point il avait été impressionné. Et confirmerait à ses collègues que c'était ce qu'il fallait faire s'ils ne voulaient pas être largués par des technologies et une époque en perpétuelle mutation.

Alors McGinnis décrocherait un nouveau contrat.

Pendant qu'il parlait, Carver repensa à l'intrus qu'ils avaient traqué. Là-bas dehors, quelqu'un ne s'attendait pas au châtiment mérité qui filait vers lui à toute allure. Carver et ses jeunes disciples allaient lui vider ses comptes bancaires personnels, lui piquer son identité et planquer dans son ordinateur de bureau des photos de messieurs en train de baiser des petits garçons de huit ans. Et il lui tuerait sa bécane avec un virus réplicant. Et quand il ne pourrait rien réparer, le bonhomme ferait appel à un expert. Alors les photos seraient découvertes et la police contactée.

L'intrus n'aurait plus rien d'inquiétant. Une énième menace aurait été écartée par l'Épouvantail.

– Wesley ? lança McGinnis.

Carver sortit de sa rêverie. Le type en costume venait de poser une question. Carver avait déjà oublié son nom.

– Pardon ? dit-il.

– M. Wyeth me demande si nous avons déjà eu quelqu'un qui s'infiltrait dans le système.

McGinnis souriait – il connaissait déjà la réponse.

– Non, monsieur, jamais. À dire vrai, il y a bien eu quelques tentatives. Mais elles ont échoué, les conséquences étant désastreuses pour les individus qui ont essayé.

Le type en costume hocha la tête d'un air sombre.

– C'est que nous représentons la crème de la crème de Saint Louis, dit-il. L'intégrité de nos dossiers et la liste de nos clients sont d'une importance capitale pour tout ce que nous faisons. Voilà pourquoi je suis venu ici en personne.

Ça et le club de strip-tease où McGinnis t'a emmené, pensa Carver. Il sourit, mais d'un sourire sans chaleur. Il était heureux que McGinnis lui ait rappelé le nom du type en costume.

— Ne vous inquiétez pas, monsieur Wyeth, dit-il. Vos récoltes seront en sécurité dans cette ferme.

Wyeth lui renvoya son sourire.

— C'est ce que je voulais entendre, dit-il.

2

Le Cercueil en velours

Tout le monde me suivit des yeux lorsque je quittai le bureau de Kramer et retournai à mon box dans la salle de rédaction. Les regards étaient si appuyés que le trajet me parut interminable. Les avis de licenciement sortaient toujours le vendredi et tout le monde savait que je venais d'avoir « l'entretien ». Sauf qu'on ne parlait plus d'« avis de licenciement ». Maintenant on avait droit à un « formulaire RDP »... comme dans « réduction du personnel ».

Tous avaient éprouvé un rien de soulagement en découvrant que le couperet était tombé sur un autre, et un rien d'angoisse parce qu'ils savaient bien que personne n'était à l'abri. Tous autant qu'ils étaient, ils pouvaient être le suivant à être appelé au bureau.

Je ne croisai aucun regard en passant sous le panneau MÉTRO en regagnant le « royaume des box ». Je réintégrai le mien, me glissai sur mon siège et disparus à la vue de tous tel le soldat qui plonge dans un abri de tranchée.

Aussitôt mon téléphone sonna. L'écran m'indiqua que c'était mon ami Larry Bernard qui appelait. Il n'était qu'à deux box du mien, mais il savait que passer me voir en personne aurait clairement invité les autres à venir se masser autour de moi et me poser les questions évidentes. C'est au sein de ce genre de meute que le journaliste travaille le mieux.

Je mis mon casque et pris l'appel.

— Hé, Jack, dit-il.

– Hé, Larry.

– Alors ?

– Alors quoi ?

– Qu'est-ce que voulait Kramer ?

Il avait prononcé *crammer,* soit « le fourre-tout », surnom qu'on avait donné à Richard Kramer à l'époque où, bien des années auparavant, il était rédacteur en chef et se préoccupait plus de la quantité que de la qualité des nouvelles qu'il demandait à ses reporters de donner au journal. En partie ou en entier, son nom avait aussi donné lieu à d'autres variantes au fil du temps[1].

– Tu le sais bien. Il m'a donné mon congé. Je m'en vais.

– Putain de merde, tu t'es fait virer ?!

– Oui. Mais n'oublie pas qu'aujourd'hui on parle de « séparation involontaire ».

– Faut que tu déménages tout de suite ? Je vais t'aider.

– Non, j'ai encore quinze jours. C'est le 22 mai que je suis fini.

– Quinze jours ? Pourquoi quinze jours ?

Les trois quarts des victimes de RDP devaient dégager dans l'instant. La règle avait été instaurée après qu'un des premiers récipiendaires de la nouvelle formule de licenciement avait eu l'autorisation de rester dans les lieux jusqu'à la fin de son préavis. Tous les jours on l'avait alors vu apporter une balle de tennis au bureau. Et la faire rebondir, la lancer, la serrer dans ses mains. Ce dont on ne s'était pas aperçu, c'était que tous les jours, c'était une balle différente qu'il avait. Et que tous les jours il en balançait une dans la cuvette des toilettes hommes et tirait la chasse. Environ une semaine après son départ, il y avait eu un tel reflux dans les tuyaux que les conséquences en avaient été dévastatrices.

– Ils m'ont accordé quinze jours à condition que je forme mon remplaçant.

---

1. *Crammer* signifie aussi « bachoteur », entre autres jeux de mots possibles *(NdT)*.

Larry garda le silence un instant en pensant à l'humiliation que ce devait être d'avoir à former son propre remplaçant. Mais pour moi, ces quinze jours payés, c'était quinze jours qu'on ne m'aurait pas payés si je n'avais pas accepté le marché. Sans compter que cela me donnerait le temps de faire convenablement mes adieux à tous ceux qui le méritaient, qu'ils soient en salle de rédaction ou sur le terrain. Être raccompagné jusqu'à la sortie avec un plein carton de mes affaires dans les bras me semblait une issue encore plus humiliante. J'étais sûr qu'on me surveillerait pour vérifier que je n'apportais pas de balles de tennis au boulot, mais il n'y avait pas à s'inquiéter. Ce n'était pas mon genre.

– Alors ça y est ? C'est tout ce qu'il a dit ? Dans quinze jours, tu es dehors ?

– Il m'a serré la main et m'a dit que j'étais beau gosse et devrais essayer la télé.

– Oh putain ! Ce soir, faut qu'on se pinte.

– Moi, je le fais, ça, c'est sûr.

– Merde, c'est pas juste.

– Comme si la vie l'était, Larry.

– Et qui c'est qui va te remplacer ? Espérons que ce soit quelqu'un qui se sente en sécurité.

– Angela Cook.

– Ça ne m'étonne pas. Les flics vont l'adorer.

Larry était un ami, mais là, je n'avais pas envie de parler de tout ça avec lui. J'avais besoin de réfléchir aux options possibles. Je me redressai sur mon siège et jetai un œil par-dessus les parois d'un mètre vingt de haut de mon box. Je vis que plus personne ne me regardait. Je me tournai vers la rangée de bureaux vitrés des rédacteurs en chef. Celui de Kramer se trouvait dans un coin et debout derrière la vitre Kramer observait la salle. Lorsque ses yeux croisèrent les miens, il se dépêcha de regarder ailleurs.

– Qu'est-ce que tu vas faire ? reprit Larry.

– Je n'y ai pas réfléchi, mais je vais m'y employer tout de suite. Où veux-tu qu'on aille ? Chez Big Wang ou au Short Stop ?

– Au Short Stop. Chez Wang, j'y étais hier soir.

– OK, on s'y retrouve.

J'allais raccrocher quand il me posa une dernière question.

– Encore un truc. Est-ce qu'il t'a dit quel numéro t'étais ?

Évidemment. Il voulait savoir quelles chances il avait de réchapper à cette dernière saignée dans l'entreprise.

– Dès que je suis entré dans son bureau, il a commencé à me dire comment j'avais failli éviter le renvoi et à quel point il était difficile de procéder aux derniers arbitrages. Il m'a précisé que j'étais le quatre-vingt-dix-neuvième.

Deux mois plus tôt, la direction du journal avait annoncé le licenciement de cent employés du rédactionnel de façon à réduire les coûts et à rendre heureux les dieux de la boîte. Je laissai Larry se demander qui pouvait bien être le centième et jetai un deuxième coup d'œil au bureau de Kramer. Ce dernier s'y tenait toujours debout derrière la vitre.

– Bref, je te conseille d'adopter le profil bas, Larry. Le tueur à la hache est posté derrière sa vitre et cherche à savoir qui pourrait bien être le centième homme à abattre.

Et j'appuyai sur le bouton de déconnection, mais gardai mon casque sur la tête. J'espérais ainsi décourager tout un chacun dans la salle de m'approcher. Je ne doutais pas que, Larry Bernard se mettant à leur raconter comment j'avais été « involontairement séparé » d'eux, mes confrères ne viennent s'apitoyer sur mon sort. Il fallait que je me concentre : j'avais à terminer une brève sur l'arrestation d'un suspect dans une histoire de meurtres sur commande que venait de découvrir la brigade des Vols et Homicides de Los Angeles. Après quoi je pourrais disparaître de la salle de rédaction et prendre le chemin du bar afin d'y porter un toast à la fin de ma carrière de journaliste. Parce que c'était bien de cela qu'il allait s'agir. Il n'y avait plus de quotidiens sur le marché pour accueillir un journaliste de quarante-quatre ans spécialisé dans les affaires de police. Surtout pas depuis qu'ils disposaient d'une réserve infinie de main-d'œuvre bon marché, à savoir de bébés reporters du genre Angela Cook qui, sortant année après année des universités d'USC, de Medill et de Columbia, étaient prêts à travailler pour deux fois rien. Comme pour les journaux, mes jours étaient comptés. Maintenant tout se passait sur le Net. Tout se résumait à préparer le téléchargement des blogs et de l'édition en ligne. Tout avait à voir avec les liens télé et les mises à jour sur Twitter. Les articles, on les entrait dans son téléphone au lieu de se servir de cet instrument pour appeler la rédaction et les corriger. Des pensées après coup, voilà ce qu'était devenu le journal du matin. Les nouvelles, c'était sur le Web qu'on les trouvait, et la veille au soir.

Mon téléphone se remettant à me bourdonner dans les oreilles, j'étais prêt à parier que c'était mon ex qui avait déjà appris la nouvelle au bureau de Washington lorsque je m'aperçus que l'écran affichait « Le Cercueil en velours ». Je dois reconnaître que cela me choqua. Je savais que Larry ne pouvait pas avoir répandu la nouvelle aussi vite. Ma raison me disait de ne pas le faire, mais je décrochai. Comme je m'y attendais, je tombai sur Don Goodwin, le chien de garde et chroniqueur autoproclamé de tout ce qui se passe au *L.A. Times*.

– Je viens de l'apprendre, dit-il.

– Quand ça ?

– Il y a une seconde.

– Comment ça ? Je viens, moi, de le découvrir il y a moins de cinq minutes.

– Oh allons, Jack, tu sais bien que je ne peux pas te donner ma source. J'ai tout le canard sur écoute. Tu viens juste de sortir du bureau de Kramer. Tu es passé sur la liste des trente.

Il faisait référence à celle de tous les journalistes perdus depuis que le journal s'était mis à réduire ses effectifs. Le chiffre 30 était un vieux code de journaliste pour indiquer la fin d'un article. Cette liste, Goodwin y avait figuré lui aussi. Il travaillait au *Times* et courait droit à un poste de rédacteur en chef lorsqu'un changement de propriétaire avait entraîné un changement de philosophie financière. Refuser de faire plus avec moins lui avait valu d'être scié à la base, ce qui l'avait amené à accepter la première offre de rachat de contrat qu'on lui avait faite. Cela se passait à une époque où la société de médias propriétaire du *Times* proposait encore des indemnités substantielles à ceux qui voulaient bien partir – soit avant qu'elle demande à bénéficier des protections légales liées au dépôt de bilan.

Goodwin avait alors pris ses indemnités et monté un site Web où il couvrait tout ce qui se passait au journal. Sinistre rappel, il l'avait intitulé « Le Cercueil en velours » afin de dire ce qu'avait été le *Times*, à savoir un endroit où il était si agréable de bosser qu'on acceptait volontiers d'y rester jusqu'à sa mort. Avec ses changements incessants de propriétaires et de direction, avec ses licenciements et la réduction constante de ses équipes et de ses budgets, l'endroit ressemblait maintenant de plus en plus à un cercueil. Et Goodwin était là pour tenir la chronique de toutes les mesures et de toutes les erreurs qui conduisaient à la perte de l'entreprise.

Son blog était actualisé quasiment tous les jours et lu aussi avidement que secrètement par tous les gens de la rédaction. Je ne sais pas trop jusqu'à quel point ceux qui vivaient à l'extérieur de l'enceinte d'un *L.A. Times* à l'épreuve des bombes s'y intéressaient. Le *Times* suivait la pente de tous les journaux et cela n'avait rien d'une nouvelle. Jusqu'au *New York* « ah mon Dieu ! » *Times* qui se sentait à l'étroit depuis que la société glissait vers l'Internet pour les nouvelles et la publicité. Ce sur quoi écrivait Goodwin et pour quoi il m'appelait n'allait pas beaucoup plus loin qu'une simple remise en ordre des transats du *Titanic*.

Cela dit, dans quinze jours cela n'aurait plus d'importance pour moi. J'étais en train de passer à autre chose et, en secret, pensais au roman foireux et à moitié commencé qui m'attendait dans un tiroir quelque part chez moi. J'allais l'en ressortir dès que je réintégrerais mon domicile. Je savais pouvoir faire durer mes économies au moins six mois et après, je pourrais vivre sur le capital que représentait ma maison, enfin... sur ce qu'il en restait après la récente dégringolade du marché, si jamais j'avais besoin de la vendre. Je pourrais aussi réduire la taille de ma voiture et économiser de l'essence en m'achetant une de ces boîtes de conserve hybrides que tout le monde pilote ici.

Je commençais déjà à voir ma mise à la porte comme une bonne occasion. Tout au fond de lui-même, le journaliste a toujours envie d'être un romancier. C'est la différence qu'il y a entre l'art et l'artisanat. Les écrivains veulent tous être considérés comme des artistes et j'allais enfin m'y essayer. La moitié de roman qui traînait dans mon bureau – roman dont je ne me rappelais même pas vraiment l'intrigue – serait ma perche de salut.

– Tu dégages aujourd'hui ? me demanda Goodwin.

– Non, on m'a offert quinze jours de préavis si j'acceptais de former mon remplaçant. J'ai accepté.

– Sacrément noble à eux, ça ! On ne laisse donc plus la moindre dignité à quiconque dans cette boîte ?

– Bah, c'est quand même mieux que si je devais m'en aller aujourd'hui avec un carton plein d'affaires. Quinze jours payés, c'est quinze jours payés.

– Mais tu trouves ça juste ? Ça fait combien de temps que t'es au journal ? Six-sept ans et ils te filent quinze jours de préavis ?

Il essayait de me mettre en colère pour pouvoir me citer. Mais reporter, je l'étais, et je savais comment ça marchait. Il voulait quelque chose de juteux qu'il pourrait inclure dans son blog. Mais je ne mordis pas à l'hameçon. Je l'informai que je n'avais plus de commentaires à faire pour le Cercueil en velours, à tout le moins jusqu'à ce que je sois à la porte pour de bon. Ma réponse ne le satisfaisant pas, il essaya encore de m'extorquer une remarque jusqu'au moment où j'entendis le signal « appel en attente » dans mon oreille. Je regardai l'écran et y vis s'afficher XXXXX. Cela me dit que l'appel m'arrivait par le standard et n'émanait pas de quelqu'un qui avait le numéro de ma ligne directe. Lorene, l'opératrice de la salle de rédaction que je voyais à l'œuvre dans son box, sachant bien que j'étais en ligne, la décision qu'elle avait prise de mettre mon interlocuteur en attente plutôt que de prendre un message ne pouvait signifier qu'une chose : l'inconnu avait réussi à la convaincre que son coup de fil était important.

Je mis fin à la conversation avec Goodwin.

– Écoute, Don, lui dis-je, je n'ai aucun commentaire à faire et faut que j'y aille. J'ai un appel.

Et j'appuyai sur le bouton avant qu'il essaye une troisième fois de me faire parler de ma situation.

– Jack McEvoy à l'appareil, dis-je après avoir basculé sur mon correspondant.

Silence.

– Allô ? McEvoy à l'appareil, répétai-je. Qu'y a-t-il pour votre service ?

Traitez-moi de raciste si vous voulez, mais dans l'instant j'identifiai la voix comme étant celle d'une femme, noire et sans instruction.

– McEvoy ? Quand que vous allez dire la vérité, McEvoy ?

– Qui êtes-vous ?

– McEvoy, vous dites que des mensonges dans vot' canard.

« Mon » canard ? J'aurais bien aimé.

– Madame, lui renvoyai-je, si vous voulez bien me dire qui vous êtes et de quoi vous vous plaignez, je vous écouterai. Autrement, je vais me voir dans l'obli…

– Même que maint'nant, y disent que Mizo, c'est un adulte et c'est quoi, ces merdes, hein ? Il a pas tué de putes.

Je sus aussitôt qu'il s'agissait d'un de ces appels passés au nom de l'« innocent ». La mère, ou la petite copine, avait besoin de me faire savoir à quel point mon article était faux.

Des appels de ce genre, j'en recevais tout le temps, mais ça ne durerait pas. Je me résignai à gérer celui-là aussi vite et poliment que possible.

– Qui est Mizo ? demandai-je.

– Zo. Mon Zo à moi. Mon fils Alonzo. L'est coupable de rien et l'est pas adulte non plus.

Je savais ce qu'elle allait dire. Ils ne sont jamais coupables. Personne n'appelle pour dire que vous avez raison, ou que la police ne s'est pas trompée en déclarant le fiston, le mari ou le petit ami coupable de ce dont on l'accuse. Personne n'appelle non plus de la prison pour dire qu'il ou elle est coupable. Tout le monde est innocent. La seule chose que je n'avais pas comprise dans cet appel était le nom. Je n'avais rien écrit sur un quelconque Alonzo – je m'en serais souvenu.

– Madame, lui dis-je, vous êtes sûre de vous adresser à la bonne personne ? Je ne crois pas avoir écrit quoi que ce soit sur lui.

– Bien sûr que si. J'ai vot' nom là, sous les yeux. Vous dites qu'il l'a foutue dans le coffre et ça, même que c'est un putain de merde de mensonge !

Enfin cela me revint. Le meurtre au coffre de la semaine précédente. Un article d'à peine mille huit cents signes parce que personne dans la salle de rédaction ne s'était beaucoup intéressé à l'affaire. Un jeune dealer qui avait étranglé une de ses clientes et planqué son corps dans le coffre de sa voiture. Un crime qui certes impliquait un Noir et une Blanche, mais n'avait fasciné personne du desk dans la mesure où la victime était une camée. Aussi bien elle que son assassin avaient été marginalisés par le journal. Quand on va se promener du côté de South L.A. pour acheter de l'héro ou du caillou, il arrive ce qu'il arrive. Ce n'est pas la Gray Lady de Spring Street[1] qui va se montrer compatissante. Il n'y a pas assez d'espace dans le journal pour ce genre de trucs. Mille

1. Soit la Dame en gris, surnom donné au *New York Times* à cause de son aspect *(NdT)*.

huit cents signes en page intérieure, voilà tout ce que ça vaut et tout ce à quoi on a droit.

Je m'aperçus que je ne connaissais pas cet Alonzo pour la bonne et simple raison qu'on ne m'avait même pas communiqué son nom. Le suspect qu'il était avait seize ans et les flics ne donnent jamais les noms des mineurs qu'ils arrêtent.

Je feuilletai la pile de journaux posés à droite sur mon bureau et trouvai enfin le cahier Métro du bon numéro ; il remontait au mardi de la semaine précédente. Je l'ouvris à la page 4 et lus l'article. Il n'était même pas assez long pour avoir droit à une signature en tête, mais le desk n'en avait pas moins fait figurer la mienne à la fin. S'il ne s'y était pas trouvé, je n'aurais pas reçu cet appel. Un vrai coup de pot.

– Alonzo est votre fils, dis-je. Et il a été arrêté lundi dernier pour le meurtre de Denise Babbit, c'est bien ça ?

– Je vous ai d'jà dit que c'était que des putain d'conneries.

– Oui, mais c'est bien de cet article-là que nous parlons, d'accord ?

– D'accord, même que… quand c'est que vous allez écrire la vérité ?

– La vérité étant que votre fils est innocent.

– Voilà. Vous vous êtes gouré et maintenant, y disent qu'il va être adulte alors qu'il a que seize ans. Comment qu'y peuvent faire un truc pareil à un môme ?

– Quel est son nom de famille ?

– Winslow.

– Alonzo Winslow. Et vous êtes madame Winslow ?

– Non ! s'écria-t-elle, indignée. Et vous allez foutre mon nom dans vot' journal avec un tas de conneries ?

– Non, madame. Je voulais juste savoir à qui j'ai affaire, rien de plus.

– Z'avez affaire à Wanda Sessums. Et je veux pas de mon nom dans l'journal. Tout c'que j'veux, c'est que vous écriviez la vérité. Vous lui bousillez sa réputation à le traiter d'assassin comme ça.

Le mot de réputation est un vrai déclencheur dès qu'il est question de réparer les torts commis par un journal, mais je faillis éclater de rire en parcourant l'article que j'avais écrit.

— Madame Sessums, repris-je, j'ai dit qu'on l'a arrêté pour meurtre. Ce n'est pas un mensonge. C'est exact.

— Y l'ont arrêté, oui, mais il a pas tué. Y ferait pas de mal à une mouche, ce gamin.

— D'après la police, il a un casier qui remonte à ses douze ans, époque où il vendait de la drogue. Ça aussi, c'est un mensonge ?

— D'accord, il vendait de la came au coin des rues, mais ça veut pas dire qu'y va tuer des gens. Ils y collent un casier et vous, vous marchez dans la combine avec les yeux bien fermés et tout et tout.

— Les flics disent qu'il a avoué avoir tué la fille et l'avoir mise dans le coffre de sa voiture.

— C'est un putain de mensonge, ça ! Il a rien fait de pareil.

Je ne savais pas si c'était du meurtre ou des aveux qu'elle parlait, mais ça n'avait pas d'importance. Il fallait que je raccroche. Je consultai mon écran et vis que j'avais six mails en attente. Ils étaient tous arrivés depuis que j'étais sorti du bureau de Kramer. Les vautours du Net commençaient à tournoyer dans le ciel. J'avais envie de mettre fin à l'appel et de transférer l'affaire à Angela Cook avec le reste. Qu'elle se démerde donc avec tous les gens qui appelaient sans rien savoir. À elle tout le bazar.

— Bien, madame Winslow, je vais devoir…

— C'est Sessums que je m'appelle, je vous l'ai dit ! Vous voyez comment que vous comprenez tout le temps tout de travers ?

Un point pour elle. Je marquai une pause avant de parler.

— Je suis désolé, madame Sessums, lui dis-je. J'ai pris des notes et je vais voir ça de plus près. Et s'il y a matière à écrire quoi que ce soit de nouveau, je vous appellerai certainement. En attendant, bonne chance à vous et…

— Ah mais non !

– Ah mais non quoi ?

– Vous ne m'appellerez pas.

– Je vous ai dit que je vous appellerais si je…

– Vous m'avez même pas demandé mon numéro ! Vous vous en foutez. Vous êtes qu'un petit merdeux d'enfoiré comme les aut' et c'est pour ça que mon garçon, il va en prison pour quéque chose qu'il a pas fait.

Et elle me raccrocha au nez. Je restai immobile un instant à repenser à ce qu'elle avait dit de moi, puis je rejetai le cahier Métro sur la pile de journaux. Et regardai le carnet de notes posé devant mon clavier. Je n'y avais rien porté et cette femme prétendument ignorante m'avait encore une fois pris en flagrant délit.

Je me renversai dans mon fauteuil et considérai ce qu'il y avait dans mon box. Un bureau, un ordinateur, un téléphone et deux étagères bourrées de dossiers, de carnets de notes et de journaux. Un dictionnaire relié en cuir rouge, si vieux et bien utilisé que le mot « Webster[1] » avait disparu de son dos. C'était ma mère qui me l'avait offert lorsque je lui avais dit que je voulais devenir écrivain.

Voilà tout ce qu'il me restait au bout de vingt ans de journalisme. Tout ce que j'emporterais avec moi à la fin de mes quinze jours de préavis se réduisait à ce dictionnaire.

– Bonjour, Jack.

Je laissai tomber ma rêverie et contemplai le charmant visage d'Angela Cook. Je la connaissais sans la connaître : c'était une nouvelle recrue tout droit sortie d'une école de haut niveau. Ce qu'on appelait une *mojo*, à savoir une journaliste qui savait envoyer par n'importe quel moyen électronique ses articles écrits sur le terrain. Elle était capable d'envoyer du texte et des photos pour le site Web ou l'édition papier, de la vidéo ou de l'audio pour la télévision et les partenaires radio du journal. Elle était formée pour tout cela mais, en pratique, elle n'en restait pas moins aussi novice

1. Auteur du plus célèbre dictionnaire de la langue américaine *(NdT)*.

qu'on peut l'être. Elle était probablement payée cinq cents dollars de moins que moi par semaine, ce qui lui donnait plus de valeur aux yeux de la direction. Aucune importance si elle ratait des tas d'articles parce qu'elle n'avait pas de sources. Aucune importance si encore et encore elle se faisait avoir et manipuler par une hiérarchie policière qui ne laissait jamais passer la moindre occasion de le faire.

Sans même parler du fait qu'il y avait toutes les chances pour qu'elle ne dure pas. Elle allait engranger quelques années d'expérience, signer deux ou trois articles convenables et passer à des choses plus sérieuses, genre école de droit, politique, voire un boulot à la télé. Cela dit, Larry Bernard avait raison. Avec ses lèvres charnues et ses cheveux blonds qui tombaient sur ses yeux verts, c'était une vraie beauté. Les flics allaient adorer la voir traîner à leur quartier général. Il ne leur faudrait pas plus d'une semaine pour m'oublier.

– Bonjour, Angela.

– M. Kramer m'a dit de venir vous voir.

On n'avait pas perdu de temps. Ma remplaçante était déjà là, à frapper à ma porte, un peu plus d'un quart d'heure après que je m'étais fait virer.

– Que je vous dise, lui lançai-je. On est vendredi après-midi, Angela, et je viens à peine de me faire licencier. Je vous suggère de ne pas commencer tout de suite. On se voit lundi matin ? D'accord ? On pourrait se retrouver devant un café et après, je vous emmène à Parker Center et je vous présente des gens. Ça vous va ?

– Oui, bien sûr. Et euh… je suis navrée, vous savez ?

– Merci, Angela, mais ça ira. Pour finir, ce sera peut-être même la meilleure chose qui me soit jamais arrivée. Cela dit, si vous êtes toujours navrée pour moi, rien ne vous empêche de passer au Short Stop et de m'y payer un verre ce soir.

Elle sourit et se sentit gênée : nous savions tous les deux que rien de tel ne se produirait. Aussi bien dans la salle de rédaction qu'à l'extérieur du journal, la jeune génération ne frayait pas avec les vieux. Surtout moi. J'étais fini et elle n'avait ni le temps ni le désir de fricoter avec la piétaille des vaincus. Passer au Short Stop ce soir-là ? Autant aller visiter une colonie de lépreux !

– Oui, bon, peut-être une autre fois, ajoutai-je aussitôt. On se voit lundi matin, OK ?

– Lundi matin, d'accord. Et c'est moi qui paierai le café.

Elle sourit et je m'aperçus que c'était plutôt elle qui aurait dû suivre le conseil de Kramer et essayer la télé.

Elle se tourna pour partir.

– Oh et… Angela ?

– Quoi ?

– Ne l'appelez pas « monsieur » Kramer. C'est une salle de rédaction, ici, pas un cabinet d'avocats. En plus que les trois quarts des responsables de ce journal ne méritent même pas qu'on les appelle « monsieur ». Ne l'oubliez pas et vous vous en sortirez comme il faut.

Elle sourit à nouveau et me laissa tranquille. J'approchai mon fauteuil de l'ordinateur et ouvris un nouveau fichier. J'allais devoir cracher encore un article meurtre avant de pouvoir quitter la salle et aller noyer mon chagrin dans du vin rouge.

Seuls trois autres journalistes se pointèrent à ma veillée funèbre. Larry Bernard et deux autres types du service des Sports qui auraient très bien pu passer au Short Stop même si je n'y étais pas allé. La situation aurait été bien embarrassante si Angela Cook était venue.

Le Short Stop se trouvait à Echo Park, dans Sunset Boulevard. Soit près du Dodger Stadium, ce qui explique sans doute son nom[1]. Et, ça aussi, près de la Police Academy de Los Angeles, ce qui, les premières années, en avait fait un bar à flics. C'était le genre d'endroit dont Joseph Wambaugh parle dans ses romans – un endroit où les flics venaient pour se retrouver entre eux et apprécier la compagnie de groupies qui ne les jugeaient pas. Mais cette époque-là était révolue. Echo Park était en train de changer. Ça tournait au chic Hollywood, les flics se faisant de plus en plus virer d'un Short Stop envahi par les jeunes des professions libérales qui emménageaient dans le quartier. Les prix avaient grimpé et les flics avaient trouvé d'autres endroits où aller. Il y avait encore des trucs à eux accrochés aux murs, mais il n'y avait plus maintenant que les flics mal informés qui y passaient.

Il n'empêche : cet endroit, moi, je l'aimais encore parce qu'il se trouvait près du centre-ville et sur le chemin de ma maison d'Hollywood.

1. Le *short stop* est un joueur de baseball placé en défense entre les deuxième et troisième bases. Mais aussi, d'où le nom du café, un endroit où l'on s'arrête brièvement *(NdT)*.

Il était encore tôt, choisir son tabouret au bar ne posa aucun problème. Larry, Sheldon et Romano, les deux types du service des Sports, et moi prîmes les quatre juste devant la télé. Comme je ne connaissais pas très bien ces deux mecs, que Larry se case entre eux et moi me parut une bonne idée. Ils passèrent les trois quarts de leur temps à parler d'une rumeur selon laquelle il allait y avoir une réorganisation de tous les journalistes sportifs. Ils espéraient se voir attribuer une partie des reportages sur les Dodgers ou les Lakers – il n'y avait rien de mieux au journal, le football américain à USC et le basket à UCLA venant juste derrière. Comme les trois quarts des journalistes sportifs, ils écrivaient bien. L'art du reportage sportif m'a toujours émerveillé. Neuf fois sur dix, le lecteur connaît déjà le résultat du match dont ils vont lui parler. Il sait qui a gagné et il y a de fortes chances pour qu'il ait regardé la rencontre. Mais comme il lit quand même l'article, mieux vaut adopter un point de vue qui rendra le papier aussi neuf qu'intéressant.

J'aimais bien couvrir les activités de la police parce qu'en général je racontais à mes lecteurs quelque chose qu'ils ignoraient. C'était sur les vilains trucs qui peuvent arriver que j'écrivais. Sur la vie dans ses côtés extrêmes. Sur les bas-fonds dont les gens assis devant un petit déjeuner toasts-café n'ont aucune expérience, mais qu'ils ont envie de connaître. Ça me donnait un certain élan, et l'impression d'être prince de la ville quand je rentrais chez moi en voiture le soir.

Et là, tandis que je faisais durer un verre de vin bon marché, je sus que c'était cette partie-là du boulot qui allait me manquer le plus.

– Tu sais ce que j'ai entendu dire ? me demanda Larry qui s'était détourné des mecs du cahier Sports pour faire dans le confidentiel.

– Non, quoi ?

– Qu'à l'occasion d'un de ces rachats de contrat, un type de Baltimore a pris ses indemnités de licenciement et, le dernier jour, a signé un article complètement bidon. Il y avait tout inventé.

— Et ils l'ont imprimé ?

— Oui. Ils n'ont compris que le lendemain, quand ils ont commencé à recevoir des coups de fil.

— Et ça parlait de quoi ?

— Je ne sais pas, mais ça ressemblait beaucoup à un « Je vous emmerde » adressé à la direction.

Je réfléchis à ce qu'il me disait en buvant un peu de vin.

— Non, pas vraiment, dis-je.

— Comment ça ? Bien sûr que si.

— Pour moi, y a des chances que la direction se soit réunie et se soit dit en hochant gravement la tête que c'était le bon mec qu'elle avait viré. Quand on veut faire chier les gens, on fait quelque chose qui les oblige à se dire qu'ils ont merdé en vous renvoyant. Quelque chose qui leur fait comprendre qu'ils auraient dû choisir quelqu'un d'autre à sacquer.

— Oui. Et c'est ça que tu vas faire ?

— Non, mec. Moi, je vais m'enfoncer tout tranquillement dans cette belle nuit. Mon « je vous emmerde » à moi, ce sera un roman que je vais publier. Même que j'en ai le titre provisoire : « Je t'emmerde, Kramer ».

— Ouais ! ! !

Il se mit à rire et nous changeâmes de sujet. Mais là, pendant que nous parlions d'autre chose, je pensai à cet énorme « je t'emmerde ». À ce roman que j'allais recommencer et enfin publier. J'avais envie de rentrer et de m'y mettre. Je songeai que retrouver ça chaque soir en rentrant chez moi m'aiderait peut-être à réchapper de ces quinze jours de préavis.

Mon portable sonna, c'était mon ex qui m'appelait. Ce coup de fil-là, je savais que j'allais devoir m'en débarrasser rapidement. Je me décollai de mon tabouret et me dirigeai vers le parking, où j'aurais le calme.

C'était son numéro au bureau qui s'affichait à l'écran, et elle avait trois heures d'avance sur moi, à Washington.

– Keisha, lui dis-je, qu'est-ce que tu fous à être encore au boulot ?

Je jetai un coup d'œil à ma montre. Presque sept heures ici, presque dix là-bas.

– J'assure le suivi d'un article du *Post* et j'attends qu'on me rappelle.

Ce qu'il y a de génial et d'empoisonnant quand on travaille pour un journal de la côte ouest, c'est que l'heure limite de bouclage n'arrive qu'au moins trois heures après que les gens du *Washington Post* et du *New York Times* – les grands concurrents nationaux – sont allés se coucher. Cela signifie que le *L.A. Times* a toujours la possibilité d'égaler leurs scoops ou de prendre l'avantage sur leurs sujets. Le matin venu, le *L.A. Times* peut souvent être en tête sur une grosse affaire et donner les dernières et meilleures infos à ses lecteurs. Cela fait aussi de l'édition en ligne un must absolu dans les couloirs du pouvoir à quatre mille kilomètres de là.

En sa qualité de plus jeune journaliste attachée au bureau de Washington, Keisha Russell était de dernier quart et souvent chargée de trouver les développements les plus récents de telle ou telle affaire.

– Pas marrant, ça, dis-je.

– C'est pas aussi terrible que ce qui t'est arrivé aujourd'hui, me répliqua-t-elle.

J'acquiesçai d'un signe de tête.

– Ouais, j'ai été dégraissé, Keish.

– Je suis vraiment désolée, Jack.

– Je sais. Tout le monde l'est. Merci.

J'aurais dû deviner que j'étais dans la ligne de mire de la direction quand celle-ci ne m'avait pas expédié à Washington D.C. avec Keisha deux ans plus tôt, mais ça, c'était une autre histoire. Le silence se faisant entre nous, j'essayai d'accélérer les choses.

– Je vais ressortir mon roman et le terminer, enchaînai-je. J'ai quelques économies et je devrais pouvoir emprunter sur la maison. De quoi tenir au minimum un an, enfin… je crois. Ce que je me dis, c'est que c'est maintenant ou jamais.

– Oui, dit-elle avec un enthousiasme feint. Tu y arriveras.

Je savais qu'elle avait trouvé le manuscrit dans un de mes tiroirs quand nous étions encore ensemble, qu'elle l'avait lu et n'avait jamais voulu le reconnaître parce que ça l'aurait obligée à me dire ce qu'elle en pensait. Et qu'elle aurait été incapable de mentir.

– Tu as l'intention de rester à L.A. ?

Bonne question. Le roman était situé au Colorado, où j'avais grandi, mais j'adorais l'énergie propre à L.A. et n'avais pas envie de quitter la ville.

– Je n'y ai pas encore réfléchi. Je ne veux pas vendre la maison. Le marché est toujours aussi dégueu. Je préférerais rester et faire un emprunt sur sa valeur si c'est nécessaire. Mais tout ça est trop important pour que je puisse y penser maintenant. Pour l'instant, je me contente de fêter ma mise à pied.

– Au Red Wind ?

– Non, au Short Stop.

– Avec qui ?

Alors je me sentis humilié.

– Oh, tu sais bien, l'équipe habituelle. Larry, des types du cahier Métro et des mecs du service des Sports.

Une seconde passa avant qu'elle dise quelque chose, son hésitation me faisant bien comprendre qu'elle savait que j'exagérais, voire mentais de bout en bout.

– Dis, ça va aller ? me demanda-t-elle.

– Bien sûr. Faut juste… Faut juste que je pense à ce que…

– Je suis navrée, Jack, y a un de mes rappels qui m'attend.

Le ton était pressé. Qu'elle rate ce coup de fil et elle n'en aurait peut-être pas d'autre.

– Vas-y ! lui lançai-je tout de suite. On se reparlera plus tard.

Je coupai la communication, tout heureux qu'un politicien X ou Y de Washington m'épargne la honte de discuter de ma vie avec une ex dont la carrière s'envolait jour après jour alors que la mienne dégringolait comme le soleil dans le paysage envahi de smog d'Hollywood. Je remis mon portable dans ma poche en me demandant si elle n'avait pas inventé ce coup de fil pour essayer, elle aussi, de mettre un terme à l'embarras général.

Je regagnai le bar, décidai de passer aux choses sérieuses et commandai un Irish Car Bomb[1]. Je le descendis d'un coup, le Jameson me déchirant les intérieurs comme de l'huile bouillante. De plus en plus morose, je regardai les Dodgers se lancer à l'attaque des ignobles Giants et se faire massacrer d'entrée de jeu.

Romano et Shelton furent les premiers à s'éclipser, Larry Bernard ayant lui aussi déjà plus qu'assez bu et réfléchi au sombre avenir de la presse écrite lorsque commença le troisième tour de batte. Il lâcha son tabouret et posa sa main sur mon épaule.

– N'était la grâce de Dieu, moi aussi, j'aurais pu…

– Quoi ?

– Ç'aurait pu être moi, dit-il. Ç'aurait pu être n'importe qui à la rédaction. Mais c'est toi qu'ils ont choisi parce que c'est toi qui gagnes les gros sous. Avec tes passages chez Larry King et le reste, ça fait sept ans que t'étais là. À l'époque ils ont trop payé pour t'avoir, aujourd'hui t'es leur cible. À vrai dire, je suis même étonné que t'aies duré si longtemps.

– Ouais bon, comme tu voudras. Ça ne rend pas la chose plus agréable.

– Je sais, mais il fallait que je le dise. Je vais y aller. Tu rentres chez toi ?

– Je vais m'en payer un dernier.

– Non, mec, t'as déjà bu assez comme ça.

1. Ou « voiture piégée irlandaise ». Cocktail à base de bière brune, crème de whisky et whisky ou bourbon *(NdT)*.

– Juste un. Ça ira. Et si ça va pas, j'appelle un taxi.

– Te prends pas une conduite en état d'ivresse, mec. T'as pas besoin de ça en plus.

– Ben voyons ! Qu'est-ce que tu veux qu'ils me fassent ? Qu'ils me virent ?

Il hocha la tête comme si je venais de lui asséner un argument massue, puis il me flanqua une claque dans le dos un peu trop fort et quitta le bar en traînant les pieds. Je restai seul et regardai la fin du match. Je laissai tomber le cocktail Guinness-Bailey et passai directement au Jameson *on ice*. Et en bus deux ou trois de plus au lieu du dernier. Et me dis que ce n'était pas la fin de carrière que j'avais envisagée. J'aurais déjà dû écrire des quarante-cinq mille signes pour *Esquire* et *Vanity Fair*. Et c'est eux qui auraient frappé à ma porte et pas moi qui serais allé les supplier. Les sujets, c'est moi qui les aurais choisis.

J'allais en commander un de plus lorsque le barman me proposa un marché. Il n'arroserait mes glaçons de whisky que si je lui filais mes clés de voiture. La proposition me paraissant bonne, j'acceptai.

Et, le whisky m'incendiant les cheveux par en dessous, je songeai à l'histoire du type de Baltimore que m'avait raconté Larry Bernard et à ce qui constituait le meilleur « je vous emmerde ». Je pense avoir opiné plusieurs fois du bonnet avant de lever mon verre à la mémoire du journaliste condamné qui avait fait le coup.

C'est alors qu'une autre idée, une variation sur le thème du « je vous emmerde » de Baltimore, me vint à l'esprit et y laissa une empreinte brûlante. Elle était du genre intègre et aussi indélébile qu'un nom gravé sur un trophée en verre. Le coude appuyé au comptoir, je levai à nouveau mon verre. Mais cette fois en mon honneur.

– La mort est mon domaine, murmurai-je. J'en vis. C'est sur elle que je bâtis ma réputation.

Toutes sentences déjà dites avant, mais pas en guise d'oraison funèbre à mon propre enterrement. Je m'adressai un petit salut de la tête et sus exactement comment j'allais donner corps à mes adieux. J'avais déjà publié au moins mille reportages sur des meurtres. J'allais en écrire un dernier, qui serait l'épitaphe de ma carrière. Et obligerait tout un chacun à ne pas m'oublier après que j'aurais disparu.

Mon week-end ne fut que brouillards d'alcool, de colère et d'humiliation tandis que je me coltinais avec mon avenir sans avenir. Après avoir brièvement retrouvé mes esprits le samedi matin, je sortis mon roman d'un tiroir du bas de mon bureau et commençai à le lire. Et ne tardai pas à voir ce que mon ex avait découvert bien longtemps avant. Ce dont moi, j'aurais dû m'apercevoir tout aussi longtemps avant. De roman, il n'y avait pas – et je me racontais des blagues à penser que j'en tenais un.

La conclusion étant que j'allais devoir tout reprendre du début si c'était bien par là que je voulais aller, je la trouvai débilitante au possible. Et lorsque je pris un taxi pour aller rechercher ma voiture au Short Stop, je finis par y rester tard et fermai même la boutique tôt le dimanche matin après avoir regardé les Dodgers se faire battre à nouveau et, fin saoul, avoir, moi, expliqué à de parfaits inconnus à quel point le *Times* et toute la presse écrite étaient foutus.

Ce ne fut que tard dans la matinée du lundi que je passai enfin la serpillière derrière moi. J'arrivai au boulot avec trois quarts d'heure de retard après avoir repris ma voiture au Short Stop. L'alcool me sortait encore par tous les pores.

Assise dans un fauteuil qu'elle avait emprunté dans un box vide, Angela Cook s'était déjà installée dans mon bureau. Des box vides, il y en avait beaucoup depuis que la direction avait commencé à licencier et racheter des contrats.

– Désolé pour le retard, lui lançai-je. En gros, ç'a été un week-end de perdu. Et il a commencé avec la petite fête de vendredi. Vous auriez dû venir.

Elle sourit sagement, comme si elle savait qu'au lieu d'une fête l'affaire s'était réduite à une veillée funèbre en solo.

– Je vous ai pris du café, dit-elle, mais il doit être froid.

– Merci.

Je m'emparai du gobelet qu'elle me montrait et, oui, le café y avait refroidi. Mais ce qu'il y avait de bien à la caféteria du *Times,* c'est qu'on pouvait en reprendre gratuitement.

– Que je vous dise, lui lançai-je. Je vérifie au desk et s'il n'y a rien d'important, on va se resservir et on parle de la façon dont vous allez prendre la suite.

Je la laissai et sortis du royaume des box pour rejoindre le service Métro. Et, chemin faisant, m'arrêtai au standard. On aurait dit un poste d'observation de maître nageur au beau milieu de la salle, et si haut perché qu'y voyant tout d'un bout à l'autre, les opératrices savaient toujours qui était là et pouvait recevoir un appel. Je me plaçai à côté du poste de façon à ce que l'une de ces opératrices puisse me voir en baissant la tête.

C'était Lorene, et elle avait été de service le vendredi précédent. Elle leva un doigt en l'air pour me dire d'attendre. Elle géra vite deux transferts d'appel, puis elle décolla l'écouteur de son oreille gauche.

– J'ai rien pour toi, Jack, me dit-elle.

– Je sais. Je voulais te demander pour vendredi. Tu m'as passé un appel en fin d'après-midi. Une certaine Wanda Sessums. T'aurais pas trace de son numéro par hasard ? J'ai oublié de le lui demander.

Elle remit son casque en place et s'occupa d'un autre appel. Puis, sans libérer son oreille, elle m'informa qu'elle n'avait pas le numéro. Elle ne l'avait pas noté tout de suite et le système ne conservait que la liste des cinq cents derniers appels reçus. Plus de deux jours s'étaient écoulés depuis que

Wanda Sessums m'avait téléphoné et le standard recevait pas loin de mille appels par jour.

Lorene me demanda si j'avais fait le 411 pour essayer d'avoir le numéro. Il y avait des fois où l'on oubliait jusqu'aux premières procédures de base. Je la remerciai et me dirigeai vers le desk. J'avais appelé les Renseignements de chez moi et savais déjà qu'il n'y avait pas de numéro pour Wanda Sessums.

À cette heure-là, la rédactrice en chef du service Métro était Dorothy Fowler. Son poste était un des plus instables du journal ; tout à la fois politique et pratique, le boulot donnait l'impression d'être rattaché à une porte-tambour. Fowler s'était montrée excellente journaliste attachée aux affaires du gouvernement et n'avait encore que huit mois d'essai au poste de directrice de l'équipe métropolitaine. Je ne lui voulais que du bien, mais savais qu'elle n'avait aucune chance de réussir vu toutes les réductions de personnel et le nombre de box vides à la rédaction.

Fowler avait un petit bureau dans la partie commandement de la salle, mais préférait rester au milieu de tous. On la trouvait généralement assise au premier bureau des « Ram », ou rédacteurs adjoints Métro. Cette partie-là de la salle était connue sous le nom de « radeau », tous les bureaux qui la composaient se serrant les uns contre les autres à la manière d'une flottille où c'est par la force du nombre qu'on arrive à résister aux requins.

Tous les reporters Métro étaient rattachés à un Ram, lequel Ram constituait le premier niveau de direction et de gestion du personnel. Mon Ram était placé sous la direction d'un Alan Prendergast qui gérait tous les journalistes ayant à voir avec les flics et les tribunaux. En cette qualité, il était de service plus tard et arrivait généralement au bureau vers midi, les nouvelles de la police et des tribunaux ne tombant les trois quarts du temps que plus tard dans la journée.

Ce qui, pour moi, voulait dire que c'était d'habitude Dorothy Fowler ou Michael Warren, le rédac chef adjoint du service Métro Michael Warren que j'allais voir en premier tous les jours. J'essayais toujours que ce soit plutôt Fowler parce qu'elle était plus haut dans la hiérarchie et que Warren et moi ne nous étions jamais bien entendus. Il n'est pas impossible que ç'ait eu à voir avec le fait que bien avant que j'arrive au *Times,* j'avais travaillé au *Rocky Mountain News* de Denver, y avais rencontré Warren et étais aussitôt entré en concurrence avec lui sur une énorme affaire. Il avait enfreint l'éthique et je ne pouvais plus faire confiance au rédacteur en chef qu'il était devenu.

Dorothy ayant les yeux collés à son écran, je dus l'appeler par son prénom pour attirer son attention. Nous ne nous étions pas parlé depuis que j'avais reçu mon préavis, elle me regarda aussitôt avec le froncement de sourcils plein de sympathie qu'on assène à celui dont on vient d'apprendre qu'il est atteint d'un cancer du pancréas.

— Entre, Jack, me dit-elle.

Elle se leva, quitta le radeau et se dirigea vers le bureau qu'elle n'utilisait que rarement. Elle s'assit, je restai debout car je savais que ça irait vite.

— Je voulais juste te dire que tu vas nous manquer, reprit-elle.

Je la remerciai d'un hochement de tête.

— Je suis sûr qu'Angela prendra la suite sans problème, dis-je.

— Elle est très bonne et elle en veut, mais elle n'a pas ton expérience. Pas encore, en tout cas, et c'est bien le problème, non ? Le journal est censé être le chien de garde de la communauté et on est en train de le filer à des petits chiots. Pense au grand journalisme que nous avons connu. La corruption débusquée, le bien public. D'où tout cela va-t-il venir maintenant que tous les journaux du pays disparaissent ? Du gouvernement ? Allons, donc. De la télé ? Des blogs ? Tu rigoles ! D'après un de mes amis qui a accepté de se faire racheter en Floride, la corruption est l'industrie qui va le plus progresser quand il n'y aura plus de journaux pour la surveiller.

Elle marqua une pause comme pour mieux méditer sur ce triste état des choses.

– Écoute, te trompe pas sur ce que je dis. Je suis juste déprimée. Angela est super. Elle fera du bon boulot et dans trois ou quatre ans elle connaîtra son affaire aussi bien que toi. Mais combien de bons sujets aura-t-elle ratés d'ici là ? Et dans le tas combien d'entre eux ne t'auraient pas échappé ?

Je me contentai de hausser les épaules. C'était là des questions qui avaient de l'importance pour elle, mais n'en avaient plus pour moi. Dans douze jours, j'en aurais terminé.

– Bien, reprit-elle après un silence qui durait. Je suis vraiment désolée. J'ai toujours aimé travailler avec toi.

– Bah, il me reste encore un peu de temps. Peut-être que je vais trouver un truc chouette pour finir en beauté

Elle s'illumina.

– Ça serait génial ! s'écria-t-elle.

– Des trucs dont t'aurais entendu parler aujourd'hui ?

– Rien de sensationnel. J'ai vu que le chef de police devait retrouver les leaders de la communauté noire pour reparler des affaires de crimes à mobile racial. Mais c'est un truc qu'on a déjà traité à mort.

– Je vais emmener Angela faire un tour à Parker Center et je verrai si je peux trouver quelque chose.

– Bien.

Quelques instants plus tard, Angela Cook et moi reprîmes du café et allâmes nous asseoir à une table de la cafétéria. Cette dernière se trouvait au premier étage, à l'endroit où les rotatives d'antan avaient tourné pendant des décennies avant que l'impression soit sous-traitée en externe. La conversation avec Angela était difficile. J'avais fait très brièvement sa connaissance six mois plus tôt, lorsque Fowler avait fait faire le tour des box à la toute nouvelle recrue qu'elle était. Depuis, néanmoins, je n'avais jamais travaillé sur le moindre article avec elle, n'avais jamais bu un coup ou déjeuné avec elle, ne l'avais jamais vue à l'un quelconque des bars préférés des anciens de la rédaction.

– D'où êtes-vous, Angela ? lui demandai-je.

– De Tampa. J'ai fait mes études à l'université de Floride.

– Bonne fac. École de journalisme ?

– Oui, j'y ai décroché mon mastère.

– Vous avez déjà suivi les affaires de flics ?

– Avant mon mastère, j'ai travaillé deux ans à Saint Pete. Dont un à bosser avec les flics.

Je bus un peu de café. J'en avais besoin. J'avais le ventre creux après ces dernières vingt-quatre heures, où je n'avais réussi à rien garder.

– Saint Petersburg ? répétai-je. À quoi a-t-on droit là-bas ? Quelques dizaines de meurtres par an ?

– Quand on a de la chance.

L'ironie de la chose la fit sourire. Les reporters spécialisés dans les affaires de police ont toujours envie d'avoir un bon crime à rapporter. La chance de l'un est toujours la malchance de l'autre.

– Bien, dis-je. Nous, si on descend au-dessous de quatre cents, c'est que l'année a été bonne. Vraiment bonne. C'est à Los Angeles qu'il faut être quand on veut travailler dans le crime. Quand on veut écrire des articles là-dessus. Si vous voulez juste faire ça en attendant de passer à un autre poste, vous n'allez pas aimer.

– Non, ce n'est pas le prochain poste qui m'intéresse, dit-elle en hochant la tête. C'est ça que je veux faire. Je veux écrire des articles sur des affaires de meurtres. Je voudrais même écrire un livre sur le sujet.

Elle avait l'air sincère. Comme moi... il y avait long-temps de ça.

– Bien, répétai-je. Je vous emmène à Parker Center rencontrer des gens. Des inspecteurs, pour la plupart. Ils vous aideront, mais seulement s'ils ont confiance en vous. S'ils ne vous font pas confiance, vous n'aurez droit qu'aux communiqués de presse.

– Comment je vais y arriver, Jack ? À ce qu'ils me fassent confiance, je veux dire.

– Vous le savez. En écrivant des articles. En étant juste et précise. Vous savez bien ce qu'il faut faire. La confiance, ça marche avec les résultats. La chose à ne pas oublier, c'est qu'ici, les flics ont un réseau ahurissant. Tout commentaire sur un journaliste se répand immédiatement. Montrez-vous honnête et tous le sauront. Baisez-en un et ça aussi, ils le sauront et vous n'aurez plus accès à rien.

Mon langage parut la gêner. Il allait falloir qu'elle s'y habitue pour travailler avec des flics.

– Encore un truc, enchaînai-je. Les flics ont une noblesse cachée. Les bons, s'entend. Et si vous arrivez à le faire sentir dans vos articles, vous vous les mettrez dans la poche à tous les coups. Bref, cherchez le détail révélateur, le petit moment qui dit leur noblesse.

– D'accord, Jack, je le ferai, dit-elle.

– Faites-le et ça ira.

En faisant le tour des bâtiments et rencontrant les flics du QG de Parker Center, nous tombâmes sur un joli sujet d'article à l'unité des Affaires non résolues. Crime vieux de vingt ans, ce viol suivi de meurtre d'une vieille femme venait d'être résolu lorsque de l'ADN recueilli sur la victime en 1989 avait été retrouvé aux Scellés et passé au labo du service des Crimes sexuels du ministère de la Justice de Californie aux fins de comparaisons. Il y avait eu correspondance. L'ADN recueilli sur la victime était celui d'un type incarcéré à Pelican Bay pour tentative de viol. Les enquêteurs allaient bâtir un dossier d'accusation contre lui avant même qu'il ait le droit de demander une libération conditionnelle. L'affaire n'était pas des plus sensationnelles dans la mesure où le bonhomme était déjà derrière les barreaux, mais ça valait un bon dix-huit cents signes dans le journal. Les gens aiment bien les articles qui les renforcent dans l'idée que les méchants ne s'en sortent pas tout le temps. Surtout en période de dépression économique, quand il est plus que facile de verser dans le cynisme.

Dès que nous eûmes réintégré la salle de rédaction, je demandai à Angela de l'écrire – son premier à la rubrique flics –, pendant que j'essayais, moi, de retrouver Wanda Sessums, la nana en colère qui m'avait appelé le vendredi précédent.

Étant donné qu'il n'y avait pas trace de son appel au standard et que les Renseignements ne m'avaient rien donné pour elle dans tous les secteurs de L.A., je décidai d'appeler l'inspecteur Gilbert Walker de la police de Santa Monica. C'était lui qui avait dirigé l'enquête ayant conduit à l'arrestation d'Alonzo Winslow pour le meurtre de Denise Babbit. On aurait pu appeler ça un appel « à tout hasard ». Je n'avais aucun lien avec Gilbert Walker, ce qui se passait à Santa Monica n'apparaissant que rarement sur nos écrans radar. Station balnéaire relativement sûre située entre Venice et Malibu, Santa Monica avait un sérieux problème de sans-logis, mais rien de grave côté assassinats. La police n'y enquêtait que sur une dizaine de meurtres par an, la plupart d'entre eux ne méritant même pas une brève. Plutôt deux fois qu'une, comme pour Denise Babbit, il ne s'agissait que d'affaires de cadavres dont on se débarrassait à cet endroit. Le meurtre avait eu lieu ailleurs – disons dans le sud de L.A. –, et c'était aux flics de la plage de faire le ménage après.

Je trouvai Walker à son bureau. Le ton de sa voix me parut assez chaleureux jusqu'au moment où je l'informai que j'étais reporter au *L.A. Times*. Aussitôt, il se rafraîchit sérieusement. Cela n'avait rien d'exceptionnel. J'avais passé sept ans à travailler avec les flics et en connaissais bon nombre que je pouvais compter parmi mes sources, voire mes amis, dans pas mal de secteurs. En cas de besoin impérieux, je pouvais leur demander de l'aide. Cela dit, on ne choisit pas toujours les gens à qui on demande un coup de main. En gros, on ne peut pas mettre tous les flics dans son camp. Les médias et la police n'ont jamais été dans les meilleurs termes. Les médias se considèrent comme les chiens de garde du public. Et personne, y compris les flics, n'apprécie d'avoir quelqu'un qui regarde par-dessus son épaule. Le fossé dans lequel la confiance avait disparu entre ces deux institutions s'était creusé bien avant moi. Résultat, cela n'arrange pas les choses pour le petit reporter de la rubrique flics qui a juste besoin de deux ou trois renseignements pour boucler son article.

– Que puis-je faire pour vous ? me lança Walker d'un ton sec.

– J'essaie de joindre la mère d'Alonzo Winslow et je me demandais si vous ne pourriez pas me donner un coup de main.

– Et cet Alonzo Winslow serait… ?

J'allais lui dire : « Oh, allons, inspecteur ! » lorsque je me rendis compte que je n'étais pas censé connaître le nom du suspect. Divulguer l'identité d'un mineur accusé de crime tombe sous le coup de la loi.

– Votre suspect dans l'affaire Babbit.

– D'où tenez-vous ce nom ? Je ne le confirme pas.

– Je comprends, inspecteur. Je ne vous demande pas de me le confirmer non plus. Je le connais. C'est sa mère qui m'a appelé vendredi dernier. L'ennui là-dedans, c'est qu'elle ne m'a pas donné son numéro de téléphone et j'essaie seulement de la joindre pour…

– Bonne journée à vous, me renvoya Walker en mettant fin à la conversation avant de raccrocher.

Je me renversai dans mon fauteuil et me dis que j'allais avoir besoin de rappeler à Angela Cook que la noblesse dont je lui avais parlé plus tôt n'était pas partagée par tous les flics.

– Petit con ! dis-je tout haut.

Puis je me mis à marteler mon bureau du bout des doigts jusqu'au moment où enfin j'eus une autre idée – celle à laquelle j'aurais dû tout de suite recourir.

Je pris une ligne et appelai une de mes sources au South Bureau de la police de Los Angeles – un inspecteur qui, je le savais, avait été impliqué dans l'arrestation de Winslow. L'affaire avait en effet débuté à Santa Monica parce que c'était là, dans un parking près de la jetée, que la victime avait été trouvée dans le coffre de sa voiture. Cela étant, les flics de L.A. s'y étaient impliqués lorsque certains indices découverts sur la scène de crime les avaient conduits à cet Alonzo Winslow qui résidait à South L.A.

Suivant la procédure établie, la police de Santa Monica avait contacté celle de Los Angeles, qui lui avait aussitôt dépêché une équipe d'inspecteurs du South Bureau parfaitement au courant de ce genre d'affaires. Cette équipe avait alors localisé, puis incarcéré Winslow, avant de le remettre à la police de Santa Monica. Au nombre de ces policiers se trouvait Napoleon Braselton, que j'appelai en me montrant des plus honnêtes avec lui. Enfin… presque.

– Vous vous rappelez l'arrestation dans l'affaire de la fille retrouvée dans le coffre de sa voiture il y a une quinzaine de jours ? lui demandai-je.

– Oui, mais c'est du ressort de Santa Monica, me répondit-il. On a juste filé un coup de main.

– Je sais. C'est vous qui leur avez serré Winslow. C'est même pour ça que je vous appelle.

– N'empêche, c'est leur affaire à eux.

– Je sais, mais je n'arrive pas à mettre la main sur Walker et je ne connais personne d'autre chez eux. Mais vous, je vous connais. Et c'est l'arrestation qui m'intéresse, pas l'affaire elle-même.

– Quoi ? Y a un problème ? On l'a pas touché, ce gamin.

– Non, inspecteur, y a pas de problème. Pour ce que j'en sais, l'arrestation était légitime. J'essaie seulement de trouver sa maison. Je voudrais savoir où il habitait pour parler à sa mère.

– Parfait, sauf que c'est avec sa grand-mère qu'il habitait.

– Vous êtes sûr ?

– D'après les infos qu'on a eues au briefing, c'était chez sa grand-mère qu'il habitait. Même qu'on a joué les grands méchants loups qui viennent cogner à la porte de grand-maman. Y avait pas de père dans le tableau et la mère était à la rue et ne passait que de temps en temps. Une droguée.

– Bon d'accord. Alors, c'est à la grand-mère que je vais causer. Où habite-t-elle ?

– Vous allez descendre là-bas juste pour lui dire bonjour ?

Il m'avait lancé ça d'un ton incrédule, je compris immédiatement que le Blanc que j'étais avait des chances d'être assez mal accueilli dans le quartier d'Alonzo Winslow.

– Vous inquiétez pas. J'aurai quelqu'un avec moi. La force du nombre.

– Bonne chance. Ne vous faites pas descendre après la fin de mon service à quatre heures !

– Je ferai de mon mieux. C'est quoi, l'adresse ? Vous vous en souvenez ?

– C'est dans les Rodia Gardens. Attendez une seconde.

Il posa le téléphone et chercha l'adresse exacte. Énorme cité sise à Watts, les Rodia Gardens formaient une vraie ville à eux seuls. Et dangereuse, cette ville. Elle portait le nom de l'artiste Simon Rodia, qui avait créé une des merveilles de Los Angeles, à savoir les Watts Towers. Mais il n'y avait rien de merveilleux aux Rodia Gardens. C'était le genre d'endroit où depuis des décennies la pauvreté, la drogue et le meurtre revenaient cycliquement à l'affiche. Génération après génération, on y vivait en famille sans jamais pouvoir en sortir et se libérer. Bon nombre de ses habitants y grandissaient sans jamais aller à la plage, monter dans un avion, voire seulement aller au cinéma.

Braselton reprit l'appareil et me donna l'adresse complète, mais m'informa qu'il n'avait pas de numéro de téléphone. Je lui demandai alors s'il avait le nom de la grand-mère, il me donna celui que j'avais déjà : Wanda Sessums.

Eurêka ! La femme qui m'avait appelé. Ou bien elle m'avait menti en me racontant qu'elle était la mère du jeune suspect ou bien c'était la police qui n'avait pas les bons renseignements. Dans l'un comme dans l'autre cas, j'avais enfin une adresse et pourrais rapidement mettre un visage sur celle qui m'avait engueulé la semaine d'avant.

Je mis fin à ma conversation avec Braselton, quittai mon box et gagnai lentement le service Photo. J'y tombai sur un retoucheur du nom de Bobby Azmitia assis au bureau des tâches en cours et lui demandai s'il avait des volants dans le coin. Il consulta son registre personnel et me donna le nom de deux photographes qui cherchaient des clichés en roulant dans les rues – sans lien avec l'actualité, ces clichés servaient à mettre de la couleur en première page d'un cahier. Je les connaissais tous les deux et l'un d'eux était noir. Je demandai à Azmitia si Sonny Lester pouvait se dégager pour prendre l'autoroute 110 avec moi, il accepta de me le céder. Nous nous arrangeâmes pour que Lester passe me prendre à l'entrée du journal un quart d'heure plus tard.

De retour à la salle de rédaction, j'allai voir où en était Angela dans la rédaction de son histoire de meurtre non résolu, puis je passai au « radeau » pour bavarder avec mon Ram. Prendergast tapait le premier budget articles de la journée. Avant même que je puisse dire quoi que ce soit, il me lança :

– Angela m'a déjà envoyé une amorce.

L'amorce et le budget signes se résument à un titre d'un mot et à une ligne de texte pour décrire le contenu de l'article et permettre ainsi aux rédacteurs en chef qui se retrouvent à la réunion d'ordre du jour de savoir ce qui va passer sur le Web ou dans l'édition papier, de déterminer ce qui est important et ce qui ne l'est pas et en fonction de leur décision de jouer le coup comme ceci ou comme cela.

– Oui, elle a déjà une idée, lui dis-je. Je voulais juste te dire que j'allais prendre un photographe pour descendre dans les quartiers sud.

– Y a du nouveau ?

– Non, pas encore. Mais il se pourrait que j'aie quelque chose pour toi plus tard.

– D'accord.

Prendo était toujours sympa quand il fallait me laisser du mou. En plus que maintenant, ça n'avait plus d'importance. Cela dit, même avant que j'aie droit au Formulaire réduction du personnel, il n'avait jamais imposé ses vues aux journalistes. Nous nous entendions plutôt bien. On ne la lui faisait pas. Il faudrait que je lui rende compte du temps que j'y aurais passé et de ce que je cherchais. Mais il me donnait toujours la possibilité de tout préparer avant que je sois obligé de le mettre au courant.

Je m'éloignais du « radeau » et gagnais déjà l'alcôve des ascenseurs lorsqu'il me lança :

– T'as des pièces de dix ?

Je lui fis un signe de la main par-dessus ma tête sans même me retourner. C'était toujours ce qu'il me lançait quand je quittais le service Métro pour aller me documenter pour un article. L'expression sortait du film *Chinatown.* Je ne me servais plus des taxiphones depuis longtemps – et les autres journalistes non plus –, mais l'idée était claire · on reste en contact.

Le « Hall du Globe » est l'entrée officielle du bâtiment sis au croisement des rues First et Spring. Gros comme une Volkswagen, un globe en cuivre où l'on découvre tous les bureaux étrangers du journal sur les cinq continents représentés en relief y tourne sur un axe en acier au milieu de la salle. Les murs de marbre de cette dernière s'ornent de photos et de plaques célébrant les moments et les personnages importants dans l'histoire du journal – les Prix Pulitzer et ceux qui les ont remportés et la mémoire des correspondants tués en exercice. Superbe musée que celui-là, tout aussi superbe que celui auquel se réduirait bientôt tout le journal. La rumeur disait que les nouveaux propriétaires avaient mis l'immeuble en vente.

Moi, je ne me souciais que des douze jours à venir. Je n'avais plus qu'un dernier article à rédiger et qu'une dernière *deadline* à respecter. Je n'avais plus besoin que d'une chose : que ce globe continue à tourner jusqu'à ce moment-là.

Sonny Lester m'attendait dans une voiture du journal lorsque je poussai la lourde porte de devant pour sortir. Je montai dans le véhicule et lui dis où nous allions. Il fit un beau demi-tour pour gagner Broadway, qu'il prit jusqu'à l'entrée de l'autoroute, juste après le tribunal. Nous ne tardâmes pas à filer sur la 110, direction South L.A.

– J'imagine que ce n'est pas par hasard qu'on m'a filé ce boulot, dit-il après que nous eûmes quitté le centre-ville.

Je me tournai vers lui et haussai les épaules.

– Je ne sais pas, lui répondis-je. Demandez à Azmitia. Je lui ai dit que j'avais besoin de quelqu'un et il m'a informé que ce serait vous.

Il hocha la tête comme s'il n'en croyait pas un mot et cela ne me fit ni chaud ni froid. La presse écrite se targue de s'être toujours et très vivement opposée à la ségrégation raciale, aux arrestations au faciès et autres trucs de ce genre. Mais, tradition bien pratique, elle n'hésitait pas non plus à tirer tout le profit possible de la diversité raciale qu'on trouve dans les salles de rédaction. Qu'un tremblement de terre dévaste Tokyo et c'est un journaliste japonais qu'on enverra sur place. Qu'une actrice noire remporte un Oscar et c'est un reporter noir qu'on lui dépêchera pour l'interview. Que la patrouille des frontières tombe sur vingt-quatre cadavres d'immigrants clandestins à l'arrière d'un camion à Calexico et ce sera au meilleur journaliste hispanique de s'en débrouiller. C'est comme ça qu'on trouve les meilleurs sujets. Lester était noir et sa présence pouvait me protéger lorsque j'entrerais dans la cité. C'était tout ce qui m'importait. J'avais un sujet à traiter, je me foutais bien de me montrer politiquement correct ou pas en le faisant.

Lester me posa alors des questions sur ce que nous allions faire et je lui en dis aussi long que je pouvais. Cela étant, pour l'heure je n'avais pas grand-chose. Je lui répondis que la femme que nous allions voir s'était plainte de l'article dans lequel j'avais qualifié son petit-fils d'assassin. J'espérais la trouver chez elle pour lui dire que j'allais faire tout mon possible pour essayer de réfuter les accusations portées contre lui si elle et lui acceptaient de coopérer avec moi. Je ne lui parlai pas de ce que j'avais véritablement en tête. Il était assez futé à mes yeux pour finir par le deviner tout seul.

Il hocha la tête quand j'arrêtai de parler et nous fîmes le reste du trajet en silence. Nous entrâmes dans la cité aux environs d'une heure, tout était calme aux Rodia Gardens. L'école n'était pas finie et le commerce de la drogue ne commençait pas vraiment avant le coucher du soleil. Les dealers, drogués et gangsters étaient encore en train de dormir.

La cité était un véritable labyrinthe de bâtiments de deux étages peints en deux couleurs. Marron et beige pour la plupart. Vert citron et beige pour les autres. Aucun arbre ni buisson, ces décorations pouvant servir de cachette à de la drogue ou à des armes. Dans l'ensemble, tout cela ressemblait à un complexe récent, où l'on n'aurait pas encore procédé aux finitions. Sauf qu'en y regardant de plus près, il devenait clair que la peinture n'avait rien de frais et les bâtiments rien de neuf non plus.

Nous n'eûmes aucun mal à trouver l'adresse que m'avait donnée Braselton. L'appartement faisait le coin du deuxième étage et était desservi par un escalier sur la droite de l'immeuble. Lester sortit un gros sac plein de caméras de la voiture et la ferma à clé.

– Vous n'aurez pas besoin de tout ça si nous arrivons à entrer, lui dis-je. Si elle vous laisse la filmer, il faudra faire vite.

– Ça m'est égal de ne pas filmer un seul plan, me renvoya-t-il. Je ne veux pas laisser tout ça dans la voiture.

– Bien vu.

En arrivant en haut de l'escalier je remarquai que la porte d'entrée de l'appartement était ouverte derrière une porte-moustiquaire munie de barreaux. Je m'en approchai et regardai autour de moi avant de frapper. Je ne vis personne sur les parkings ou dans les jardins de la cité. À croire que l'endroit était complètement vide.

Je frappai à la porte.

– Madame Sessums ?

Je n'attendis pas longtemps avant d'entendre une voix de l'autre côté de la moustiquaire. Je la reconnus : c'était bien celle de la femme qui m'avait appelé le vendredi précédent.

– C'est qui ?

– Jack McEvoy. On s'est parlé vendredi. Le journaliste du *L.A. Times* ?

La porte-moustiquaire disparaissait sous dix ans de crasse et de poussière incrustée. Pas moyen de voir à l'intérieur de l'appartement.

– Qu'est-ce vous foutez là, gamin ? me lança-t-elle

– Je suis venu vous parler. Pendant le week-end j'ai beaucoup réfléchi à ce que vous m'avez dit au téléphone.

– Comment que vous m'avez trouvée ?

À la proximité de sa voix, je sus qu'elle était juste de l'autre côté de la porte. Mais je n'apercevais que sa silhouette à travers la crasse.

– J'ai appris que c'est ici qu'Alonzo s'est fait arrêter.

– Qui c'est qu'y a avec vous ?

– Sonny Lester. Il travaille au journal avec moi. Madame Sessums, je suis venu parce que j'ai réfléchi à ce que vous m'avez dit et j'aimerais bien enquêter sur l'affaire d'Alonzo. À condition qu'il soit innocent, je suis prêt à l'aider à sortir de taule.

Cela en mettant bien l'accent sur « à condition ».

– Ben, bien sûr qu'il est innocent ! Il a rien fait.

– On pourrait pas entrer en parler ? lui demandai-je sans attendre. J'aimerais bien voir ce que je peux faire.

– Vous pouvez entrer, mais vous prenez pas d'photos Nan, nan, pas d'photos !

La porte-moustiquaire s'entrouvrant de quelques centimètres, je me saisis de la poignée et l'ouvris en grand. Et dans l'instant je vis que la femme que j'avais devant moi était bien la grand-mère d'Alonzo. Elle avait l'air d'avoir dans les soixante ans, ses cheveux tressés, teints en noir et alignés en rangs de maïs montrant des racines grises. Maigre comme un clou, elle portait un sweater par-dessus un blue-jean alors que le temps n'était pas vraiment aux sweaters. Qu'elle m'ait dit être la mère d'Alonzo au téléphone était curieux, mais pas de la plus grande importance. J'allais découvrir, du moins en avais-je l'impression, qu'elle avait été les deux pour le gamin.

Elle nous indiqua un petit endroit où, table basse et canapé, on pouvait s'asseoir. Il y avait des piles de vêtements pliés sur presque toutes les surfaces planes et sur beaucoup d'entre eux étaient posés des bouts de papier sur lesquels on avait porté des noms. J'entendis une machine à laver et une sécheuse tourner quelque part et compris qu'elle avait monté une petite affaire dans cet appartement que lui offrait l'État. C'était peut-être pour cette raison qu'elle ne voulait pas de photos.

— Z'avez qu'à bouger un peu de linge pour vous asseoir et m'dire ce que vous allez faire pour mon Zo, dit-elle.

Je pris un tas de vêtements pliés sur le canapé, le posai sur une table de côté et m'assis. Et remarquai qu'il n'y avait aucun habit rouge dans tous les tas de linge. Les Rodia Gardens étaient sous la domination du gang des Crips et y porter du rouge — la couleur de leurs rivaux Bloods — pouvait attirer des ennuis.

Lester s'assit à côté de moi et posa son sac de caméras entre ses pieds. Je remarquai qu'il en avait une en main. Il défit la fermeture Éclair du sac et l'y rangea. Wanda Sessums resta debout devant nous. Elle posa un panier de linge sur la table basse et se mit à en sortir des habits et à les plier.

— Eh bien voilà, repris-je. J'aimerais étudier l'affaire de Zo de plus près. Et s'il est innocent comme vous le dites, je pourrai le faire sortir de prison.

Toujours à insister sur cette condition. Toujours à vendre ma marchandise. Je voulais être sûr de ne pas lui faire une promesse que je ne pourrais pas tenir.

— Z'allez le faire sortir juste comme ça, dites ? Alors que m'sieur Meyer arrive même pas à lui avoir une date pour son procès ?

— Me Meyer est son avocat ?

— Voilà, c'est ça. C'est un commis d'office. Un Juif

Elle avait dit ça sans la moindre trace d'animosité ou de préjugé. Presque comme si elle était fière que son petit-fils ait réussi à avoir un avocat juif.

– Bon, eh bien je vais reparler de tout ça avec lui. Y a des fois où les journaux peuvent faire des trucs que personne d'autre ne peut faire. Si je pouvais dire au monde entier qu'Alonzo Winslow est innocent, le monde entier me prêterait attention. Avec les avocats, ce n'est pas toujours le cas parce qu'ils disent tous que leurs clients sont innocents, qu'ils le pensent ou pas. C'est comme le gosse qui criait au loup. Ils le disent tellement souvent que quand ils en ont un de vraiment innocent, personne ne les croit.

Elle me regarda d'un air interrogatif et je songeai qu'elle était perdue ou croyait que j'étais en train de l'emberlificoter. J'essayai de changer de sujet de façon à ce qu'elle ne se bloque pas sur quelque chose que j'avais dit.

– Madame Sessums, repris-je, si je décide d'enquêter sur cette affaire, je vais avoir besoin que vous appeliez maître Meyer et que vous lui demandiez de coopérer avec moi. Je vais avoir besoin de jeter un coup d'œil au dossier du tribunal et à toutes les pièces à échanger entre les deux parties.

– Il a rien échangé de rien jusqu'à maintenant. Il passe juste son temps à dire à tout le monde de s'tenir tranquille.

– Non, quand je parle des pièces à échanger, c'est au sens légal du terme. L'État, soit le procureur, doit faire passer tous ses dossiers et toutes ses pièces à conviction à la défense pour qu'elle puisse en prendre connaissance. Et moi, je vais avoir besoin de voir tout ça si je décide de travailler à la libération d'Alonzo.

Elle semblait ne plus prêter attention à ce que je disais. Elle leva lentement la main de dessus son panier de vêtements. Elle tenait une petite culotte rouge vif. Elle l'écarta de son corps comme si c'était la queue d'un rat mort qu'elle serrait dans sa main.

– Non mais regardez-moi cette idiote ! dit-elle. Elle sait pas avec qui elle joue. Cacher sa p'tite culotte rouge ! Elle est vraiment bête de croire qu'elle va s'en tirer comme ça !

Elle gagna le coin de la pièce, ouvrit une poubelle en appuyant sur la pédale avec son pied et y laissa tomber son rat mort. Je hochai la tête comme si j'étais d'accord avec elle et tentai de remettre la conversation sur ses rails.

– Madame Sessums, est-ce que vous avez compris ce que je viens de vous dire sur l'échange des dossiers entre l'accusation et la défense ? Je vais…

– Mais comment que vous allez dire que mon Zo il est innocent, si tous vos faits y viennent de la pôliss' et que les flics y mentent comme le serpent dans l'arbre de la tentation ?

Il me fallut un moment pour répondre tant la façon dont elle juxtaposait argot des rues et références religieuses m'avait étonné.

– Je vais rassembler tous les faits et je me ferai ma propre opinion, lui dis-je enfin. La semaine dernière, je n'ai fait que répéter ce que m'avait dit la police. Là, je vais me renseigner moi-même. Si votre Zo est innocent, je le saurai. Et je l'écrirai. Et quand je l'écrirai, mon article le fera sortir de taule.

– Bon, ben bien alors. Le Seigneur vous aidera à me ramener mon gamin à la maison.

– Mais je vais avoir aussi besoin de votre aide à vous, Wanda.

Je venais de passer au mode prénom. L'heure était venue de lui faire comprendre qu'elle allait prendre part à l'affaire.

– Quand y faut aider mon Zo, je suis toujours prête, dit-elle.

– Bien. Que je vous dise ce que je veux que vous fassiez.

3

La ferme

Carver était dans son bureau, porte fermée. Il chantonnait en regardant avec attention ses écrans en mode multiplexe – soit avec trente-six plans chaque. Il arrivait à regarder tout ce que lui donnaient ses caméras, même dans les angles dont on ignorait tout. D'un geste bref du doigt sur le pavé tactile, il fit monter l'image d'une caméra d'angle plein pot sur l'écran plasma.

Assise derrière son comptoir, Geneva lisait un roman en édition de poche. Il fit le point et tenta de voir ce qu'elle lisait. Il ne vit pas le titre, mais arriva à déchiffrer le nom de l'auteur en haut de la page : Janet Evanovitch. Il savait que Geneva avait déjà lu plusieurs ouvrages de cet auteur. Il l'avait aussi souvent vue sourire en le faisant.

Voilà qui était bon à savoir. Il passerait dans une librairie et y achèterait un livre de cet auteur. Et s'assurerait que Geneva le voie quand il traverserait la réception. Ça lui permettrait peut-être de briser la glace et d'entamer une conversation qui pourrait, qui sait ? déboucher sur d'autres choses.

Avec sa télécommande il déplaça l'objectif et s'aperçut que Geneva avait laissé son sac ouvert près de son fauteuil. Il zooma fort sur le sac et y découvrit des cigarettes, du chewing-gum, deux tampons hygiéniques, des clés, des allumettes et un portefeuille. Elle avait donc ses règles. Peut-être était-ce pour cette raison qu'elle s'était montrée si sèche avec lui quand il était arrivé. À peine si elle lui avait dit bonjour.

Il consulta sa montre. Elle avait dépassé l'heure de la pause. Yolanda Chavez, du service administratif, allait bientôt franchir la porte et la laisser partir. Encore un quart d'heure. Carver décida de la suivre avec les caméras. Qu'elle sorte pour en griller une, ou qu'elle gagne les toilettes pour y faire pipi, peu importait. Il pourrait la suivre. Il avait des caméras partout. Et verrait ce qu'elle ferait, tout ce qu'elle ferait.

Juste au moment où Yolanda franchissait la porte de la réception, il entendit quelqu'un frapper à la sienne. Il appuya aussitôt sur la touche échappement, ses trois écrans revenant aux organigrammes de données des trois tours de serveurs. Il n'avait pas dû entendre la sonnerie du sas dans la salle de contrôle, mais il n'en était pas certain. Peut-être s'était-il si fort concentré sur Geneva qu'il l'avait ratée.

– Oui ?

La porte s'ouvrit. Ce n'était que Stone. Carver fut agacé d'avoir été obligé d'éteindre ses écrans et de constater qu'il n'allait plus pouvoir suivre Geneva.

– Qu'est-ce qu'il y a, Freddy ? demanda-t-il d'un ton impatient.

– Je voulais vous demander pour les congés, lui répondit Stone en parlant fort.

Il entra dans la pièce et referma la porte. Puis il gagna le fauteuil à l'autre bout de la table de travail où se trouvait Carver et s'assit sans sa permission.

– En fait, les congés, j'en ai rien à foutre, lança-t-il. Je disais ça pour les types là-bas. C'est de « Vierges de fer » que j'ai envie de parler. Je crois avoir trouvé notre prochaine nana pendant le week-end.

Freddy Stone avait vingt ans de moins que Carver. Celui-ci l'avait remarqué pour la première fois alors que, sous une autre identité, il traînait dans une chat room « Vierges de fer ». Il avait essayé de le pister, mais Stone était trop bon. Il avait disparu dans le brouillard numérique.

Pas démonté, seulement encore plus intrigué, Carver avait monté un site piège intitulé « Motherinirons » et, comme prévu, Stone avait fini par le visiter. Cette fois-là, Carver avait eu un contact direct avec lui et le pas de deux avait commencé. Étonné par sa jeunesse, il l'avait quand même embauché, lui avait changé aspect et identité et l'avait cornaqué.

De fait, Carver l'avait sauvé, mais quatre ans plus tard Stone était devenu un peu trop proche et il y avait des moments où Carver ne pouvait plus le supporter. Freddy présumait trop. Comme là, lorsqu'il était entré et s'était assis sans sa permission.

– Vraiment ? lui renvoya Carver en mettant sciemment un rien de doute dans sa question.

– Tu m'avais promis de me laisser choisir la prochaine, tu te rappelles ?

Carver le lui avait effectivement promis, mais seulement dans le feu de l'action. Ils venaient de quitter la plage de Santa Monica et roulaient sur l'autoroute 110 toutes vitres baissées, l'air de la mer leur soufflant dans la figure. Carver planait encore et avait sottement dit à son jeune disciple qu'il pourrait choisir la prochaine.

Il allait devoir changer tout ça. Il regretta de ne pas pouvoir se remettre à observer Geneva, peut-être même la regarder changer son tampon hygiénique dans les toilettes, et au lieu de ça d'avoir à régler ce truc embêtant tout de suite.

– T'en as jamais marre de cette chanson ? lui demanda Stone.

– Quoi ?

Carver se rendit soudain compte qu'il s'était remis à chantonner en pensant à Geneva. Gêné, il essaya de passer à autre chose.

– Qui as-tu trouvé ? demanda-t-il.

Stone se fendit d'un grand sourire et hocha la tête comme s'il avait du mal à croire à la chance qu'il avait eue.

– Une fille qu'a son site porno, dit-il. Je vais t'envoyer le lien, que tu puisses la zyeuter, mais je suis sûr qu'elle va te plaire. J'ai vérifié ses déclarations d'impôts. L'année dernière, elle s'est fait deux cent quatre-vingt mille dollars rien qu'avec les gens qui s'engageaient à lui verser vingt-cinq dollars par mois pour la regarder baiser.

– Comment t'as trouvé ça ?

– Par le cabinet de comptables Dewey and Bach. Elle s'est fait contrôler par le California Tax Franchise Board et c'est eux qui ont suivi l'affaire. J'ai toutes ses déclarations. Y a tout ce qu'il faut pour la coincer. Après, je suis allé la voir sur son site. Mandyforya.com[1]. C'est une vraie beauté à longues jambes. Exactement notre type.

Carver sentit au plus profond de lui-même comme l'éveil de la jouissance à venir. Mais il n'était pas question de commettre une erreur.

– Où exactement en Californie ? demanda-t-il.

– Manhattan Beach.

Carver eut envie de tendre le bras par-dessus le plateau en verre de la table et de lui cogner la tête avec un des écrans plasma.

– Tu sais où c'est, Manhattan Beach ? lui demanda-t-il seulement.

– C'est pas du côté de Lo Jolia et San Diego ? Là-bas en bas ?

Carver hocha la tête.

– Et d'un, c'est « La » Jolla. Et non, Manhattan Beach, ce n'est pas par là. C'est près de L.A., pas très loin de Santa Monica. Donc, on l'oublie. Il n'est pas question de retourner par là avant un bon moment. Tu connais le règlement.

– Mais elle est parfaite, Dub ! Même qu'en plus, j'ai déjà des dossiers sur elle. L.A., c'est grand. Y aura personne à Santa Monica pour s'intéresser à ce qui se passe à Manhattan Beach.

Carver hocha énergiquement la tête.

– Tu peux ranger ces dossiers tout de suite. L.A., c'est grillé pour au moins trois ans. Je me fous de savoir qui tu

1. Soit Mandypourtoi.com *(NdT)*.

trouves ou si tu penses que c'est sûr ou pas. Je ne dévie pas du protocole. Ah oui, autre chose… Je m'appelle Wesley, pas Wes, et certainement pas Dub.

Stone baissa les yeux sur le plateau en verre de la table, l'air broyé.

– Que je te dise, reprit Carver. Je vais travailler la question et je vais nous trouver quelqu'un d'autre. Attends un peu et je te garantis que tu seras très heureux.

– Mais ça devait être mon tour !

Voilà qu'il s'était mis à bouder.

– Ton tour, tu l'as eu, et t'as foiré, lui répliqua Carver. Maintenant, c'est à moi. Repasse donc de l'autre côté pour aller travailler, tu veux ? Tu me dois encore des états sur les tours 80 à 85. Je les veux avant la fin de la journée.

– Comme tu voudras.

– Allez ! Et courage, Freddy. On sera de nouveau en chasse avant la fin de la semaine.

Stone se leva, puis se tourna vers la porte. Carver le regarda partir en se demandant dans combien de temps il allait devoir se débarrasser de lui. De manière permanente. Travailler avec un partenaire était toujours préférable. Cela dit, tous les partenaires finissent par devenir trop proches et trop présumer de tout. Ils commencent à vous appeler par un prénom que personne n'a encore jamais utilisé. Ils commencent à croire qu'il y a égalité de vote entre les partenaires. Toutes choses qui sont inacceptables et dangereuses. Dans cette affaire, il n'y avait qu'un seul maître à bord. Lui-même.

– Ferme la porte, s'il te plaît, lança-t-il à Stone.

Celui-ci fit ce qu'on lui disait. Carver retourna à ses caméras. Dirigea vite l'une d'elles sur la réception et vit que Yolanda s'était assise derrière le comptoir. Geneva était partie. Il commença à passer de caméra en caméra pour la trouver.

4

Les trente redoutes

Lorsque Sonny Lester et moi quittâmes enfin l'appartement de Wanda Sessums, la cité était revenue à la vie et à ses occupations. L'école était finie et les dealers et leurs clients levés. Les parkings, les terrains de jeux et les pelouses grillées par le soleil que l'on trouvait entre les immeubles commençaient à se remplir d'adultes et d'enfants. La vente de drogue s'effectuait à l'aide de voitures qui passaient et repassaient, impliquant une logistique compliquée avec guetteurs et vendeurs de tous âges qui conduisaient les acheteurs à travers le dédale des rues de la cité, vers des points de vente qui changeaient sans arrêt dans le cours de la journée. Les planificateurs du gouvernement qui avaient conçu et fait construire ces bâtiments ne se doutaient pas qu'ils créaient ainsi un environnement idéal pour le cancer qui, d'une manière ou d'une autre, finirait par détruire la plupart de ses habitants.

Tout cela, je le savais pour avoir plus d'une fois accompagné les gars des Stups du South Bureau à l'époque où, tous les six mois, je remettais à jour mes articles sur la lutte contre le trafic de drogue dans la région.

Nous traversâmes une pelouse et regagnâmes la voiture de Lester en baissant la tête comme celui qui s'occupe exclusivement de ses oignons. Tout ce que nous voulions, c'était arriver à la Dodge. Ce ne fut qu'au moment où nous y étions presque que je vis le jeune homme adossé à la portière côté conducteur. Il portait de grosses chaussures délacées, un jean qui lui tombait jusqu'à la moitié d'un caleçon à motifs bleus et un T-shirt blanc tellement impeccable qu'il en brillait presque dans la lumière de cette fin d'après-midi. Soit l'uniforme des Crips qui faisaient la loi dans la cité. Ils étaient connus sous l'appellation BH, ce qui voulait dire « Bounty Hunters » ou « Blood Hunters »[1], selon l'identité de celui qui se servait de la bombe à peinture.

– Comment ça va tout l'monde ? dit-il.

– Ça va, répondit Lester. On fait juste que retourner au boulot.

– Alors comme ça on bosse pour les flics ?

Lester se mit à rire comme si c'était la plus grosse blague qu'il entendait de la semaine.

– Nan, mec, on est avec le journal.

Lester déposa nonchalamment son sac de caméra dans le coffre et fit le tour de la voiture pour rejoindre la portière contre laquelle le jeune homme était toujours adossé. Ce dernier ne bougea pas.

– Faut que j'y aille, mec. Je pourrais passer ?

Je me tenais, moi, de l'autre côté de la voiture, devant ma portière. Je sentis mon estomac se serrer. S'il devait y avoir un problème, c'était à ce moment-là qu'il allait se produire. Je voyais d'autres membres du gang debout du côté ombragé du parking et prêts à intervenir si on le leur demandait. Aucun doute, ils avaient tous des armes sur eux ou cachées quelque part à proximité.

Le jeune homme adossé à notre voiture ne bougeait toujours pas. Il croisa les bras et regarda Lester.

– De quoi que tu parles aux mamas là-haut, frangin ?

– D'Alonzo Winslow, lançai-je de mon côté du véhicule. On croit pas qu'il ait tué quelqu'un et on enquête.

Le jeune homme se dégagea de la voiture de façon à pouvoir se tourner vers moi et me regarder.

– Tiens donc ! dit-il.

Je fis oui de la tête.

1. Soit respectivement « Chasseurs de primes » et « Chiens de meute » (NdT).

– On y travaille, repris-je. On vient juste de commencer et c'est pour ça qu'on est allés causer avec Mme Sessums.

– Alors elle vous a causé de la taxe, non ?

– Quelle taxe ?

– Ben, celle qu'elle paye. Tout l'monde qui fait des affaires dans l'coin, y la paie.

– Vraiment ?

– La taxe de la rue, quoi, mec. Faut voir que tous les gens des journaux qui se pointent ici pour parler de Zo Slow, y doivent la payer. Même que vous pouvez me la régler tout de suite.

Je hochai la tête.

– Et ça fait combien ?

– Cinquante dollars pour aujourd'hui.

Je les ferais passer sur la note de frais et verrais bien si Dorothy Fowler se mettait à gueuler. Je glissai ma main dans ma poche et sortis mon argent. J'avais cinquante-trois dollars, je me dépêchai de sortir deux billets de vingt et un de dix.

– Tenez, dis-je.

Je gagnai l'arrière de la voiture et le jeune homme s'écarta de la portière côté conducteur. J'étais en train de le payer lorsque Lester monta dans la voiture et la fit démarrer.

– Faut qu'on y aille, dis-je en lui tendant l'argent.

– C'est ça. Vas-y, le journaleux. Quand tu reviendras, ça sera le double.

– Parfait.

J'aurais dû en rester là, mais je fus incapable de partir sans poser la question qui s'imposait.

– Ça ne vous fait rien que je travaille à faire sortir Zo de taule ?

Le jeune homme leva la main et se frotta le menton comme s'il réfléchissait sérieusement à la question. Je vis les lettres F-U-C-K tatouées en travers de ses phalanges. Mon regard se porta sur son autre main qui pendait mollement à son côté et eus ma réponse. J'y vis D-A-5-0 soit « *Fuck the police[1]* ». Avec ce genre de sentiments proclamés sur ses mains, il n'y avait rien d'étonnant à ce qu'il extorque du fric à tous ceux qui essayaient d'aider un de ses copains gangsters. C'était du chacun pour soi dans la cité.

Il se mit à rire et tourna les talons sans me répondre. Il avait voulu que je voie ses mains.

Je montai dans la voiture et Lester quitta son emplacement en marche arrière. Je me retournai et vis le jeune homme qui venait de nous extorquer cinquante dollars se lancer dans la danse des Crips. Il se pencha en avant et se servit des billets que je venais de lui donner pour faire vite briller ses chaussures, puis il se redressa et entama la marche talon-orteils talon-orteils propre aux Crips. Ses copains là-bas à l'ombre accélérèrent la cadence en poussant des petits cris au fur et à mesure qu'il s'approchait d'eux.

Je ne sentis la tension commencer à baisser dans mon cou que lorsque nous retrouvâmes la 110 et la reprîmes vers le nord. Alors je chassai les cinquante dollars de mon esprit et commençai à me sentir bien en songeant à ce qui avait été accompli pendant cette petite virée. Wanda Sessums avait accepté de coopérer pleinement dans l'enquête sur l'affaire Denise Babbit-Alonzo Winslow. Elle m'avait pris mon portable pour appeler Jacob Meyer, l'avocat commis d'office, et lui dire qu'en sa qualité de tutrice de l'accusé elle me donnait libre accès à tous les documents et éléments de preuve ayant trait à l'affaire. À contrecœur, Meyer avait accepté de me rencontrer le lendemain matin à la prison du centre-ville. Il n'avait pas vraiment le choix. J'avais informé Wanda que s'il ne coopérait pas, il y avait plein d'avocats privés qui se feraient un plaisir de défendre Zo gratuitement dès qu'ils comprendraient que l'affaire susciterait bien des articles en première page des journaux. Meyer pouvait ou bien travailler avec moi et avoir ainsi droit à toute l'attention des médias ou bien renoncer à l'affaire.

1. DA, prononciation populaire de « *the* », notamment dans les ghettos noirs, et 5-0, police, par référence au feuilleton télévisé *Hawaï 5-0*.

Wanda Sessums avait aussi accepté de me faire entrer à la prison pour délinquants juvéniles de Sylmar de façon à ce que je puisse interroger son petit-fils. J'avais prévu de me servir du dossier de l'avocat commis d'office pour me familiariser avec les faits avant d'aller parler à Winslow. Ce serait l'interrogatoire clé de mon article. Je voulais savoir tout ce qu'il y avait à savoir avant de m'entretenir avec lui.

En gros, le déplacement en avait valu la peine – malgré la taxe de cinquante dollars –, et je réfléchissais à la façon dont j'allais présenter les choses à Prendergast lorsque Lester interrompit le cours de mes pensées.

– Je sais ce que vous êtes en train de fabriquer, me lança-t-il.

– Ah oui ? Et qu'est-ce que je suis en train de fabriquer ?

– La repasseuse est peut-être trop conne et l'avocat trop inquiet des manchettes à venir pour le comprendre, mais moi, je vois clair.

– De quoi parlez-vous ?

– Vous allez vous faire passer pour le chevalier blanc qui va prouver l'innocence du gamin et le faire libérer. Sauf que c'est tout le contraire que vous allez faire, mec. Vous allez vous servir de ces gens-là pour avoir tous les détails de l'affaire et après, vous allez écrire un article sur la façon dont un gamin de seize ans se transforme en un tueur sans pitié. Parce que faut voir qu'aujourd'hui, faire libérer un innocent est devenu un vrai cliché pour journaliste. Mais entrer dans la tête d'un jeune tueur de ce genre ? Ça, c'est du calibre Pulitzer, mec.

Je commençai par ne rien dire. Lester m'avait percé à jour. Je montai ma défense, puis lui répondis.

– Tout ce que je lui ai promis, c'est d'enquêter sur l'affaire. Quelque direction qu'elle prenne. C'est tout.

– Mon cul, oui ! Vous vous servez d'elle parce qu'elle est trop ignorante pour s'en rendre compte. Et le gamin sera probablement tout aussi con qu'elle et marchera dans la combine. Et nous savons tous que l'avocat échangera le gamin contre des manchettes dans la presse. Vous croyez vraiment décrocher le gros lot avec ce truc-là, pas vrai ?

Je hochai la tête et gardai le silence. Je me sentis rougir et me détournai pour regarder par la fenêtre.

– Bon, mais c'est OK, mec, reprit-il.

Je me retournai, le regardai et lus dans ses pensées.

– Qu'est-ce que vous voulez, Sonny ? lui demandai-je.

– Un bout du gâteau, c'est tout. On travaille en équipe. Je vous accompagne à Sylmar et au tribunal et je fais toutes les photos. Vous demandez la permission de photographier et vous mettez mon nom sur le permis. En plus que ça présente mieux de toute façon. Surtout pour les jurés.

Les jurés du Pulitzer et autres prix, s'entendait.

– Écoutez, lui dis-je. Je n'en ai même pas encore parlé à mon rédac chef. Vous allez un peu vite. Je ne sais même pas s'ils vou…

– Ils vont adorer et vous le savez. Ils vont vous lâcher la bride pour travailler ce truc et ils feraient aussi bien de me la lâcher à moi aussi. Qui sait ? Peut-être même que nous pourrons gagner un prix chacun. Ils ne pourront pas vous virer si vous leur rapportez un Pulitzer.

– C'est d'un super coup de bol que vous parlez, Sonny. Vous êtes fou. N'oublions pas que je suis déjà viré. Il me reste douze jours et après, le Pulitzer, je m'en foutrai complètement. Je serai parti.

Je le vis marquer sa surprise en apprenant que j'étais viré. Puis il hocha la tête en intégrant ce dernier renseignement dans le scénario qu'il concoctait.

– Alors, c'est du grand adios qu'on parle, hein ? dit-il. J'ai pigé. Vous les quittez avec un super « je vous emmerde »… un article tellement bon qu'ils seront obligés de le faire concourir même après que vous aurez pris la porte depuis longtemps.

Je ne répondis pas. Je ne pensais pas qu'on puisse lire aussi facilement dans mes pensées. Je me tournai à nouveau vers la vitre. L'autoroute étant surélevée à cet endroit, je voyais pâté de maisons après pâté de maisons serrées les unes contre les autres. Beaucoup avaient des bâches bleues fixées à leurs vieilles toitures qui fuyaient. Plus on s'enfonçait dans le sud de la ville, plus on en voyait.

– N'empêche, reprit Lester. Je veux en être.

Maintenant que l'accès libre à Alonzo Winslow et à son affaire était établi, j'étais prêt à discuter de l'affaire avec mon rédacteur en chef. Mais cela signifiait que j'allais la déclarer et officiellement y travailler et que mon Ram pourrait l'inscrire à son budget prévisionnel. À peine revenu à la salle de rédaction, je gagnai le radeau et trouvai Prendergast assis à son bureau. Très occupé à écrire.

– Prendo, t'as une minute ?

Il ne leva même pas la tête.

– Pas maintenant, Jack. On m'a collé le budget pour la réunion de quatre heures. T'as un truc en plus de l'article d'Angela pour demain ?

– Je vois plus loin que ça.

Il arrêta de taper et me regarda : il avait l'air perdu.

Comme si un type auquel il ne reste que douze jours de travail pouvait voir plus loin que ça.

– Enfin... pas si loin que ça. On peut en reparler plus tard dans la journée ou demain. Angela t'a rendu l'article ?

– Pas encore. Elle doit attendre que tu y jettes un œil. Tu peux t'en occuper tout de suite et me le faire parvenir ? J'aimerais le mettre en ligne dès que possible.

– Je m'en occupe.

– Parfait, Jack. On se cause plus tard ou tu m'envoies un petit mail.

Je me retournai et laissai mon regard embrasser toute la salle. Elle était aussi longue qu'un terrain de football. J'ignorais où se trouvait le box d'Angela Cook, mais je savais qu'il ne serait pas loin. Plus on était nouveau, plus on vous mettait près du radeau. Les lointains de la salle de rédaction étaient destinés aux anciens qui avaient censément moins besoin de supervision. Baptisé « Baja Metro », le côté sud était habité par des vétérans qui produisaient encore. Le nord avait droit au qualificatif de « Deadwood Forest »[1]. Il était réservé aux reporters qui travaillaient peu et écrivaient encore moins. Certains occupaient leur poste grâce à leurs relations dans le monde politique ou à des prix Pulitzer, d'autres étant tellement habiles à baisser la tête qu'ils n'attiraient pas l'attention des bourreaux de la direction ou des rédac chef qui distribuaient les tâches.

Par-dessus le rebord d'un des box voisins j'aperçus les cheveux blonds d'Angela. Je la rejoignis.

– Ça marche ? lui lançai-je. (Elle sursauta.) Désolé. Je ne voulais pas vous faire peur.

– Pas de problème. C'est juste que j'étais trop fascinée par ceci.

– C'est votre article ? lui demandai-je en lui montrant son écran du doigt.

Elle rougit. Je remarquai qu'elle s'était noué les cheveux derrière la tête et avait planté un crayon effaceur dans son chignon. Ça la rendait encore plus sexy que d'habitude.

– Non, en fait, ça vient des Archives. C'est l'article qu'on a publié sur vous et l'assassin qu'on avait surnommé « le Poète ». À vous filer la chair de poule, ce truc[2].

Je regardai l'écran de plus près. L'article remontait à douze ans. À l'époque où, journaliste au *Rocky Mountain News*, j'étais en concurrence avec le *Times* sur une affaire qui, partie de Denver, avait atteint la côte Est pour revenir jusqu'à L.A. C'était la plus grosse histoire sur laquelle j'avais jamais enquêté. Et ç'avait été le point culminant de ma carrière de journaliste – non, correction : le point culminant de

1. Ou « La forêt du bois mort » *(NdT)*.
2. Cf. *Le Poète*, publié dans cette même collection *(NdT)*.

ma vie entière –, et je n'avais aucune envie qu'on me rappelle à quel point tout cela était du passé.

– Ça, pour donner la chair de poule ! Vous avez fini l'article d'aujourd'hui ?

– Qu'est-il advenu de l'agent du FBI avec qui vous faisiez équipe ? Rachel Walling. Dans un des articles on dit qu'elle aurait été punie pour avoir franchi certaines lignes jaunes de la déontologie avec vous.

– Elle est toujours dans le coin. De fait même, elle est à L.A. On pourrait regarder l'article d'aujourd'hui ? Prendo aimerait bien qu'on le lui envoie pour qu'il puisse le mettre en ligne.

– Bien sûr. Je l'ai fini. J'attendais seulement que vous y jetiez un coup d'œil avant de l'envoyer au desk.

– Laissez-moi prendre une chaise.

J'en sortis une d'un box vide. Angela me fit de la place à côté d'elle et je lus les trois mille six cents signes qu'elle avait rédigés. Il était marqué comme un trois mille signes au budget, ce qui signifiait qu'il avait toutes les chances d'être réduit à deux mille quatre cents. Cela dit, on pouvait toujours faire long pour le Net parce que là, il n'y avait aucune restriction sur la longueur. Tout reporter digne de ce nom avait naturellement tendance à dépasser le budget. L'ego exigeait que l'article et le talent mis à l'écrire fassent que tous les rédacteurs qui le liraient sentent bien qu'il ne pouvait pas faire moins de lignes que ce qu'on lui avait attribué et ce, quel que soit le média pour lequel il avait été écrit.

La première correction que j'y apportai fut d'en ôter mon nom.

– Pourquoi, Jack ? protesta-t-elle. On a fait les recherches tous les deux, non ?

– Si, mais cet article, c'est vous qui l'avez écrit. C'est donc vous qui signez.

Elle me tendit sa main par-dessus le clavier et la posa sur la mienne.

Je la regardai d'un air interrogatif.

— Angela, lui dis-je, c'est un trois mille signes qu'ils vont probablement réduire à deux mille six cents et enterrer au milieu du journal. D'autant que c'est juste une énième histoire de meurtre et qu'il n'y a pas besoin de deux signatures.

— Mais c'est mon premier article au *Times* et je veux qu'il porte votre signature.

Elle ne m'avait toujours pas lâché la main. Je haussai les épaules et hochai la tête.

— Bah, vous faites comme vous voulez.

Elle me lâcha la main et je remis ma signature en haut de l'article. Elle tendit à nouveau la main et reprit la mienne. La droite.

— C'est celle où vous avez été blessé ? me demanda-t-elle.

— Euh…

— Je peux voir ?

Je retournai ma main, exposant ainsi la cicatrice en étoile que j'avais entre le pouce et l'index. C'était là qu'était passée la balle qui avait fini par atteindre le Poète en pleine figure.

— J'avais remarqué que vous ne vous servez pas de votre pouce pour taper, me dit-elle.

— La balle m'a sectionné un tendon. Je me suis fait opérer pour le rattacher, mais mon pouce n'a jamais fonctionné correctement.

— Ça fait quelle impression ?

— Rien d'extraordinaire. Mon pouce refuse seulement de faire ce que je lui demande.

Elle rit poliment.

— Non, je voulais dire… quelle impression ça fait de tuer un type comme ça ?

La conversation prenait un tour bizarre. C'était quoi, la fascination que cette femme… cette gamine, oui… éprouvait pour l'acte de tuer ?

— Euh, j'aime pas vraiment parler de ça, Angela. Ça remonte à loin et c'est pas comme si j'avais tué ce type. C'est plutôt lui qui s'est attiré cet ennui. Je pense qu'il devait avoir envie de mourir. C'est lui qui a tiré.

– J'adore les histoires de serial killers, mais je n'avais jamais entendu parler du Poète jusqu'à ce que quelqu'un en dise un mot au déjeuner et je suis tout de suite allée me renseigner sur Google. Je vais me procurer le livre que vous avez écrit. J'ai entendu dire que c'était un best-seller.

– Bonne chance. Un best-seller, c'en a été un il y a dix ans. Ça fait maintenant cinq ans qu'il est épuisé.

Je compris alors que si elle avait entendu parler du livre au déjeuner, cela voulait dire qu'on parlait de moi. De l'ex-écrivain de best-sellers devenu journaliste spécialisé dans les affaires de la police, celui qu'on payait trop et qui venait de se faire licencier.

– C'est-à-dire que… je parie que vous en avez un exemplaire que je pourrais vous emprunter, dit-elle.

Et de me décocher un petit sourire boudeur. Je la regardai longuement avant de réagir. Et sus alors que j'avais affaire à une espèce de folle de la mort. Elle avait envie d'écrire des articles sur des histoires d'assassinats parce qu'elle voulait connaître les détails qu'on ne fait pas passer dans les journaux et dans les reportages télévisés. Les flics allaient l'adorer, et pas uniquement parce que c'était une beauté. Elle allait baver en les écoutant lui faire des descriptions sinistres et détaillées des scènes de crime sur lesquelles ils travaillaient. Ils prendraient son amour des détails les plus sombres pour de l'adoration à leur endroit.

– Je vais voir si je peux vous en trouver un exemplaire ce soir, lui dis-je. Mais revenons à notre article de façon à pouvoir l'envoyer. Prendo va vouloir le voir dans sa corbeille *in* dès qu'il sortira du point de quatre heures.

– D'accord, Jack, dit-elle en levant les bras en l'air comme si elle se rendait.

Je repris l'article, corrigeai le reste en dix minutes et n'y apportai qu'un seul changement. Angela avait retrouvé le fils de la vieille femme qui avait été violée, puis poignardée à mort en 1989. Il était reconnaissant à la police de ne pas avoir laissé tomber l'affaire et le disait clairement.

Je remontai ses sincères compliments au tiers supérieur de l'article.

– Je les remonte ici pour être sûr qu'ils ne soient pas coupés par le desk, expliquai-je. Une citation pareille va vous gagner pas mal de bons points chez les flics. C'est pour ce genre d'appréciation du public qu'ils vivent et souvent ils l'obtiennent. Mettre ça à l'honneur commencera à vous construire la confiance dont je vous parlais.

– OK, bon.

Puis je fis un dernier ajout et tapai « 30 » à la fin du travail.

– Qu'est-ce que ça veut dire ? me demanda-t-elle. J'ai déjà vu ça en bas d'autres articles dans la corbeille du desk Métro.

– C'est juste un vieux truc. Quand je suis entré dans le journalisme, c'était ce qu'on tapait au bout de ses articles. C'est un code… je crois même que ça remonte à l'époque du télégraphe. Ça veut tout simplement dire fin de l'article. Ça n'a plus rien de nécessaire, mais…

– Ah, mon Dieu, s'écria-t-elle, c'est pour ça qu'on appelle « liste des trente » celle de tous les gens qui vont se faire virer.

– C'est ça même, lui renvoyai-je en la regardant, et je hochai la tête, surpris qu'elle ne le sache pas déjà. Et c'est quelque chose que je fais depuis toujours et vu que ma signature a…

– Bien sûr, Jack. Je trouve ça cool. Peut-être même que je vais commencer à le faire moi aussi.

– Continuez la tradition, Angela.

Je souris et me levai.

– Vous vous sentez de faire le tour des appels police et de passer à Parker Center demain matin ?

Elle fronça les sourcils.

– Vous voulez dire… sans vous ?

– Oui. Je vais être pris au tribunal pour un truc sur lequel je travaille. Mais je serai sans doute de retour avant le déjeuner. Vous pensez pouvoir vous débrouiller ?

– Si vous le pensez, vous. Sur quoi travaillez-vous ?

Je lui parlai brièvement de ma visite à la cité des Rodia Gardens et de la direction que prenait l'affaire. Puis je l'assurai qu'elle n'aurait aucun problème en allant seule à Parker Center après seulement une journée de formation avec moi.

– Ça ira, lui dis-je. Et avec cet article-là dans le journal demain, vous aurez plus d'amis que vous ne saurez quoi en faire.

– Si vous le dites.

– Je le dis. Appelez-moi sur mon portable si vous avez besoin de quoi que ce soit.

Puis je lui montrai son article affiché à l'écran, fermai le poing et l'abattis doucement sur son bureau.

– « On fait passer le bébé » ! lançai-je.

La citation sortait des *Hommes du président*, un des plus grands films de journalistes jamais produits, et je compris aussitôt qu'elle ne la reconnaissait pas. Bah, me dis-je, il y a la vieille école et il y a la jeune.

Puis je regagnai mon box et vis l'ampoule témoin de mon répondeur clignoter rapidement – j'avais des tas de messages qui m'attendaient. Je chassai vite cette rencontre bizarre autant que fascinante avec Angela Cook de mon esprit et décrochai.

Le premier message émanait de Jacob Meyer. Il m'informait qu'on lui avait assigné une autre affaire avec mise en accusation officielle pour le lendemain matin. Cela voulait dire qu'il lui faudrait repousser notre rencontre d'une demi-heure le lendemain matin, soit à neuf heures trente. Ça ne me gênait pas. Ça me laisserait plus de temps pour dormir ou me préparer pour l'entrevue.

Le second message sortait tout droit du passé. Van Jackson était un journaliste débutant que j'avais formé quelque quinze ans plus tôt aux affaires de la police pour le *Rocky Mountain News*. Sorti du rang, il avait monté dans la hiérarchie et occupé le poste de rédacteur en chef des pages

Métro jusqu'à ce que le journal ferme ses portes quelques mois plus tôt. Ainsi s'achevaient cent cinquante ans de quotidien dans le Colorado, signe des plus importants que l'industrie de la presse était en train de s'effondrer. Il n'avait toujours pas retrouvé de travail dans le métier auquel il avait donné toute sa vie professionnelle.

« Jack, disait-il. C'est Van. J'ai appris la nouvelle. C'est pas bon, ça, mec. Je suis vraiment désolé. Passe-moi un coup de fil, qu'on puisse s'apitoyer sur notre sort. Je suis encore à Denver où je fais du freelance et cherche toujours du boulot. »

Venait ensuite un grand silence pendant lequel, je le pensai, il avait dû chercher ses mots pour me préparer à ce qui allait suivre.

« Faut que je te dise la vérité, mec. Y a rien ici. Je suis sur le point de me mettre à vendre des voitures, sauf que les vendeurs de voitures sont eux aussi dans la merde. Bon, ben, passe-moi quand même un coup de fil. Peut-être qu'on pourra se faire du bien tous les deux, échanger des tuyaux ou autre. »

Je me repassai le message, puis l'effaçai. J'allais prendre mon temps pour le rappeler. Je n'avais aucune envie qu'on m'entraîne encore plus bas. J'étais certes entré dans la liste des trente, mais j'avais encore des atouts. Et je voulais garder mon élan. J'avais un roman à écrire.

Jacob Meyer arriva en retard à notre rendez-vous du mardi matin. Je dus passer pratiquement une demi-heure dans la salle d'attente du Bureau des avocats commis d'office, au milieu de toutes sortes de clients de cet organisme financé par l'État. Des gens qui étaient trop pauvres pour se payer un avocat et qui, pour se défendre, s'en remettaient à l'État même qui les poursuivait. Cela figurait bien au nombre des droits garantis par la Constitution – si vous ne pouvez pas vous payer un avocat, l'État vous en désignera un –, mais ça m'avait toujours paru contradictoire. Du genre racket d'un État qui contrôle aussi bien l'offre que la demande.

Meyer était bien jeune et devait sortir de la fac de droit depuis à peine plus de cinq ans. Mais là il était, à défendre un type encore plus jeune que lui – de fait, un enfant –, qu'on accusait de meurtre. Il revenait du tribunal avec une serviette en cuir tellement pleine de dossiers qu'elle était trop lourde et encombrante pour qu'on puisse la porter par la poignée. Il la portait sous le bras droit. Il demanda à la réceptionniste s'il avait des messages, elle me montra du doigt. Il fit passer son énorme serviette sous son bras gauche et me tendit la main. Je la lui serrai et me présentai

– Allons derrière, dit-il. Je n'ai pas beaucoup de temps.

– Pas de problème. Je n'en ai pas besoin de beaucoup pour l'instant.

L'un derrière l'autre, nous longeâmes un couloir dont on avait rétréci la largeur en y installant une rangée de meubles classeurs sur toute la longueur du mur droit. J'étais sûr que ça contrevenait au règlement anti-incendie. C'était là le genre de détail que normalement j'aurais remisé dans un coin de ma tête en cas de pénurie. « Des avocats commis d'office travaillent dans un nid à incendies. » Mais je ne me souciais plus des manchettes à venir ou de trouver des articles pour les jours calmes. Il m'en restait un dernier à écrire et basta.

– Entrons ici, dit Meyer.

Je le suivis dans un bureau qu'il partageait avec d'autres. Longue de six mètres sur trois de large, la salle avait des bureaux dans tous les coins et des cloisons antibruit pour les séparer.

– *Home sweet home*, dit-il. Prenez donc une de ces chaises.

Un avocat était assis au bureau en diagonale de celui de Meyer. Je sortis une chaise du box voisin et nous nous installâmes.

– Alonzo Winslow, dit Meyer. Sa grand-mère est intéressante, vous ne trouvez pas ?

– Surtout dans son environnement.

– Vous a-t-elle dit à quel point elle était fière d'avoir un avocat juif ?

– Oui, en fait oui.

– L'ennui, c'est que je suis irlandais, mais je n'ai pas voulu tout lui gâcher. Que comptez-vous faire pour Alonzo ?

Je sortis un mini-magnétophone de ma poche et l'allumai. Il avait à peu près la taille d'un briquet jetable. Je tendis le bras en avant et le posai sur le bureau, entre nous deux.

– Ça vous ennuie que j'enregistre ?

– Pas du tout. De fait, j'aimerais même assez.

– Bien, comme je vous l'ai dit au téléphone, la grand-mère de Zo est convaincue que les flics se sont trompés de mec. Je lui ai dit que j'allais voir ça de plus près parce que c'est moi qui ai écrit l'article dans lequel les flics disaient que c'était lui. Mme Sessums, qui est la tutrice légale du gamin, m'a donné libre accès à tout ce qui touche à son affaire.

– Même si c'est sa tutrice légale, et il va falloir que je le vérifie, qu'elle vous donne libre accès à ceci ou à cela n'a aucune valeur juridique et aucune importance à mes yeux. Vous le comprenez, n'est-ce pas ?

Ce n'était pas ce qu'il m'avait dit au téléphone quand j'avais demandé à Wanda de l'appeler. J'allais le lui faire remarquer et lui rappeler la promesse qu'il m'avait faite de coopérer avec moi, lorsque je le vis regarder vite par-dessus son épaule et compris qu'il disait peut-être cela pour le bénéfice de l'autre avocat.

– Évidemment, répondis-je donc finalement. Et je sais que ce que vous pouvez me dire est soumis à des règles.

– Ne l'oublions pas et je peux peut-être essayer de travailler avec vous. Je pourrai répondre à vos questions jusqu'à un certain point, mais à ce stade de l'affaire je n'ai pas le droit de vous communiquer quoi que ce soit du dossier de l'accusation.

Ce que disant, il fit pivoter son fauteuil pour vérifier que l'autre avocat nous tournait toujours le dos et me tendit vite une clé USB.

– Ce genre de trucs, c'est au procureur ou à la police qu'il faut le demander, reprit-il.

– Qui est le procureur affecté au dossier ?

– Eh bien, c'est Rosa Fernandez, mais elle s'occupe des affaires de délinquants juvéniles. Et comme ils disent vouloir juger ce gamin comme un adulte, il y aura probablement un changement de procureur.

– Vous opposez-vous à ce qu'on soustraie Winslow au tribunal pour enfants ?

– Naturellement. Mon client a seize ans et ne fréquente régulièrement aucune école depuis l'âge de dix ou douze ans. Non seulement ce n'est pas un adulte au regard de la loi, mais ses facultés mentales et son jugement ne sont même pas ceux d'un gamin de seize ans.

– Cela dit, la police affirme que ce crime est à composante sexuelle et présente un certain degré de sophistication. La victime a été violée et sodomisée avec un corps étranger. Et torturée.

— Vous pensez donc que c'est mon client qui a commis ce crime.

— D'après la police, il a avoué.

Il me montra la clé USB dans ma main.

— Exactement, dit-il. C'est la police qui l'affirme et moi, j'ai deux choses à en dire. Un, d'après mon expérience, collez un gamin de seize ans neuf heures dans un placard, ne lui donnez rien à boire ou à manger, racontez-lui des bobards sur des pièces à conviction inexistantes et refusez de le laisser parler à quiconque. grand-mère, avocat, personne… et il finira par vous donner tout ce que vous voulez s'il croit que ça va enfin lui permettre de sortir dudit placard. Et deux, il y a le problème de savoir ce qu'il a avoué exactement et ça, ça m'inquiète. Sur cette question-là, le point de vue des flics est très différent du mien.

Je le dévisageai un instant. Ce qu'il me disait était fascinant, mais trop sibyllin. Il fallait que je l'emmène dans un endroit où il pourrait parler librement.

— Vous voulez boire un café ? lui demandai-je.

— Non, je n'ai pas le temps. Et comme je vous l'ai déjà dit, je ne peux pas vous parler de cette affaire en détail. Nous avons des règles à suivre et c'est d'un jeune qu'il est question… malgré tous les efforts de l'accusation pour dire le contraire. L'ironie de la chose est que le même bureau du district attorney qui veut juger ce gamin comme un adulte serait tout heureux de me tomber sur le dos et sur celui de mon patron si jamais je vous communiquais la moindre pièce ayant trait à un mineur. Vu que nous n'en sommes pas encore à passer devant un tribunal pour adultes, tous les règlements destinés à protéger un mineur sont toujours de rigueur. Mais je suis sûr que vous avez des sources policières qui vous donneront ce dont vous avez besoin.

— Effectivement.

– Bien. Cela étant, si vous désirez que je vous fasse une déclaration, je vous dirai que pour moi, dans cette affaire, mon client… dont soit dit en passant, je n'ai pas loisir de vous révéler l'identité… est tout autant victime que Denise Babbit. C'est vrai que la victime essentielle, c'est elle dans la mesure où elle a perdu la vie d'une manière horrible, mais mon client s'est, lui, vu privé de sa liberté et il n'est pas coupable du crime dont on l'accuse. Ce que je serai en mesure de prouver dès que nous serons devant une cour. Et que cette cour soit réservée aux adultes ou aux mineurs n'aura vraiment aucune importance. Mon client, je le défendrai avec vigueur parce que ce crime, il n'en est pas coupable.

Tout cela avait été formulé avec des mots soigneusement choisis et répondait bien à mon attente. Il n'empêche : cela m'intriguait. Meyer franchissait la ligne jaune en me donnant sa clé USB et je devais me demander pourquoi. Je ne le connaissais pas. Je n'avais jamais rien écrit sur lui et il n'y avait entre nous rien de la confiance qui peut s'établir entre un journaliste et sa source au fur et à mesure que les articles sont écrits et publiés. Bref, si ce n'était pas pour moi qu'il franchissait la ligne jaune, pour qui le faisait-il ? Pour Alonzo Winslow ? Se pouvait-il que cet avocat commis d'office avec une serviette bourrée de dossiers sur son client coupable croie vraiment à ce qu'il venait de déclarer ? Croyait-il vraiment qu'Alonzo était une victime dans cette histoire et que de fait il était bel et bien innocent ?

Il me vint à l'esprit que je perdais mon temps. Il fallait que je rentre au bureau pour voir ce qu'il y avait dans cette clé. Des renseignements numériques que je tenais cachés dans ma main sortirait la direction de mon enquête. Je me penchai en avant et éteignis mon magnéto.

– Je vous remercie de votre aide, dis-je.

J'y avais mis du sarcasme pour l'autre avocat. Je hochai la tête et fis un clin d'œil à Meyer, puis je m'en allai.

Aussitôt arrivé au journal, je gagnai mon box sans m'annoncer au radeau ou à Angela Cook. Je fichai la clé dans l'entrée de mon portable et l'ouvris. Elle contenait trois dossiers. Intitulés « résumé.doc », « arrestation.doc » et « aveux.doc ». Le troisième était de loin le plus gros. Je l'ouvris brièvement et m'aperçus que la transcription de ces aveux faisait neuf cent vingt-huit pages. Je le refermai, le sauvegardai pour la fin et songeai que s'il portait le titre d'« aveux » au lieu de, disons… « interrogatoire », c'était un dossier qui lui avait été transmis par le procureur. Le monde était passé au numérique et il ne me surprenait pas que la transcription de neuf heures d'interrogatoire d'un type accusé de meurtre soit passée de la police au procureur, puis du procureur à l'avocat de la défense sous forme de fichier électronique. Avec un total de neuf cent vingt-huit pages, imprimer et réimprimer un tel document aurait coûté cher, surtout si l'on considère qu'il ne se serait agi là que d'une pièce de dossier dans un système judiciaire qui en traite des milliers tous les jours. Si Meyer avait envie de l'imprimer sur le budget du Bureau des avocats commis d'office, c'était son affaire.

Après avoir transféré les fichiers dans mon ordinateur, je les expédiai tous par e-mail au centre de photocopie du journal de façon à en avoir des copies papier. De la même façon que je préfère un journal qu'on peut tenir dans sa main à sa version numérique, j'aime bien avoir des versions papier des pièces sur lesquelles je m'appuie pour écrire mes articles.

Je décidai de lire ces documents dans l'ordre, bien que je connaisse déjà les charges retenues contre Alonzo Winslow et les détails de son arrestation. Les deux premières pièces prépareraient le terrain pour les aveux à venir. Et ces aveux pour mon article.

J'ouvris le rapport de la police sur mon écran. Je pensais y trouver une relation minimale de l'enquête qui avait conduit à l'arrestation de Winslow. L'auteur du document était mon copain Gilbert Walker, celui-là même qui m'avait si gentiment raccroché au nez la veille. Je ne m'attendais pas à grand-chose. Le rapport faisait quatre pages et avait été tapé sur les formulaires *ad hoc*, puis scanné et entré dans un ordinateur afin de créer le document que j'avais sous les yeux. En l'écrivant, Walker savait que les avocats des deux parties y chercheraient toutes les faiblesses et fautes de procédure possibles. La meilleure façon de se protéger était de réduire la cible, autrement dit de mettre aussi peu de chose que possible dans le rapport. Et d'après ce que je voyais, Walker avait réussi son coup.

La surprise ne fut donc pas la brièveté du document, mais la présence des résultats de l'autopsie et du rapport d'analyse de scène de crime avec tout un tas de photographies prises sur les lieux. Elles allaient m'aider énormément lorsque je décrirais le crime dans mon article.

Tous les journalistes ont au moins un brin de gène du voyeur dans l'ADN. Avant de passer aux mots, j'allai aux images. Il y avait là quarante-huit clichés couleur pris sur la scène de crime et montrant le corps de Denise Babbit dans l'état où on l'avait trouvé dans le coffre de sa Mazda Millenia modèle 1999, puis déplacé sur les lieux du crime afin d'y être examiné, puis déposé dans une housse avant d'être emporté. Il y avait aussi des photos montrant l'intérieur de la voiture et du coffre après que le corps en avait été ôté.

L'un de ces clichés montrait le visage de la victime derrière le sac en plastique transparent qui lui avait été passé sur la tête et solidement attaché autour du cou avec ce qui ressemblait beaucoup à de la corde à linge ordinaire. Denise Babbit était morte les yeux grands ouverts de peur. J'avais vu pas mal de cadavres en mon temps, aussi bien en vrai que sur des photos de ce genre. Mais jamais je ne m'étais habitué à leurs yeux. J'avais connu un inspecteur des Homicides – de fait, c'était mon frère – qui m'avait recommandé de ne pas trop m'attarder sur eux parce qu'ils vous restaient longtemps à l'esprit après qu'on s'en était détourné.

Et Denise avait ce genre d'yeux. Ceux qui font penser aux derniers instants qu'a passés la victime, à ce qu'elle a vu, à ce qu'elle a pensé et senti.

Je revins au rapport d'enquête et le lus en entier, en surlignant les paragraphes contenant des renseignements qui me semblaient importants et en les copiant dans un fichier que je venais de créer. Je l'intitulai « versionflics.doc », puis réécrivis tous les paragraphes que j'y avais importés du rapport officiel. Rédigé en langue de bois, le rapport des flics était surchargé d'abréviations et d'acronymes. Je voulais en faire ma version à moi.

Lorsque j'eus fini, je relus mon travail pour être sûr que tout y était exact et que ça coulait. Je savais que lorsque je rédigerais la version finale pour publication, beaucoup de ces paragraphes et pépites de renseignements y seraient inclus. Que je fasse une erreur à ce stade-là et elle aurait toutes les chances de se retrouver dans l'article publié.

Denise Babbit avait été retrouvée dans le coffre de sa Mazda Millenia 1999 à neuf heures quarante-cinq du matin, le samedi 25 avril 2009, par les officiers de patrouille de la police de Santa Monica Richard Cleady et Roberto Jimenez. Les inspecteurs Gilbert Walker et William Grady avaient répondu à leur appel en leur qualité d'inspecteurs chargés de l'enquête.

Les officiers de la patrouille avaient été appelés par un gardien de parking de Santa Monica qui avait trouvé la voiture dans le parking public de la plage proche de l'hôtel Casa Del Mar. Si l'accès en est gratuit pendant la nuit, il devient payant de neuf heures du matin à cinq heures de l'après-midi, tout individu qui y resterait sans payer et afficher le ticket sur son tableau de bord devant alors s'acquitter d'une amende. Lorsqu'il s'était approché de la Mazda pour vérifier s'il y avait bien un ticket de paiement en vue, le gardien Willy Cortez avait trouvé la vitre du véhicule ouverte et la clé de contact mise. Un sac à main de dame était visible sur le siège passager, son contenu vidé à côté de lui. Sentant que quelque chose ne collait pas, il avait appelé la police de Santa Monica et les officiers Cleady et Jimenez étaient arrivés aussitôt. Alors qu'ils vérifiaient la plaque minéralogique pour identifier le propriétaire du véhicule, ils avaient remarqué que le couvercle du coffre s'était refermé sur ce qui semblait être un bout de robe en soie imprimée. Ils avaient passé la main à l'intérieur de la boîte à gants et déclenché l'ouverture du coffre.

Le corps d'une femme, plus tard identifiée comme étant Denise Babbit, la propriétaire de la voiture, s'y trouvait. Elle était nue et ses habits – sous-vêtements, robe et chaussures – étaient posés sur le cadavre.

Denise Babbit avait vingt-trois ans. Elle travaillait comme danseuse dans un bar à strip-tease d'Hollywood, le Snake Pit[1]. Elle habitait à Hollywood, dans un appartement d'Orchid Street. Elle avait un casier où était mentionnée une arrestation pour détention d'héroïne, l'affaire remontant à un an. Elle n'avait pas encore été jugée, la fin de la procédure étant remise à plus tard suite à une intervention avant procès qui avait eu pour effet de la placer dans un programme de rééducation. Elle avait été arrêtée au cours d'une descente de la police de Los Angeles dans la cité des Rodia Gardens, cité où des agents en plongée avaient observé des suspects en train d'acheter de la drogue et les

1. Soit « la fosse aux serpents » *(NdT)*.

avaient interpellés alors qu'ils filaient au volant de leurs véhicules.

Parmi les cheveux, poils et fibres prélevés à l'intérieur de sa voiture se trouvaient beaucoup de poils de chien appartenant à une race à poils ras. Et Denise Babbit n'avait pas de chien.

Elle avait été asphyxiée avec un bout de corde à linge comme on peut en acheter partout et dont on s'était servi pour lui nouer un sac en plastique autour du cou. Elle avait aussi des marques de ligatures aux jambes et aux poignets, marques qui s'étaient imprimées dans sa chair au moment où on l'avait attachée pendant son enlèvement. L'autopsie devait révéler qu'elle avait été violée à de multiples reprises avec un corps étranger. De minuscules éclats de bois retrouvés dans son vagin et son anus indiquaient que cet objet était peut-être le manche d'un balai ou d'un outil. Aucune trace de sperme ou de poils n'avait été retrouvée sur le corps. Le décès devait s'être produit entre douze et dix-huit heures avant la découverte du cadavre.

Denise avait effectué son service de nuit au Snake Pit de manière tout à fait normale et avait quitté cet établissement à deux heures quinze du matin, le vendredi 24 avril. Sa colocataire, Lori Rodgers, vingt-sept ans – elle aussi était danseuse au Snake Pit –, avait déclaré à la police que Babbit n'était pas rentrée après son travail et n'avait pas reparu à l'appartement d'Orchid Street de toute la journée du vendredi. Et, le soir venu, elle n'avait pas repris son service au Snake Pit, sa voiture et son corps étant retrouvés le lendemain matin.

On estimait que la veille au soir Denise avait gagné plus de trois cents dollars de pourboires en dansant au Snake Pit. On n'avait pas retrouvé de liquide dans son sac, dont le contenu avait été vidé dans sa voiture.

Les inspecteurs détachés à la scène de crime avaient en revanche découvert que la personne qui avait abandonné le véhicule avec le cadavre dans le coffre avait, mais sans succès, tenté d'effacer ses traces en essuyant toutes les surfaces susceptibles de recueillir des empreintes digitales. Les poignées intérieures des portières, le volant et le levier de vitesses avaient été entièrement nettoyés. À l'extérieur, le couvercle du coffre et les poignées de portières avaient, eux aussi, été entièrement nettoyés. Les enquêteurs avaient néanmoins trouvé une belle empreinte de pouce sur le rétroviseur interne, probablement laissée lorsque le chauffeur avait voulu le régler.

Comparée au fichier central, cette empreinte de pouce avait été reliée à Alonzo Winslow, la correspondance étant confirmée par une analyse physique effectuée par un spécialiste. À seize ans, Alonzo avait un casier où était mentionnée une arrestation pour vente de narcotiques dans la cité même où Denise Babbit avait acheté son héroïne et été arrêtée l'année précédente.

La police avait donc échafaudé la théorie suivante : après avoir quitté son travail aux premières heures du 24 avril, Denise s'était rendue à la cité des Rodia Gardens en voiture afin d'y acheter de l'héroïne ou d'autres drogues. Bien que de race blanche alors que la population de la cité des Rodia Gardens était à quatre-vingt-dix-huit pour cent noire, Denise Babbit était une habituée et se sentait à l'aise lorsqu'elle s'y rendait pour s'acheter sa drogue parce qu'elle y allait souvent. Il est même possible qu'elle ait connu personnellement certains dealers, y compris Alonzo Winslow. Il est également possible qu'elle ait échangé son corps contre de la drogue.

Cette fois-là néanmoins, elle avait été enlevée par Alonzo Winslow – et peut-être d'autres individus. Retenue prisonnière dans un lieu inconnu, elle avait subi des tortures sexuelles pendant six à dix-huit heures. Étant donné les hauts niveaux d'hémorragies pétéchiales retrouvés autour de ses yeux, il semblerait qu'elle ait été encore et encore étranglée jusqu'à la perte de conscience, puis ramenée à la vie avant que l'ultime asphyxie ne se produise. Son corps avait alors été jeté dans le coffre de sa voiture, puis transporté sur presque trente-cinq kilomètres, jusqu'à Santa Monica, où le véhicule avait été abandonné dans le parking en bordure de l'océan.

L'empreinte digitale leur offrant une belle pièce à conviction pour étayer leur théorie et relier Babbit à un dealer reconnu des Rodia Gardens, les inspecteurs Walker et Grady avaient obtenu un mandat d'arrêt pour Alonzo Winslow. Ils avaient alors contacté la police de Los Angeles pour obtenir sa coopération dans les opérations de recherche et d'arrestation du suspect. Placé en détention sans incident dans la matinée du dimanche 26 avril, Winslow avait avoué le meurtre après un interrogatoire interminable. Le lendemain matin, la police rendait publique la nouvelle de son arrestation.

Je refermai le dossier et réfléchis à la rapidité avec laquelle l'enquête avait conduit les policiers à Winslow, tout ça parce qu'il avait raté une empreinte. Il avait dû se dire que les trente-cinq kilomètres qui séparent Watts de Santa Monica constituaient une distance qu'aucune accusation de meurtre ne pouvait franchir. Et maintenant, il croupissait dans une cellule pour mineurs de la prison de Sylmar en regrettant d'avoir ajusté ce rétroviseur pour s'assurer que les flics ne le suivaient pas.

Mon téléphone de bureau se mettant à sonner, j'y jetai un coup d'œil et vis le nom d'Angela Cook s'afficher à l'écran. Je fus tenté de laisser filer pour continuer à me concentrer sur mon sujet, mais je savais que l'appel serait transmis au standard et que celui ou celle qui le prendrait lui dirait que j'étais à mon bureau mais, apparemment, trop occupé pour répondre.

Je ne voulais pas de ça, je décrochai.

– Angela, qu'est-ce qui se passe ?

– Je suis à Parker Center et je pense qu'il se passe des trucs, mais personne ne me dit rien.

– Pourquoi pensez-vous qu'il se passe des trucs ?

– Parce qu'il y a des tas de journalistes et de cameramen qui arrivent.

– Où êtes-vous ?

– Dans l'entrée. J'allais partir quand j'ai vu tout un tas de ces mecs débarquer.

– Et vous avez vérifié auprès du service de Presse ?

– Bien sûr que oui. Mais personne ne répond.

– Je m'excuse. C'était une question idiote. Euh… bon, je pourrais donner quelques coups de fil. Restez où vous êtes au cas où vous auriez besoin de remonter au sixième. Je vous rappelle tout de suite. Il n'y avait que des types de la télé ?

– On dirait.

– Vous savez à quoi ressemble Patrick Denison ?

Denison était le grand reporter spécialisé dans les affaires criminelles du *Daily News*, le seul concurrent sérieux que le *Times* papier avait à affronter localement. Il était bon et de temps à autre sortait une exclusivité que je devais suivre. Il n'y a rien de plus gênant pour un journaliste que de devoir suivre un scoop de la concurrence. Mais là, avec la télé déjà dans le bâtiment il n'y avait pas à s'inquiéter. Quand on voit des reporters télé débarquer sur un sujet, cela signifie généralement qu'ils ne font que se mettre à jour ou se préparer à assister à une conférence de presse. Et les nouvelles télévisées n'avaient pas décroché un vrai scoop depuis que la 5 avait sorti l'enregistrement de 1991 où l'on voit Rodney King se faire tabasser.

Je raccrochai et appelai un lieutenant à l'unité des Crimes graves, histoire de savoir ce qui se passait. S'il n'était pas au courant, j'essaierais à la division des Vols et Homicides et aux Stups. J'étais assez sûr de savoir bientôt pourquoi les médias prenaient d'assaut Parker Center et pourquoi le *Los Angeles Times* était le dernier à le savoir.

Je baratinai la secrétaire qui répond aux appels passés au Crimes graves et réussis à joindre le lieutenant Hardy sans trop attendre. Hardy avait moins d'un an d'expérience et j'en étais toujours à y aller à petits pas pour m'en faire peu à peu une source en qui avoir confiance. Après m'être identifié, je lui demandai ce que les Hardy Boys avaient en tête : je savais qu'en lui attribuant ainsi la direction de son équipe je satisfaisais son ego. La vérité était qu'il ne faisait que gérer son personnel, les enquêteurs qu'il avait sous lui travaillant de manière passablement autonome. Mais ça faisait partie des entrechats et jusque-là, ç'avait plutôt bien marché.

– On fait profil bas aujourd'hui, me dit-il. Il n'y a rien à signaler.

– Vous êtes sûr ? Quelqu'un d'ici me dit que c'est plein de gens de la télé chez vous.

– Oui, c'est pour l'autre truc. On n'a rien à voir avec ça.

Au moins n'avions-nous pas une longueur de retard sur ce qui se passait aux Crimes graves. C'était une bonne chose.

– Quel autre truc ? lui demandai-je

– Faut parler ou à Grossman ou au bureau du chef. Ils tiennent leur conférence de presse.

Je commençai à m'inquiéter. Le chef de police n'avait pas l'habitude de tenir des conférences de presse pour aborder des sujets déjà rapportés dans les journaux. En général, c'était lui qui annonçait les grandes nouvelles – de façon à pouvoir contrôler l'information et récolter les félicitations s'il y avait à en recevoir.

L'autre personne dont Hardy avait parlé était le capitaine Art Grossman, qui dirigeait les grandes enquêtes sur la drogue. Dieu sait pourquoi, nous avions raté une invitation à une conférence de presse.

Je me dépêchai de remercier Hardy pour son aide et l'informai que je lui parlerais plus tard. Puis je rappelai Angela, qui décrocha immédiatement.

– Réintégrez le bâtiment et montez au sixième. Il y a une conférence de presse avec le grand patron et Art Grossman, qui dirige les Stups.

– D'accord. À quelle heure ?

– Je ne le sais pas encore. Montez juste au cas où ça se passerait en ce moment. Vous n'aviez entendu parler de rien ?

– Bien sûr que non ! s'écria-t-elle sur la défensive.

– Depuis combien de temps êtes-vous là-bas ?

– Depuis ce matin. J'essaie de rencontrer des gens.

– D'accord, montez au sixième et je vous rappelle.

Je raccrochai et me lançai dans plusieurs choses à la fois. Tout en passant un coup de fil au bureau de Grossman, je me mis en ligne et vérifiai auprès du City News Service. Cette agence offrait un service d'informations en ligne constamment mis à jour sur tout ce qui se produisait dans la Cité des Anges. On y trouvait beaucoup d'échos de la police et de faits-divers, cet organisme servant surtout de source de renseignements sur les conférences de presse à venir et ne donnant que des détails restreints sur certains rapports d'enquêtes au criminel. Le journaliste que j'étais s'y référait sans arrêt pendant la journée tout comme l'analyste des marchés financiers ne lâche pas des yeux les variations de l'indice Dow Jones qui défilent en boucle au bas de l'écran de la chaîne Bloomberg.

J'aurais pu rester encore plus connecté à ce service en souscrivant aux alertes e-mail ou sms sur mon portable, mais ce n'était pas comme ça que je fonctionnais. Je n'avais rien d'un *mojo*. Je n'étais qu'un journaliste vieille école et n'avais aucune envie d'être rappelé à l'ordre par les sonneries et sifflets de la connectique.

Cela dit, j'avais oublié de parler de ces possibilités à Angela. Et entre elle en train de passer sa matinée à Parker Center et moi à me renseigner sur l'affaire Babbit, personne n'avait eu droit aux sonneries et sifflets. Et personne non plus n'avait procédé aux vérifications à l'ancienne.

Je commençai à remonter dans l'écran du CNS pour y trouver l'annonce d'une conférence de presse ou d'une nouvelle toute fraîche. L'appel que je passai à Grossman atterrit chez une secrétaire qui m'informa que le capitaine était déjà monté – au sixième, s'entend –, pour une conférence de presse.

Juste au moment où je raccrochais, je tombai sur une note du CNS annonçant qu'effectivement il y aurait une conférence de presse à onze heures, à la salle des médias du sixième étage de Parker Center. On n'y disait pas grand-chose de plus que ceci : il y avait eu pendant la nuit un gros coup de filet antidrogue dans la cité des Rodia Gardens.

Bing ! Voilà que mon sujet à long terme se transformait fort joliment en dernières nouvelles à ne pas manquer. L'adrénaline s'emballa. Cela se produit souvent comme ça. À force de gratter jour après jour dans les nouvelles, on a l'ouverture sur quelque chose de plus gros.

Je rappelai Angela.

– Vous êtes au sixième ?

– Oui, et ça n'a pas commencé. De quoi s'agit-il ? Je ne veux pas demander à tous ces types de la télé de peur d'avoir l'air idiote.

– Bien sûr. Il s'agit d'un coup de filet antidrogue qui a eu lieu cette nuit aux Rodia Gardens.

– C'est tout ?

– Oui, mais ça pourrait devenir important parce que c'est probablement suite à l'assassinat dont je vous ai parlé hier. La femme retrouvée dans le coffre de sa voiture, vous vous rappelez ? C'est à cet endroit qu'on a retrouvé sa trace.

– Ah oui, oui !

– Angela, repris-je, vu que ça a un lien avec ce sur quoi je travaille, je vais essayer de vendre l'affaire à Prendo. J'ai envie d'écrire l'article parce que ça va m'aider à préparer mon sujet.

– Eh bien mais… on pourrait peut-être travailler ensemble. Je vais essayer d'apprendre tout ce que je peux.

Je marquai une pause, mais pas très longtemps. Il fallait y aller doucement mais fermement.

– Non, lui dis-je, je vais venir à la conférence. Si elle commence avant, prenez des notes pour moi. Vous pourrez les passer à Prendo pour l'édition en ligne. Mais ce sujet, je le veux, Angela, parce qu'il fait partie de mon grand projet.

– C'est cool, Jack, me répondit-elle sans hésitation. Je n'essaie pas de vous le piquer. C'est toujours votre bébé et le sujet vous appartient. Mais si vous avez besoin de quoi que ce soit, vous n'avez qu'à demander.

Je me dis alors que j'avais réagi trop fort et fus gêné de m'être conduit comme un connard égoïste.

– Merci, Angela, lui dis-je. On va trouver une solution. Je vais avertir Prendo pour le budget et j'arrive

Parker Center en était à ses derniers jours d'existence. Cela faisait presque cinq décennies que ce bâtiment qui tombait en ruine était le centre de commandement des opérations de police, et il avait au moins dix ans d'obsolescence. Cela ne l'empêchait pas d'avoir rendu de grands services à la ville, d'avoir survécu à deux émeutes, à d'innombrables manifestations et crimes graves, et d'avoir abrité des milliers de conférences de presse comme celle que je m'apprêtais à suivre. Il n'empêche : en tant que quartier général, il y avait longtemps qu'il était dépassé. Et on s'y entassait. La plomberie était morte et le chauffage et la climatisation quasi sans espoir. Il n'y avait pas assez de parkings, pas assez d'espace pour les bureaux et pas assez de cellules. Il y avait aussi dans les couloirs et les bureaux des endroits où ça sentait l'aigre et le rance. Les planchers en vinyle avaient gauchi ici et là et que la structure de l'immeuble puisse résister à un grand tremblement de terre était douteux. De fait, nombre d'inspecteurs travaillaient sans relâche certaines affaires à l'extérieur des bâtiments et s'y démenaient de façon extraordinaire pour trouver des éléments de preuve et des suspects... dans le seul but de ne pas être coincés dans les bureaux quand frapperait le *big one*.

Dans quelques semaines, un bel immeuble sis dans Spring Street, juste à côté du *Times,* serait prêt remplacer Parker Center. Construction dernier cri, spacieux et technologiquement très avancé. On espérait qu'il serve la police et la ville les cinq décennies à venir. Mais je ne serais plus là lorsque l'heure serait venue d'y emménager. Ce serait ma belle remplaçante qui y serait et là, en montant au sixième dans l'ascenseur branlant, je songeai que c'était le sort qui le voulait. Parker Center me manquerait parce que j'étais comme lui. Archaïque et obsolète.

La conférence de presse battait son plein lorsque j'arrivai dans la grande salle des médias, à côté du bureau du chef de police. Je passai en force devant un flic en tenue, lui pris un exemplaire du communiqué, politesse dont je m'acquittai à contrecœur, me baissai pour ne pas être dans l'alignement des caméras et longeai le mur du fond pour prendre un siège libre. J'étais souvent venu dans cette pièce lorsqu'il n'y avait plus de places assises. Ce jour-là, la conférence de presse concernant une histoire de descente des Stups, l'assistance était minimale. Je dénombrai des représentants de cinq chaînes sur les neuf de la région, deux journalistes de la radio et deux ou trois confrères de la presse écrite. J'aperçus Angela au deuxième rang. Elle avait ouvert son ordinateur portable et y tapait des choses. Je me dis qu'elle devait être connectée et qu'elle écrivait son article pour l'édition en ligne alors que la conférence de presse n'était même pas finie. Une vraie *mojo*.

Je lus le communiqué pour me mettre au courant. En un long paragraphe, on y donnait les faits que le chef de police et le patron des Stups pourraient développer pendant la conférence.

Suite à l'assassinat de Denise Babbit, dont on pensait qu'il s'était produit quelque part dans la cité des Rodia Gardens, l'unité des Stups du South Bureau avait une semaine durant surveillé de près le trafic de drogue dans la cité et effectué une descente au petit matin, descente au cours de laquelle elle avait arrêté seize personnes soupçonnées de dealer. Parmi ces suspects on trouvait onze adultes appartenant à des gangs et cinq mineurs. Crack et méthamphétamine, une quantité de drogue gardée secrète avait été saisie dans douze appartements de la cité. De plus, la police de Santa Monica et des enquêteurs du bureau du district attorney avaient mis à exécution trois mandats de perquisition ayant à voir avec l'enquête sur l'assassinat. On voulait trouver d'autres éléments de preuve à charge contre le jeune de seize ans accusé du meurtre et d'autres personnes qui auraient pu être dans le coup.

À force de lire des communiqués de presse, j'étais devenu au fil des ans assez bon dans l'art de lire entre les lignes. Je savais que, lorsqu'on ne donnait pas la quantité de drogue saisie, c'était probablement parce qu'elle était si faible que ç'aurait pu être gênant. Je savais aussi que lorsque le communiqué faisait état de mandats qu'on avait exécutés dans le but de trouver des éléments de preuve supplémentaires, c'était que, selon toute vraisemblance, on n'en avait pas découvert. Sans cela, on aurait crié sur les toits qu'on en avait trouvé en mettant les mandats à exécution.

Tout cela ne m'intéressait que modérément. Ce qui faisait monter mon adrénaline se réduisait au fait que la descente était liée à l'assassinat et que ça ne pouvait que déclencher une controverse raciale. Et que cette controverse m'aiderait à vendre mon grand sujet à mes patrons.

Je venais juste de lever la tête pour regarder le podium lorsque le chef de police passa la parole à Grossman. Le capitaine s'approcha du micro et se mit à commenter la présentation Power Point du coup de filet. Sur l'écran à gauche du podium, des photos de l'identité judiciaire des adultes arrêtés commencèrent à apparaître avec la liste des charges retenues contre chaque individu.

Grossman entra dans les détails de l'opération et raconta comment douze équipes de six policiers avaient au même moment procédé à une descente dans douze appartements différents à six heures et demie du matin. Il affirma qu'il n'y avait eu qu'un seul problème, un policier qui avait été blessé pour s'être fort bizarrement trouvé au mauvais endroit au mauvais moment. Il longeait à toute allure le côté d'un immeuble de la cité pour couvrir l'arrière de l'opération lorsque, à l'intérieur, le suspect avait été réveillé par les coups donnés à sa porte. Il avait alors jeté son fusil à canon scié par la fenêtre de façon à ne pas être trouvé en possession d'une arme interdite. Le policier qui passait en dessous l'avait reçu sur la tête et avait aussitôt perdu connaissance. Soigné par des auxiliaires médicaux, il devait rester en observation encore une nuit dans un hôpital dont on ne donnait pas le nom.

C'est alors que la photo du gangster qui m'avait extorqué cinquante dollars la veille passa sur l'écran. Grossman l'identifia comme étant celle d'un certain Darnell Hicks qui, âgé de vingt ans, était un des « patrons de la rue » et avait sous ses ordres plusieurs ados et gamins qui vendaient de la drogue. Je fus assez content de voir sa gueule et sus que c'était le premier type arrêté dont je mentionnerais le nom quand j'écrirais mon article pour l'édition du lendemain. Ma façon à moi de lui renvoyer la danse du Crip à la figure.

Grossman prit encore dix minutes pour donner les détails que la police était prête à divulguer, puis il passa aux questions et réponses. Deux ou trois reporters de la télé lui en posèrent de faciles, qu'il expédia sans difficulté. Personne ne lui avait posé la seule difficile avant que je lève la main. Il était en train de scruter la salle lorsqu'il m'aperçut. Il me connaissait et savait où je travaillais. Il savait aussi que je ne lui ferais pas de fleur. Il continua de regarder à droite et à gauche, en espérant sans doute qu'un autre bas de plafond de la télé lève la main. Mais il n'eut pas cette chance-là et n'eut d'autre choix que de revenir vers moi.

– Monsieur McEvoy, vous avez une question ?

– Oui, capitaine. Je me demandais si vous vous attendez à un retour de bâton de la communauté noire.

– « Un retour de bâton de la communauté noire » ? répéta-t-il. Non. Comme si on allait se plaindre de voir des dealers et des gangsters se faire expulser de la rue ! D'ailleurs nous avons eu le soutien et la coopération de toute la communauté pour cette opération. Je ne vois pas où il pourrait y avoir un quelconque retour de bâton dans tout ça.

Je mis cette phrase sur le soutien et la coopération de la cité dans ma poche pour plus tard et restai concentré sur ma question.

— Bien, mais il est de notoriété publique que les problèmes de drogue et de gangs dans la cité des Rodia Gardens ne datent pas d'hier. Cela dit, la police n'a monté cette opération de grande envergure que suite à l'enlèvement et à l'assassinat d'une Blanche d'Hollywood qui s'y rendait. Je me demandais donc si la police a envisagé les réactions possibles de la communauté noire au cas où elle se lancerait dans cette opération.

Grossman rougit. Jeta un bref coup d'œil au chef de police, mais celui-ci n'indiqua en rien qu'il était prêt à prendre la question, voire à seulement lui donner un coup de main. Grossman allait devoir se débrouiller seul.

— Nous ne euh… ce n'est pas comme ça que nous voyons les choses, commença-t-il par dire. Le meurtre de Denise Babbit ne nous a servi qu'à concentrer notre attention sur les problèmes de la cité. Les actions que nous avons menées aujourd'hui… et les arrestations que nous avons effectuées… aideront à faire de cette cité un endroit plus agréable à vivre. Aucun retour de bâton possible là-dedans. Et ce n'est pas la première fois que nous procédons à des coups de filet dans ce secteur.

— Est-ce la première fois que vous convoquez une conférence de presse pour en parler ? lui demandai-je, juste pour lui tordre un peu le bras.

— Ça, je l'ignore, me répondit-il.

Il regarda à nouveau l'assistance dans l'espoir d'y voir une autre main se lever, mais personne ne le tira d'affaire.

— J'ai encore une question, repris-je. Pour les mandats de perquisition faisant suite au meurtre de Denise Babbit, avez-vous trouvé l'endroit où elle aurait été retenue prisonnière et assassinée après son enlèvement ?

Là, Grossman était prêt à filer le bébé à un autre.

— Cette affaire ne nous concerne pas, me répondit-il. Pour ça, il faut que vous vous adressiez à la police de Santa Monica ou au bureau du district attorney.

Il eut alors l'air tout heureux de sa réponse qui me laissait sur ma faim. Je n'avais plus d'autres questions à lui poser, il regarda une dernière fois la salle et mit fin à la conférence de presse. Je restai debout près de mon siège et attendis qu'Angela Cook se fraie un chemin pour me rejoindre. J'allais lui dire que je n'avais besoin que des notes qu'elle avait prises sur la prestation du chef de police. Tout le reste, je l'avais.

Le flic en tenue qui m'avait donné le communiqué à la porte me rejoignit le premier et me fit signe de gagner la porte de l'autre côté de la salle. Je savais qu'elle donnait sur une pièce où l'on gardait une partie de l'équipement dont on se servait pour la partie graphique des présentations.

— Le lieutenant Minter voudrait vous montrer quelque chose, dit-il.

— Ça tombe bien, lui renvoyai-je. Je voulais, moi, lui demander un truc.

Je franchis la porte et trouvai Minter qui, raide comme un piquet, m'attendait, assis sur le coin d'un bureau. Bel homme svelte, peau lisse couleur café au lait, diction parfaite et sourire toujours prêt, il dirigeait le bureau des Relations avec les médias. C'était un boulot important au LAPD, mais un boulot qui me troublait depuis toujours. Pourquoi donc, après avoir reçu sa formation, son arme et son badge, un flic pourrait-il vouloir travailler dans les relations avec les médias alors qu'on n'y faisait strictement aucun travail de police ? Je savais que ça met son bonhomme à la télé quasiment tous les soirs et qu'on voit tout le temps son nom dans les journaux, mais… le rapport avec le boulot de flic ?

— Hé, Jack, me lança-t-il amicalement tandis que nous nous serrions la main.

Dans l'instant je me conduisis comme si c'était moi qui avais exigé cette réunion.

– Lieutenant ! Merci de me recevoir. Je me demandais si je ne pourrais pas avoir une photo du dénommé Hicks pour mon article.

Il acquiesça d'un signe de tête.

– Aucun problème. C'est un adulte. Vous en voulez d'autres ?

– Non, je n'aurai probablement besoin que de celle-là. Comme ils n'aiment pas passer des trombines au journal, je n'aurai probablement le droit de me servir que de celle-là... si j'ai de la chance.

– C'est quand même bizarre que vous vouliez une photo de Hicks.

– Pourquoi donc ?

Il tendit la main vers le bureau dans son dos et y prit un dossier.

L'ouvrit et me passa un cliché format 18x24. Photo de surveillance avec codes de police dans le coin inférieur droit du tirage. On m'y voyait filer à Darnell Hicks les cinquante dollars de taxe qu'il m'avait fait payer la veille. Je remarquai aussitôt le grain de la photo et sus qu'on l'avait prise de loin et par-dessus. Je me rappelai le parking où j'avais payé et, sachant que je me trouvais alors au cœur de la cité, je compris qu'il n'y avait qu'un seul endroit d'où on avait pu prendre le cliché : de l'intérieur d'un des appartements alentour. Je sus alors ce que Grossman entendait par « soutien et coopération de la communauté ». Il y avait eu au moins un habitant qui avait autorisé les flics à se servir de son appartement comme de poste de surveillance.

Je tins la photo en l'air.

– Vous me donnez ça pour mon livre de souvenirs ? lui lançai-je.

– Non, je me demandais si vous ne pourriez pas nous parler de ce truc. Non, parce que si vous avez un problème, je peux vous aider.

Avec un grand sourire de faux jeton sur la figure. Mais j'étais assez malin pour savoir ce qui était en train de se jouer. Il essayait de me mettre la pression. Sortie de son contexte, une photo de ce genre pouvait envoyer le mauvais message si on la passait à un patron ou à un concurrent. Je lui renvoyai son sourire.

— Qu'est-ce que vous voulez, lieutenant ? lui demandai-je.

— Nous n'avons aucune envie de susciter la controverse quand il n'y en a pas besoin, dit-il. Tenez, c'est comme avec ce cliché. Il pourrait vouloir dire bien des choses. Pourquoi fouiner par là, hein ?

Rien de plus clair. On laisse tomber l'angle retour de bâton de la communauté. Minter et le haut commandement savaient très bien que c'était le *Times* qui disait ce qu'étaient les nouvelles à Los Angeles. Les chaînes de télé et autres ne faisaient que suivre. Qu'on puisse contrôler ça, à tout le moins le contenir, et le reste des médias lui emboîterait le pas.

— C'est donc que vous n'avez pas reçu l'info, lui dis-je. Je suis viré. J'ai reçu ma feuille de licenciement vendredi, lieutenant. Vous ne pouvez donc rien contre moi. Il ne me reste plus que quinze jours. Ce qui fait que si vous voulez envoyer cette photo à quelqu'un du journal, moi, je choisirais Dorothy Fowler, la rédac chef du cahier Métro. Cela dit, ça ne changera rien à qui je vais m'adresser pour cet article, et à son contenu non plus. En plus de quoi… les Stups du South Bureau savent-ils que vous montrez leurs photos de surveillance à tout le monde ? Non, parce que c'est dangereux, lieutenant.

Et je la lui montrai bien haut pour qu'il la voie.

— Bien plus que ce qu'elle peut dire de moi, elle crie haut et fort que votre équipe des Stups avait installé un dispositif à l'intérieur d'un appartement de la cité, ajoutai-je. Si jamais ça se savait, il y aurait toutes les chances pour que nos petits copains Crips se lancent dans une chasse aux sorcières. Vous n'avez pas oublié ce qui s'est passé dans Blythe Street il y a quelques années de ça, n'est-ce pas ?

Son sourire se figea tandis que je voyais le bonhomme remonter dans le passé. Trois ans plus tôt, la police avait monté un coup de filet similaire sur un point de vente de drogue tenu par un gang latino se déplaçant en voiture dans Blythe Street, à Van Nuys. Lorsque les photos de surveillance avaient été données aux avocats qui défendaient les membres des gangs inculpés, ceux-ci avaient eu vite fait de savoir de quel appartement elles avaient été prises. Un soir, celui-ci avait été attaqué à la grenade, une femme de soixante périssant brûlée vive dans son lit. La police n'avait pas eu exactement droit aux félicitations des médias sur ce coup-là et je me dis que c'était ce fiasco que Minter était tout soudain en train de revivre.

– Bon, repris-je, faut que j'aille bosser. Je descends au bureau des Relations avec les médias et je récupère la photo en partant. Merci, lieutenant.

– OK, Jack, me renvoya-t-il comme si les sous-entendus de notre conversation n'avaient jamais existé. J'espère vous revoir avant votre départ.

Je franchis à nouveau la porte pour repasser dans la salle où s'était déroulée la conférence de presse. Quelques cameramen s'y trouvaient encore et rangeaient leur équipement. Je cherchai Angela Cook, mais elle ne m'avait pas attendu.

Je pris la photo de Darnell Hicks, puis je regagnai l'immeuble du *Times* et montai à la salle de rédaction du troisième étage. Je ne me donnai pas la peine de m'annoncer parce que j'avais déjà envoyé le budget de l'article sur le coup de filet antidrogue à mon rédacteur en chef. J'avais l'intention de passer quelques coups de fil et d'étoffer mon travail avant d'aller revoir Prendo pour essayer de le convaincre qu'il faudrait le passer en première page des éditions en ligne et sur papier.

Le tirage papier des neuf cent vingt-huit pages de rapport où se trouvaient les aveux de Winslow, plus d'autres documents que j'avais envoyés au service de Photocopie m'attendaient sur mon bureau. Je m'assis et dus résister à l'envie de me plonger immédiatement dans la lecture de ces aveux. Je poussai de côté la pile de quinze centimètres de haut et allumai mon ordinateur. Puis je fis monter et ouvris mon carnet d'adresses à l'écran et y cherchai le numéro du révérend William Treacher. À la tête de l'association des pasteurs de South L.A., il était toujours prêt à donner une opinion contraire à celle du LAPD.

Je venais juste de décrocher mon téléphone pour appeler « Treacher le Prêcheur », comme l'appelaient familièrement ses ouailles et les médias locaux lorsque, sentant une présence au-dessus de moi, je levai la tête et découvris Alan Prendergast.

– T'as pas eu mon message ? me demanda-t-il.

– Non, je viens juste de rentrer et je voulais appeler le Prêcheur avant tout le monde. Qu'est-ce qu'il y a ?

– Je voulais te parler de ton article.

– Tu n'as pas reçu le budget prévisionnel que je t'ai envoyé ? Laisse-moi passer ce coup de fil vite fait et j'y ajouterai peut-être quelque chose.

– C'est pas pour l'article d'aujourd'hui, Jack. Cook s'en occupe déjà. J'aimerais que tu me parles de ton grand projet. On a la réunion d'ordre du jour dans dix minutes.

– Une seconde. Qu'est-ce que tu veux dire par « Cook s'occupe déjà de l'article » ?

– Elle est en train de l'écrire. Elle est revenue de la conférence de presse et m'a dit que vous y travailliez ensemble. Et elle a déjà appelé Treacher. Même qu'il lui a donné de bons trucs.

Je gardai pour moi que Cook et moi n'étions pas censés travailler ensemble sur cet article. Le sujet était à moi et je le lui avais dit.

– Bon, alors, qu'est-ce que t'as pour moi, Jack ? reprit-il. Ç'a à voir avec le truc d'aujourd'hui, non ?

– En gros, oui.

J'étais encore stupéfait de la décision qu'avait prise Angela Cook. La concurrence au sein de la salle de rédaction est chose courante, mais je ne m'attendais pas à ce qu'elle ait eu l'audace de mentir pour piquer un article.

– Jack ? J'ai pas beaucoup de temps.

– Euh, bon. Oui, c'est sur l'assassinat de Denise Babbit... mais vu sous l'angle du meurtrier. Ça raconte comme un jeune de seize ans, Alonzo Winslow, en est venu à être accusé de meurtre.

Prendo hocha la tête.

– Tu as ce qu'il faut ?

Par « ce qu'il faut », je savais qu'il me demandait si j'avais accès à tout le dossier. Il n'aurait pas été intéressé par un sujet dont la police aurait pu dire qu'elle l'avait filé à tout le monde Il n'aurait pas aimé y lire le mot « présumé » s'il décidait de le soutenir à la réunion budget prévisionnel. Il voulait un grand article, quelque chose qui dépasse le simple compte rendu de ce que tout le monde savait déjà, quelque chose qui soit d'un réalisme suffisamment dur pour que le lecteur en tremble. Bref, il voulait de l'ample et du profond, soit les qualités mêmes de tout article publié dans le *Times*.

– J'ai l'accès direct à tout. J'ai accès à la grand-mère et à l'avocat du gamin, gamin que je vais sans doute voir demain.

Je lui montrai la pile de documents qu'on venait d'imprimer posée sur mon bureau.

– Et voilà le trésor. Ses neuf cents pages d'aveux. Je ne devrais pas les avoir, mais je les ai. Et personne d'autre n'y touchera.

Prendo approuva d'un hochement de tête et je devinai ce à quoi il réfléchissait : il essayait de trouver la meilleure façon de soutenir le projet au cours de la réunion, voire de l'améliorer. Il ressortit du box à reculons, attrapa une chaise et l'approcha de mon bureau.

– Jack, dit-il en s'asseyant et se penchant vers moi, j'ai une idée.

Il m'appelait un peu trop par mon prénom et la façon dont il envahissait mon espace personnel me mettait mal à l'aise et me paraissait bidon : il ne l'avait encore jamais fait avec moi. Je n'aimais pas la direction que ça prenait.

– Quelle idée, Alan ?

– Et si cet article ne traitait pas seulement de la façon dont un gamin devient un assassin ? Et si ça disait aussi comment une fille devient une victime ?

Je réfléchis un instant et hochai lentement la tête. C'était la faute : quand on commence par dire oui, il est ensuite difficile d'appuyer sur la pédale de frein et de dire non.

– Ça va juste me prendre plus de temps s'il faut que je scinde l'histoire en deux comme ça.

– Non, non, ça ne t'en prendra pas plus parce que tu n'aurais pas à scinder le point de vue. Tu restes sur le môme et tu nous ponds un truc dément. On met Cook sur la victime et c'est elle qui travaillera cet angle-là. Et après, tu pourras, toi, relier les deux trucs ensemble et on aura un article en colonne un de la première page.

La colonne un de première page était réservée à l'article principal du journal. Au mieux écrit, à celui qui aurait le plus d'impact, au projet à long terme – quand l'article le méritait, il passait en première page, au-dessus du pli et dans la première colonne. Je me demandai si Prendergast se rendait compte de ce qu'il faisait. En sept ans de travail au *Times* je n'avais jamais eu droit à un seul article en première colonne de la page un. J'avais bossé plus de deux mille jours dans ma spécialité et pas une fois je n'avais sorti le meilleur article de la journée. M'agiter ainsi la possibilité de prendre la porte avec un article en première page, c'était me mettre une grosse carotte sous le nez.

– C'est elle qui t'a donné cette idée ?

– Qui ça ?

– Qui crois-tu donc ? Cook !

– Non, mec, je viens juste d'y penser. Y a pas une minute de ça. Qu'est-ce que t'en dis ?

– J'en dis que je me demande qui va suivre les affaires de police si on travaille tous les deux sur ce truc.

– Bah, vous pouvez faire échange. Comme vous l'avez déjà fait. Et moi, je devrais pouvoir avoir de temps en temps de l'aide des JG. Même s'il n'y avait que toi sur le coup, je ne pourrais de toute façon pas te laisser quartier entièrement libre.

Chaque fois ou presque que des journalistes généralistes étaient appelés à travailler à ma place, leurs articles étaient superficiels et stéréotypés. Ce n'était pas comme ça qu'on devait s'y prendre pour couvrir les affaires criminelles, mais… comme si j'avais à m'en soucier maintenant ! Il ne me restait plus que onze jours et tout serait fini.

Je ne crus pas un seul instant à ce que me disait Prendergast et ne me laissai pas prendre à son offre de première page. Cela dit, je n'étais pas assez bête pour ne pas sentir que son idée – que ce soit vraiment la sienne ou qu'elle vienne d'Angela Cook – pouvait améliorer le sujet. Et que ça me donnait une meilleure chance de faire ce que je voulais.

– On pourrait intituler ça « Collision », lui renvoyai-je. Le point de rencontre de ces deux-là – l'assassin et la victime –, et comment ils y sont arrivés.

– Parfait ! s'exclama-t-il en se levant, tout sourires. Je jouerai le coup au pif à la réunion, mais pourquoi Cook et toi n'y réfléchiriez pas tous les deux pour me donner quelque chose pour la séance de budget en fin d'après-midi ? Je n'ai qu'à leur annoncer que vous nous filerez l'article à la fin de la semaine.

Je réfléchis. Ça ne nous laissait pas beaucoup de temps, mais c'était faisable et je savais que je pourrais avoir quelques jours de plus si c'était nécessaire.

– Très bien, dis-je.

– Bon, faut que j'y aille.

Et il partit à sa réunion. Dans un e-mail aux termes soigneusement choisis, j'invitai Angela à me retrouver à la cafétéria pour boire un café. Je ne lui laissai pas entendre que j'étais en colère ou soupçonnais quoi que ce soit. Elle me répondit aussitôt et m'informa qu'elle m'y retrouverait dans un quart d'heure.

Maintenant que je n'avais plus à m'occuper de l'article du jour et que j'avais un quart d'heure à tuer, je ramenai la pile au milieu du plateau de mon bureau et commençai à lire les aveux d'Alonzo Winslow.

L'interrogatoire avait été conduit par les inspecteurs en charge du dossier, Gilbert Walker et William Grady, au siège de la police de Santa Monica, l'affaire débutant à onze heures du matin, le dimanche 26 avril, soit environ trois heures après que Winslow avait été placé en détention. La transcription était sous forme de questions et réponses avec très peu de descriptions en plus. Facile et rapide à lire, les questions et les réponses étant pour la plupart courtes au début. Du va-et-vient, comme au ping-pong.

La séance avait commencé par la lecture des droits du suspect, le jeune homme de seize ans reconnaissant qu'il les comprenait. Suivait une série de questions qu'on pose au début de tous les interrogatoires de mineurs. Elles étaient destinées à vérifier s'il savait distinguer le bien du mal. Une fois cette capacité établie, Winslow était devenu gibier qu'on a le droit d'abattre.

Il était, lui, tombé victime de son ego et avait succombé au plus vieux défaut de l'humanité : il s'était imaginé pouvoir blouser son monde. Il avait cru pouvoir s'en sortir en baratinant, voire se dégoter quelques infos sur l'enquête. Il avait donc accepté de parler de bon cœur (quel est le gamin innocent qui n'en aurait pas fait autant ?), et nos inspecteurs l'avaient roulé dans la farine comme un petit couillon. Explications invraisemblables et mensonges caractérisés, tout avait été enregistré.

Je feuilletai rapidement les deux cents premières pages, et sautai toutes celles où Winslow niait savoir ou avoir vu quoi que ce soit concernant le meurtre de Denise Babbit. C'est alors que, dans le cours d'une conversation très anodine, les inspecteurs lui avaient posé des questions sur l'endroit où il se trouvait le soir du meurtre, dans le but évident de recueillir des faits ou des mensonges qui, enregistrés, seraient utiles de toute façon – un fait étant un point de départ pouvant les aider à naviguer dans l'interrogatoire et un mensonge un argument massue contre Winslow lorsqu'il serait révélé au grand jour.

Winslow leur avait dit qu'il dormait chez lui et que sa « M'man », Wanda Sessums, pouvait s'en porter garante. Il n'avait pas cessé de nier tout lien avec Denise Babbit, voire seulement la connaître ou avoir jamais entendu parler de son enlèvement et de son assassinat. Il n'en démordait pas, mais, dès la page 305, les inspecteurs avaient commencé à le piéger en lui racontant des bobards.

WALKER : Ça ne va pas marcher, Alonzo. Faut que tu nous donnes quelque chose, quoi ! Tu peux pas rester là à dire non, non, non, je ne sais rien, et croire que tu vas pouvoir filer d'ici en homme libre. On sait que tu sais des trucs. On le sait, fiston.

WINSLOW : Vous savez que dalle. J'ai jamais vu c'te nana dont vous parlez.

WALKER : Vraiment ? Alors comment ça se fait qu'on t'ait sur une bande de vidéo surveillance en train d'arrêter sa bagnole sur le parking près de la plage ?

WINSLOW : De quelle bande vous parlez ?

WALKER : Celle tournée dans le parking. On te voit sortir de la voiture et après, personne s'en est approché avant qu'on trouve le cadavre dans le coffre. Et ça, ça te fout tout sur le dos, mec.

WINSLOW : Nan, c'est pas moi. J'ai pas fait ça.

D'après ce que j'avais appris dans les documents que m'avait remis l'avocat de la défense, il n'y avait aucun enregistrement montrant la Mazda de la victime en train d'être abandonnée dans le parking. Mais je savais aussi que la Cour suprême avait arrêté que la police pouvait mentir à un suspect à condition qu'il y ait raisonnablement des chances qu'un innocent s'en aperçoive. En faisant tout reposer sur la preuve à charge qu'ils avaient, à savoir l'empreinte digitale de Winslow sur le rétroviseur intérieur, les flics restaient dans les limites de leurs directives et se contentaient de le pousser sur la pente des aveux.

J'avais un jour écrit un article sur un interrogatoire au cours duquel les inspecteurs avaient montré au suspect un sac à scellés contenant l'arme qui avait servi à tuer. Sauf que ce n'était pas la vraie. Ce n'en était qu'une réplique exacte. Mais lorsqu'il l'avait vue, le suspect avait avoué le crime en se disant que la police avait toutes les preuves de ce qu'il avait fait. L'assassin avait été pris, mais ça ne m'avait pas beaucoup plu. Il ne m'a jamais paru juste ou bon qu'un représentant de l'administration ait, exactement comme les méchants, le droit de recourir à des mensonges et à des pièges, et ce avec l'approbation pleine et entière de la Cour suprême.

Je poursuivis ma lecture sur une centaine de pages en m'arrêtant ici et là, jusqu'au moment où mon portable se mit à sonner. Je regardai l'écran et m'aperçus que j'avais dépassé l'heure de mon rendez-vous avec Angela.

– Angela ? Je suis désolé. J'ai été coincé. Je descends tout de suite.

– Je vous en prie, dépêchez-vous. Il faut que je finisse cet article aujourd'hui.

Je me ruai à la cafétéria du premier étage et m'assis a sa table sans me prendre de café. J'avais vingt minutes de retard et vis que son gobelet était vide. Sur la table voisine était posé un tas de feuilles de papier, côté imprimé tourné vers le bas.

– Vous voulez un autre *latte* ? lui demandai-je.

– Non, ça ira.

– OK.

Je jetai un coup d'œil autour de moi. C'était le milieu de l'après-midi, la cafétéria était presque vide.

– Qu'est-ce qu'il y a, Jack ? Il faut que je remonte.

Je la regardai droit dans les yeux.

– Je voulais juste vous dire en face que je n'ai pas du tout apprécié que vous m'ayez piqué l'article d'aujourd'hui. Techniquement, les affaires criminelles sont toujours de mon ressort et je vous avais dit que je voulais cet article parce qu'il ouvrait la voie à celui sur lequel je travaille.

– Je m'excuse. Je me suis sentie très excitée quand vous avez posé toutes les bonnes questions à la conférence de presse et quand je suis revenue à la salle de rédaction, j'ai un peu exagéré les choses. J'ai dit que nous travaillions ensemble sur cet article. Et Prendo m'a conseillé de commencer à l'écrire.

— Est-ce à ce moment-là que vous lui avez suggéré qu'on travaille aussi ensemble sur mon article de fond ?

— Je n'ai rien fait de tel. Je ne sais pas de quoi vous parlez.

— Quand je suis rentré, il m'a dit que nous y travaillions ensemble. Je me charge de l'assassin et vous de la victime. Il m'a aussi précisé que c'était une idée à vous.

Elle rougit et hocha la tête tellement elle était gênée. Je venais de démasquer deux menteurs. Angela, je pouvais gérer parce qu'il y avait quelque chose d'honnête dans sa façon de mentir. Pleine d'audace, elle allait droit à ce qu'elle voulait. Prendo, lui, ça faisait mal. Nous travaillions ensemble depuis longtemps et je ne l'avais jamais vu mentir ou manipuler les gens. Il devait être en train de choisir son camp. J'allais prendre la porte dans peu de temps et Angela, elle, allait rester. Il n'y avait pas besoin d'être un génie pour voir que c'était elle qu'il choisissait plutôt que moi. L'avenir, c'était elle.

— Je n'arrive pas à croire qu'il m'ait caftée, dit-elle.

— Oui, bon, faut croire que dans une salle de rédaction il convient de faire attention à qui l'on va faire confiance, dis-je. Jusques et y compris son rédacteur en chef.

— Ça doit être ça, oui.

Elle prit son gobelet et regarda s'il y restait quelque chose, bien qu'elle sache parfaitement qu'il n'y avait plus rien dedans. Tout plutôt que me regarder.

— Écoutez, Angela, je n'aime pas beaucoup la façon dont vous avez joué le coup, mais j'admire assez la manière dont vous allez droit à ce que vous voulez. Tous les grands reporters que j'ai connus étaient comme ça. Et je dois reconnaître que votre idée de double profil, l'assassin et la victime, est ce qu'il y a de mieux.

Alors elle me regarda. Et son visage s'illumina.

— Jack, dit-elle, je suis vraiment impatiente de travailler là-dessus avec vous.

— La seule chose que je tiens à mettre tout de suite au clair, c'est que ce projet a commencé avec moi et que c'est avec moi qu'il se terminera. Dès que la partie enquête sera finie, c'est moi qui écris l'article. D'accord ?

– Oh, absolument. Il a suffi que vous me disiez ce sur quoi vous travailliez pour que j'aie envie de m'y accrocher. C'est comme ça que j'ai pensé à l'angle victime. Mais ce sujet est à vous, Jack. C'est vous qui écrirez l'article et qui le signerez en en-tête.

Je scrutai son visage à la recherche du moindre signe de dissimulation. Mais non, elle m'avait regardé et parlé avec sincérité.

– Bien. C'est tout ce que j'avais à dire.

– Bon.

– Vous avez besoin d'un coup de main pour l'article d'aujourd'hui ?

– Non, je crois être fin prête. Et j'ai récolté de très bons trucs des gens de la communauté en travaillant l'angle que vous avez évoqué à la conférence de presse. Le révérend Treacher a parlé de « énième symptôme de racisme dans la police. On crée une force spéciale quand une Blanche qui se déshabille pour gagner sa vie et se bourre de drogues se fait tuer, mais on ne fait rien chaque fois qu'un des huit cents innocents qui habitent cette cité est tué par les membres d'un gang ».

Je trouvai que c'était bon à rapporter, mais que ça sortait du mauvais bonhomme. Treacher n'était qu'une fouine opportuniste, et je n'avais jamais cru qu'il défendait sa communauté. Pour moi, il se mettait surtout en avant et passait à la télé ou se faisait interviewer dans les journaux pour renforcer sa célébrité et accroître les bénéfices qu'elle lui rapportait. J'avais un jour suggéré à un rédacteur en chef d'enquêter sur lui, mais il m'avait aussitôt descendu en flammes. « Non, Jack, m'avait-il dit. On a besoin de lui. »

Et c'était vrai. Le journal avait besoin de gens comme Treacher pour faire connaître le point de vue opposé, pour avoir la remarque incendiaire et entretenir le brasier.

– Tout cela me paraît bon, Angela, repris-je. Je vous laisse retourner à votre article et moi, je remonte préparer le budget pour l'autre.

– Tenez, dit-elle en me faisant glisser la pile de feuilles sur la table.

– Qu'est-ce que c'est ?

– Oh, pas grand-chose, mais ça pourrait vous faire gagner du temps. Hier soir, avant de rentrer chez moi, j'ai pensé à l'article après que vous m'avez raconté sur quoi vous travailliez. J'ai failli vous téléphoner pour qu'on en parle un peu plus et vous suggérer de nous y mettre ensemble. Mais j'ai eu les jetons et j'ai préféré lancer une recherche sur Google. J'ai tapé « meurtres au coffre » et découvert qu'il y avait beaucoup de victimes qui terminaient dans des malles de voiture. Beaucoup de femmes, Jack. Et des tas de mafieux aussi.

Je tournai les feuilles et jetai un coup d'œil à la première page. On y voyait un article du *Las Vegas Review-Journal* remontant à presque un an. Le premier paragraphe rapportait la condamnation d'un type accusé d'avoir assassiné son ex et déposé son cadavre dans sa voiture, qu'il avait ensuite rangée dans son garage.

– C'est juste un truc qui ressemble un peu au nôtre, dit-elle. Il y en a d'autres, des affaires qui ont marqué. Il y en a une qui remonte aux années quatre-vingt-dix et où l'on a retrouvé un acteur de cinéma dans le coffre de sa Rolls garée dans la colline au-dessus de l'Hollywood Bowl[1]. J'ai même trouvé un site Web intitulé trunkmurder.com[2], mais il n'est pas encore achevé.

J'acquiesçai d'un signe de tête hésitant.

– Euh, merci, dis-je. Je ne suis pas très sûr de savoir où tout ça pourrait s'intégrer, mais c'est bien d'être exhaustif, enfin... je crois.

– Oui, c'est ce que je me suis dit.

1. Cf. *Le Cadavre dans la Rolls*, publié dans cette même collection *(NdT)*.
2. Soit : meurtre au coffre.com.

Elle repoussa sa chaise en arrière et reprit son gobelet vide.

– Bon, ben, bien, dit-elle. Je vous envoie une copie de l'article d'aujourd'hui par mail dès que je suis prête.

– C'est pas la peine. C'est votre article à vous, maintenant.

– Non, non, y aura aussi votre signature. C'est vous qui avez posé les questions qui lui ont donné ses A et P.

« Ampleur et profondeur. » Ce que veut tout rédacteur en chef. Ce sur quoi s'est construite la réputation du *Los Angeles Times*. Ce qu'on vous fait entrer dans le crâne dès le premier jour, quand on arrive au Cercueil en velours. Ampleur et profondeur, voilà ce qu'on doit donner à ses articles. Ne pas se contenter de raconter ce qui s'est passé. Dire ce que cela signifie et comment ça s'inscrit dans la vie de la ville et dans celle du lecteur.

– OK, bon, merci, dis-je. Dites-moi juste quand c'est prêt et j'y jetterai un coup d'œil.

– Vous voulez qu'on remonte ensemble ?

– Euh, non, je vais me prendre un café et tiens, peut-être jeter un coup d'œil à tous ces trucs que vous avez trouvés.

– Comme vous voudrez.

Elle me décocha un sourire boudeur comme si je ratais quelque chose de vraiment bien et s'éloigna. Je la regardai jeter son gobelet à café dans une poubelle et sortir de la cafète. Je n'étais pas très sûr de savoir ce qui se passait. Je ne savais plus si j'étais son associé ou son mentor, si je la formais pour me remplacer ou si c'était déjà fait. D'instinct, je sentais que si je n'avais peut-être plus que onze jours de boulot, avec elle il allait falloir que je surveille sans arrêt mes arrières.

Je préparai un budget et l'envoyai à Prendergast par e-mail, puis je cosignai l'article d'Angela pour l'édition papier et trouvai un box inoccupé à l'autre bout de la salle de rédaction où je pourrais me concentrer sur les transcriptions d'interrogatoires d'Alonzo Winslow sans être interrompu par des coups de fil, des mails ou d'autres journalistes. Le dossier retint vite toute mon attention et là, au fur et à mesure que je le découvrais, j'en marquai avec des Post-it jaunes les pages contenant des passages significatifs.

Ça se lisait vite, sauf aux endroits où le dialogue ne se réduisait pas à une partie de ping-pong. À un moment donné, les inspecteurs avaient acculé Winslow à reconnaître quelque chose de catastrophique et je dus relire deux fois le passage pour comprendre ce qu'ils avaient fabriqué. Apparemment, Grady avait commencé par sortir un mètre ruban. Puis il avait expliqué à Winslow qu'ils voulaient mesurer la distance comprise entre le bout de son pouce et celui de son index et ce, sur ses deux mains.

Winslow avait coopéré, les inspecteurs lui annonçant alors qu'à quelques millimètres près ces mesures correspondaient à celles des marques d'étranglement trouvées sur le cou de Denise Babbit. Winslow avait aussitôt vigoureusement nié toute participation au meurtre et lâché une énorme bourde.

WINSLOW : En plus que c'te salope a pas été étranglée à la main ! L'enfoiré y a passé un sac en plastique sur la tête.
WALKER : Et comment tu le sais, Alonzo ?

J'en vis presque le sourire de Walker tandis qu'il posait sa question. Winslow venait de déraper méga.

WINSLOW : Je sais pas, mec. Ç'a dû passer à la télé ou autre. J'ai dû l'entendre quelque part.
WALKER : Non, non, fiston, tu l'as pas entendu quelque part parce que ça, on l'a jamais fait sortir d'ici. Pour nous, la seule personne à savoir ça, c'est son assassin. Bon, alors, tu nous en parles pendant qu'on peut encore t'aider ou tu préfères jouer au con et tomber super dur ?
WINSLOW : Moi, c'que j'vous dis, bande d'enfoirés, c'est que j'l'ai pas tuée comme c'est que vous dites.
GRADY : Bon alors, tu nous dis ce que t'y as fait.
WINSLOW : Mais rien, mec ! J'y ai rien fait !

Les dégâts étaient faits et la descente avait commencé. Il n'y a pas besoin de mener des interrogatoires à Abou Ghraib pour savoir que le temps ne joue jamais en faveur du suspect. Walker et Grady s'étaient montrés patients et, les minutes puis les heures passant, toute la volonté d'Alonzo Winslow avait fini par s'effriter. Il était tout simplement trop difficile de s'opposer seul à deux flics chevronnés qui savaient des choses que lui ignorait. À partir de la page 830, Alonzo s'était mis à craquer.

WINSLOW : Je veux rentrer chez moi. J'veux voir ma m'man. Je vous en prie, laissez-moi aller lui parler et je reviens vous voir demain matin.
WALKER : Ça, ça va pas être possible, Alonzo. On peut pas te laisser partir avant de savoir la vérité. Si tu veux

bien finir par nous la dire, peut-être qu'on pourra parler de te ramener chez M'man.

WINSLOW : Mais j'ai pas fait c'te connerie ! Je l'ai jamais vue, c'te salope.

GRADY : Alors comment tes empreintes digitales ont-elles atterri tout partout dans cette bagnole et comment se fait-il que tu saches comment elle a été étranglée ?

WINSLOW : Je sais pas, moi. C'est pas possible que ça soit vrai pour mes empreintes. Vous êtes en train de me mentir, bande d'enculés.

WALKER : Ben, c'est ça, tu crois qu'on te ment parce que tu l'as bien essuyée tout partout, c'te voiture, pas vrai ? Mais t'as oublié un endroit, Alonzo. T'as oublié le rétro ! Tu te rappelles comment que tu l'avais tourné pour être sûr que personne te suivait ? Et voilà ! C'est ça, l'erreur qui va te coller au trou pour le restant de tes jours à moins que tu reconnaisses les faits comme un homme et que tu nous dises ce qui s'est passé.

GRADY : Hé mais, c'est qu'on peut comprendre, nous. Une jolie petite Blanche comme ça ! Peut-être qu'elle vous a insultés ou alors peut-être qu'elle a voulu échanger, disons… un peu de cul contre de la dope. On sait comment ça marche. Sauf qu'il s'est passé quelque chose et qu'elle a fini par être tuée. Si tu peux nous le dire, nous on peut coopérer avec toi, peut-être même te ramener chez M'man.

WINSLOW : Mais non, mec, t'as tout faux.

WALKER : Écoute, Alonzo, je commence à me fatiguer de tes conneries. Moi aussi, je veux rentrer chez moi. Ça fait trop longtemps qu'on essaie de t'aider. J'ai envie de rentrer chez moi pour bouffer. Alors, ou bien tu nous dis la vérité tout de suite, ou bien tu retournes en cellule. J'appellerai M'man pour lui dire que tu reviendras plus jamais.

WINSLOW : Dites, pourquoi que vous voulez me faire ça ? Je suis rien, moi. Pourquoi que vous me piégez pour cette merde ?

GRADY : C'est toi qui t'es piégé tout seul, gamin, quand t'as étranglé c'te nana.

WINSLOW : J'l'ai pas étranglée !

WALKER : Bon, comme tu voudras. Tu pourras dire ça à M'man au parloir quand elle viendra te voir. Allez, debout ! Toi, tu vas en cellule et moi, je rentre chez moi.

GRADY : Hé, il a dit « Debout ! »

WINSLOW : OK, OK, j'vais vous dire. J'vais vous dire ce que je sais et après, vous me laissez partir.

GRADY : Allez, dis-nous.

WALKER : Après, on cause de tout ça. T'as dix secondes et après, c'est fini.

WINSLOW : D'accord, d'accord, v'là l'truc. Je baladais FacedeCul quand j'ai vu sa bagnole près des tours et quand j'ai regardé dedans, j'ai vu les clés et son portefeuille qu'étaient juste là.

WALKER : Minute, minute. FacedeCul, c'est qui ?

WINSLOW : Mon chien.

WALKER : T'as un chien ? Quel genre ?

WINSLOW : Ben, comme qui dirait pour m'protéger. C'est un pit. Femelle.

WALKER : C'est à poils ras, ça ?

WINSLOW : Ouais, à ras du sol.

WALKER : Non, c'est de ses poils qu'on cause. Ils sont longs ?

WINSLOW : Non, courts.

WALKER : Bon d'accord. Et la fille, où elle était ?

WINSLOW : Mais nulle part, mec. Comme j't'ai dit, je l'ai pas vue, jamais... quand elle était vivante, je veux dire.

WALKER : Et donc, c'est juste une histoire de petit garçon qui se balade avec son chien, c'est ça ? Et après ?

WINSLOW : Après, j'ai sauté dans la bagnole et je me suis tiré.

WALKER : Avec le clebs ?

WINSLOW : Oui, avec ma chienne.

WALKER : Et t'es allé où ?

WINSLOW : Juste me balader, mec. Prendre un peu l'air, bordel.

WALKER : Bon, ça y est. J'en ai marre de tes salades. Cette fois-ci, on y va.

WINSLOW : Attendez, attendez ! J'ai emmené la bagnole près des bennes à ordures, d'accord ? À la cité. Je voulais voir ce qu'il y avait dedans, d'accord ? Alors, je me gare et je regarde dans son portefeuille et comme qui dirait qu'elle a deux cent cinquante dollars, alors je regarde dans la boîte à gants et le reste et après, je déclenche l'ouverture du coffre et voilà, elle était dedans. Visible comme la lumière du jour, merde ! Et déjà morte, mec. Elle était à poil, mais je l'ai pas touchée. Et voilà, quoi.

GRADY : Alors comme ça, tu nous dis tout et tu veux nous faire croire que t'as piqué la bagnole et qu'y avait déjà la fille morte dedans ?

WINSLOW : C'est ça, mec. Et vous pourrez rien me coller d'autre sur le dos. Quand je l'ai vue dedans, c'était la merde. J'ai refermé le coffre plus vite qu'on peut dire enculée d'ta mère. J'ai sorti la bagnole de là et je m'suis dit faut juste que j'la ramène là où je l'ai trouvée, mais là, je m'suis aussi dit que ç'allait foutre la pression sur mes gamins, alors je l'ai conduite jusqu'à la plage. Je m'suis dit que vu que c'était une Blanche, fallait la mettre dans un quartier de Blancs. Alors c'est ça que j'ai fait et rien d'autre.

WALKER : Quand est-ce que t'as nettoyé la bagnole ?

WINSLOW : Tout de suite, mec. Et comme vous avez dit, j'ai loupé le rétro. Merde, tiens !

WALKER : Qui t'a aidé à abandonner la voiture ?

WINSLOW : Personne m'a aidé. J'étais tout seul.

WALKER : Qui c'est qui a tout effacé ?

WINSLOW : Moi.

WALKER : Où et quand ?

WINSLOW : Au parking, quand j'y suis arrivé.

GRADY : Et comment es-tu revenu à la cité ?

WINSLOW : À pied, en gros. Putain, j'ai passé toute la nuit à marcher... jusqu'à Oakwood et là, j'ai pris un bus.

WALKER : T'avais toujours ta chienne avec toi ?

WINSLOW : Non, mec, je l'avais laissée chez ma copine. C'est là qu'elle reste vu que M'man veut pas de chiens à la maison à cause de tout le linge des gens et aut' merdes.

WALKER : Alors, qui a tué la fille ?

WINSLOW : Comment que je l'saurais ? Elle était morte quand je l'ai trouvée.

WALKER : Toi, t'y as juste piqué sa bagnole et son fric.

WINSLOW : C'est ça, mec. C'est tout ce que vous avez contre moi. Et ça, je vous l'donne.

WALKER : Sauf que ça colle pas avec les éléments de preuves qu'on a, Alonzo. On a ton ADN sur elle.

WINSLOW : Non, vous l'avez pas. C'est un mensonge !

WALKER : Oh que si, qu'on l'a ! Tu l'as tuée, gamin, et c'est pour ça que tu vas tomber.

WINSLOW : Non ! J'ai tué personne !

Et ainsi de suite sur une autre centaine de pages. Les flics qui lui balancent mensonges et accusations à la figure et Winslow nie en bloc. Sauf qu'en lisant ces dernières pages, j'en vins rapidement à comprendre quelque chose qui m'avait tout l'air de se détacher comme une manchette en caractères taille soixante-douze points. Alonzo Winslow n'avait jamais dit avoir tué Denise Babbit. N'avait jamais avoué l'avoir étranglée. S'il y avait une chose à retenir, c'était bien qu'il l'avait niée des dizaines de fois. Le seul aveu de ces prétendus aveux se réduisait au fait qu'il reconnaissait lui avoir volé son argent et abandonné la voiture avec son cadavre à l'intérieur

Ce qui était quand même assez loin de s'attribuer son assassinat.

Je me levai et regagnai rapidement mon box et fouillai dans la pile de feuilles de ma corbeille *out* : je voulais retrouver le communiqué de presse diffusé par la police de Santa Monica après que Winslow avait été arrêté pour meurtre. Enfin je le trouvai et m'assis pour en relire les quatre paragraphes. Et avec ce que j'avais appris en lisant la transcription, je compris comment la police avait manipulé les médias pour leur faire reprendre quelque chose qui, de fait, n'était pas la vérité.

« La police de Santa Monica vient d'annoncer aujourd'hui même la mise sous les verrous d'un jeune membre de gang de South Los Angeles âgé de seize ans pour le meurtre de Denise Babbit. Le jeune homme, dont le nom ne peut être divulgué à cause de son âge, a été remis aux autorités judiciaires en charge des mineurs et placé en détention à Sylmar.

« Selon les porte-parole de la police, c'est l'identification des empreintes digitales recueillies dans la voiture de la victime après que le corps de cette dernière eut été retrouvé dans le coffre du véhicule samedi matin qui a permis aux inspecteurs de retrouver le suspect. Arrêté dans la cité des Rodia Gardens, où l'on pense qu'ont eu lieu et l'enlèvement et l'assassinat de la victime, il a alors été conduit au commissariat pour interrogatoire.

« Le suspect est accusé de meurtre, enlèvement, viol et vol. Dans les aveux qu'il a faits aux enquêteurs, il dit avoir conduit la voiture avec le cadavre dans le coffre jusqu'à un parking de Santa Monica, afin de détourner les soupçons de la police qui pensait que Babbit avait été tuée à Watts.

« La police de Santa Monica tient à remercier la police de Los Angeles qui l'a aidée à conduire le suspect en prison. »

Ce communiqué n'était pas inexact. Mais je le considérai avec beaucoup de cynisme et songeai qu'il avait été très soigneusement rédigé pour répandre quelque chose de faux, à savoir qu'il y avait eu aveux complets, alors qu'on en était très loin. L'avocat de Winslow avait raison. Ils ne tiendraient pas et il y avait de fortes chances pour que son client soit innocent.

Dans le journalisme d'investigation, le Saint-Graal peut être certes de faire tomber un président, mais quand on redescend au niveau du criminel de bas étage, prouver qu'une personne déclarée coupable est innocente n'est pas mauvais non plus. Peu importait que Sonny Lester ait tenté de le minimiser le jour où nous nous étions rendus aux Rodia Gardens. Libérer un gamin innocent était un atout maître. Alonzo Winslow n'avait peut-être pas encore été déclaré coupable de quoi que ce soit, mais dans les médias il était déjà condamné.

J'avais pris part à ce lynchage et voyais bien maintenant que j'avais la possibilité de changer tout cela et de faire ce qu'il fallait. J'avais la possibilité de le sauver.

Je songeai à quelque chose et cherchai sur mon bureau les tirages papier qu'Angela m'avait faits de ses documents sur les meurtres au coffre. Puis je me souvins que je les avais jetés. Je me levai, quittai vite la salle de rédaction et redescendis l'escalier jusqu'à la cafétéria. Je fonçai droit sur la corbeille à papier dont je m'étais servi après avoir jeté un coup d'œil aux documents qu'Angela m'avait glissés en travers de la table en guise de cadeau d'apaisement. Je les avais parcourus des yeux, puis les avais jetés en me disant qu'il n'y avait pas moyen que d'autres meurtres au coffre puissent avoir le moindre rapport avec la collision entre un soi-disant assassin de seize ans et sa victime.

Maintenant, je n'en étais plus aussi sûr. Je me rappelai certaines choses sur les histoires de Las Vegas et tout d'un coup elles ne me semblèrent plus aussi lointaines à la lumière des conclusions que je venais de tirer de ces prétendus aveux.

En fait de corbeille à papier, il s'agissait d'une grande poubelle format commercial. J'en ôtai le couvercle et découvris que j'avais de la chance. Mes tirages se trouvaient au-dessus des détritus de la journée et n'avaient pas beaucoup souffert.

Il me vint à l'esprit que j'aurais pu aller tout simplement sur Google et y faire la même recherche qu'Angela au lieu de fouiller dans une poubelle, mais j'y avais déjà enfoncé les bras jusqu'aux coudes et cela irait plus vite. J'emportai ces documents jusqu'à une table et m'assis pour les relire.

– Hé !

Je me retournai et vis une femme qui, double largeur et cheveux pris dans un filet, me dévisageait en serrant les poings sur ses hanches imposantes.

– Vous allez laisser ça comme ça ? me demanda-t-elle.

Je regardai derrière moi et m'aperçus que j'avais laissé le couvercle de la poubelle par terre.

– Je m'excuse.

Je retournai à la poubelle, lui remis son couvercle et décidai qu'il serait mieux d'examiner ces sorties papier dans la salle de rédaction. Au moins les rédacteurs en chef n'enfermaient-ils pas leurs cheveux dans des filets.

De retour à mon bureau, je feuilletai la pile de documents. Angela avait trouvé tout un tas d'articles sur des cadavres enfermés dans des coffres de voiture. La plupart étaient anciens et me parurent hors de propos. Au contraire d'une série parue dans le *Las Vegas Review-Journal*. Au nombre de cinq, ils répétaient en gros la même chose et rapportaient l'arrestation, puis le procès d'un type accusé d'avoir assassiné son ex et d'avoir tassé son corps dans le coffre de sa voiture.

L'ironie de la chose voulait que ces articles aient été écrits par un journaliste que je connaissais. Rick Heikes avait travaillé pour le *Los Angeles Times* jusqu'au moment où il avait accepté un des premières offres de licenciement avec indemnités. Il avait encaissé le chèque du *Times,* avait vite pris le boulot que lui proposait le *Review-Journal* et y travaillait depuis lors. Il avait sauté le pas et s'en trouvait beaucoup mieux sur tous les plans. En laissant un autre bon journaliste se faire embaucher ailleurs, le *Times* avait été le perdant de l'affaire.

Je parcourus rapidement ses articles jusqu'au moment où je trouvai celui dont je me souvenais. On y rapportait le témoignage donné par le coroner du comté de Clark pendant le procès

L'EX-ÉPOUSE KIDNAPPÉE
ET TORTURÉE PENDANT DES HEURES

De notre correspondant Rick Heikes

« Les résultats de l'autopsie montrent que Sharon Oglevy a été étranglée plus de douze heures après son enlèvement », a déclaré ce mercredi le coroner du comté de Clark lors du procès pour meurtre intenté contre l'ex-mari de la victime.

« Gary Shaw, qui témoignait pour l'accusation, a révélé de nouveaux détails sur l'enlèvement, le viol et le meurtre de Sharon Oglevy. À l'entendre, l'autopsie permettrait ainsi d'affirmer que la mort est survenue entre douze et dix-huit heures après que le témoin a vu Oglevy être embarquée de force dans une camionnette garée sur un parking situé derrière le Cleopatra Casino and Resort, où elle travaillait comme danseuse dans le spectacle *Femmes fatales.*

« Elle a été aux mains de son kidnappeur pendant au moins douze heures et a subi nombre de sévices horribles avant d'être finalement tuée », a déclaré Shaw en réponse aux questions du procureur.

« Un jour plus tard, son corps était retrouvé dans le coffre de la voiture de son mari que la police était allée voir à sa maison de Summerland afin de lui demander s'il savait où était passée son épouse. Celui-ci ayant alors permis aux policiers de fouiller les lieux, le corps de la victime était retrouvé dans sa voiture rangée dans le garage. Le couple s'était défait huit mois plus tôt, l'affaire se terminant par un divorce acrimonieux. Sharon Oglevy avait soumis une demande d'injonction au tribunal pour qu'il soit interdit à son mari, donneur de black jack, de s'approcher d'elle à moins de trente mètres. Dans sa demande elle affirmait qu'il menaçait de la tuer et de l'enterrer dans le désert.

« Brian Oglevy a été inculpé de meurtre avec préméditation, d'enlèvement et de viol par corps étranger. D'après les enquêteurs, il aurait placé le corps de la victime dans le coffre de sa voiture avec l'intention de l'enterrer plus tard dans le désert. Il nie avoir tué son ex-épouse et déclare s'être fait piéger pour un crime qu'il n'aurait pas commis. Il est détenu sans caution depuis son arrestation.

« Shaw a donné aux jurés plusieurs détails particulièrement horribles du meurtre. Il a notamment affirmé que Sharon Oglevy a été violée et sodomisée à maintes reprises par un corps étranger qui a provoqué de graves blessures internes. Il a aussi déclaré que les niveaux d'histamines décelés dans le corps étaient inhabituellement élevés, ce qui indique que les blessures ayant déclenché cette réaction chimique ont été infligées bien avant la mort par asphyxie.

« Il a encore précisé qu'Oglevy a été asphyxiée à l'aide d'un sac en plastique passé sur sa tête et hermétiquement refermé autour de son cou. D'après lui, plusieurs sillons ou marques de corde trouvés sur le cou de la victime ainsi qu'une grande quantité d'hémorragies autour des yeux montrent clairement qu'elle a été asphyxiée lentement et aurait pu perdre et retrouver connaissance plusieurs fois de suite.

« Si le témoignage de Shaw éclaire bien des aspects de la théorie avancée par l'accusation sur la manière dont le meurtre a été commis, il n'en reste pas moins plusieurs points à établir. La police de Las Vegas n'a ainsi jamais pu déterminer l'endroit exact où Brian Oglevy aurait prétendument tenu son ex-épouse prisonnière avant de l'assassiner. Les techniciens de la police scientifique ont passé trois jours à examiner la maison après son arrestation et, pour eux, il est peu probable que l'assassinat ait eu lieu à cet endroit. En plus de quoi, aucune preuve tangible n'établit de lien entre l'accusé et la camionnette dans laquelle, selon les témoins, Sharon Oglevy aurait été enlevée.

L'avocat de Brian Oglevy, William Schifino, a opposé plusieurs objections au témoignage du coroner et demandé au juge d'interdire à Shaw d'y aller de ses commentaires et de saupoudrer son témoignage de remarques personnelles. Schifino est arrivé plusieurs fois à ses fins, mais dans l'ensemble le juge a autorisé Shaw a dire ce qu'il pensait.

Le procès se poursuit aujourd'hui. On pense que Schifino présentera sa défense dans le courant de la semaine prochaine. Brian Oglevy a toujours nié avoir tué sa femme, mais n'a pas de théorie sur l'identité de la personne qui, après l'avoir assassinée, l'a fait tomber, lui, pour ce crime.

Je lus les comptes rendus du procès publiés dans le *Review-Journal* avant et après celui que je venais de lire, mais aucun ne me saisit autant que ces résultats d'autopsie. Ces heures dont on ne savait rien, le sac en plastique et la lente asphyxie de la victime collaient parfaitement avec le meurtre de Denise Babbit. Sans parler de l'histoire du coffre, qui, elle aussi, collait parfaitement.

Je repoussai mon fauteuil du bureau, mais restai à ma place pour réfléchir. Se pouvait-il qu'il y ait un lien entre ces affaires ou étais-je en train de me laisser prendre aux fantasmes du journaliste qui voit partout des innocents se faire accuser de crimes qu'ils n'ont pas commis ? À sa manière industrieuse autant que naïve, Angela était-elle tombée, elle, sur quelque chose qui avait échappé à toutes les agences du maintien de l'ordre ?

Je ne le savais pas… encore. Mais il y avait un moyen de s'en assurer. Il fallait que j'aille à Las Vegas.

Je me levai et me dirigeai vers le radeau. Il fallait que j'informe Prendo de ma décision et obtienne l'autorisation de faire ce voyage. Mais quand j'arrivai à sa place, je m'aperçus qu'elle était vide.

– Quelqu'un a-t-il vu Prendo ? demandai-je aux autres Rams présents sur le radeau.

– Il est parti dîner tôt, me répondit quelqu'un. Il devrait être de retour dans une heure.

Je consultai ma montre. Il était quatre heures passées et il allait falloir que je me remue – un, pour revenir chez moi faire ma valise et deux, pour filer à l'aéroport. Si je n'arrivais pas à trouver un vol tout de suite, je prendrais la voiture. Je jetai un coup d'œil au box d'Angela Cook et m'aperçus que lui aussi était vide. Je rejoignis le standard et levai la tête vers Lorene. Elle ôta une oreillette de son casque.

– Angela Cook est partie ? lui demandai-je.

– Elle a dit qu'elle allait manger un morceau avec son rédacteur en chef mais qu'elle reviendrait. Tu veux son numéro de portable ?

– Non, merci, je l'ai déjà.

Je retournai à mon box en sentant monter à parts égales les soupçons et la colère en moi. Mon Ram et celle qui allait me remplacer étaient partis rompre le pain ensemble et l'on ne m'en avait pas informé – quant à m'inviter… À mes yeux, cela ne pouvait signifier qu'une chose : on préparait la prochaine attaque sur mon article.

Pas de problème, décidai-je. J'avais un pas de géant d'avance sur eux, je me jurai de ne pas le perdre. Pendant qu'ils manigançaient leurs trucs, j'allais, moi, enquêter sur ce qui s'était vraiment passé.

Et je le ferais avant eux.

5

La ferme

Toute la journée durant Carver avait été très occupé à router et ouvrir les portails qui lui permettraient de tester une transmission de données du cabinet Mercer et Gissal de Saint Louis. L'affaire lui prenant tout son temps, il n'avait pas été en mesure de faire le tour de ses rendez-vous avant tard dans la journée. Il vérifia ses pièges et son cœur battit fort dans sa poitrine lorsqu'il s'aperçut qu'il avait attrapé quelque chose dans une de ses cages. À l'écran, l'avatar avait la forme d'un gros rat qui tournait dans une roue de la cage MEURTRE AU COFFRE.

Avec sa souris, il ouvrit la cage et sortit le rat. Celui-ci avait les yeux rouge rubis et des dents acérées qui brillaient sous sa salive bleu acier. Il portait un collier auquel était accrochée une plaque d'identité argentée. Carver cliqua dessus et fit apparaître les propriétés du rat. La date et l'heure de la dernière visite remontaient à la veille au soir, juste après qu'il avait vérifié ses pièges. Une adresse de protocole Internet à dix chiffres avait été capturée. La visite qu'on avait rendue à son site Web trunkmurder.com n'avait duré que douze secondes. Mais cela suffisait. Cela voulait dire que quelqu'un avait lancé les mots « meurtre au coffre » dans un moteur de recherche. Il allait devoir trouver qui et pourquoi.

Deux minutes plus tard, il sentit sa gorge se serrer lorsqu'il remonta l'adresse IP jusqu'à un fournisseur d'accès Internet. Il y avait là une bonne et une mauvaise nouvelles.

La bonne : le fournisseur d'accès n'était pas aussi énorme qu'un Yahoo qui avait des portails dans le monde entier et qu'il aurait fallu un temps fou pour remonter. La mauvaise : petit et privé, il avait pour nom de domaine *LATimes.com.*

Le *Los Angeles Times,* se dit-il alors que quelque chose le prenait à la poitrine. Un journaliste de Los Angeles était allé sur son site Web. Il se renversa dans son fauteuil et réfléchit à la manière d'aborder le problème. Il avait l'adresse IP, mais pas de nom avec. Il ne pouvait donc même pas être sûr que la personne qui lui avait rendu visite soit un journaliste. Dans les journaux, il y a beaucoup de gens qui travaillent et ne sont pas journalistes.

Il gagna le poste de travail voisin dans son fauteuil à roulettes et entra dans l'ordinateur sous le nom de McGinnis, dont il avait cassé tous les codes depuis longtemps. Il passa sur le site du *Los Angeles Times* et dans la fenêtre de recherche des archives en ligne il tapa « meurtre au coffre ».

Il se retrouva alors avec trois occurrences de cette expression dans des articles remontant à trois semaines, le dernier venant à peine d'être publié sur le site Web du journal ce soir-là et devant passer dans l'édition papier du lendemain matin. Il commença par l'afficher à l'écran et le lut.

UN COUP DE FILET ANTIDROGUE
ENFLAMME LA COMMUNAUTÉ NOIRE

De nos correspondants Angela Cook et Jack McEvoy

« Un coup de filet antidrogue effectué dans une cité de Watts a suscité la colère d'activistes locaux qui se sont plaints mardi de ce que la police de Los Angeles ne prêtait attention aux problèmes de cette cité habitée par des minorités que lorsqu'une Blanche y était assassinée.
« La police vient d'annoncer l'arrestation de seize habitants des Rodia Gardens qui devront répondre de la

prise d'une petite quantité de drogue suite à une surveillance de huit jours. D'après les porte-parole de la police cette opération « surveillance-coup de filet » fait suite au meurtre de Denise Babbit, vingt-trois ans, d'Hollywood.

« Un membre de gang présumé – âgé de seize ans, il habite aux Rodia Gardens – a été arrêté pour ce meurtre. Le corps de Denise Babbit a été retrouvé il y a quinze jours dans le coffre de sa voiture garée sur un parking de Santa Monica. Les enquêteurs ont alors remonté la piste du criminel jusqu'aux Rodia Gardens, où la police de Santa Monica pense que Babbit, une danseuse de charme, s'était rendue pour acheter de la drogue. Au lieu de cela, elle a été enlevée, retenue prisonnière pendant plusieurs heures et violée de manière répétée avant d'être étranglée.

« Plusieurs activistes de la communauté voudraient savoir pourquoi il a fallu attendre cet assassinat pour qu'on tente d'enrayer la montée dramatique du trafic de drogue et des crimes qui y sont liés dans la cité. Ils ont eu vite fait de montrer que la victime de ce meurtre au coffre était blanche alors que les membres de cette communauté sont presque à cent pour cent noirs.

« Écoutez, il faut voir les choses en face, a déclaré William Treacher qui est à la tête du *South Los Angeles Ministers*, aussi appelé SLAM, il ne s'agit là que d'une autre forme de racisme policier. On ignore complètement les Rodia Gardens et on les laisse se transformer en un véritable bouillon de drogue et de crimes de gangs. Et soudain une Blanche qui se bourre de drogue et enlève ses vêtements pour gagner sa vie s'y fait assassiner et qu'est-ce qu'on a ? Un détachement spécial. Où était donc la police avant ? Où était ce détachement spécial ? Pourquoi faut-il qu'il y ait crime contre une Blanche pour qu'on prête attention aux problèmes qui sévissent dans la communauté noire ? »

« Un porte-parole de la police a nié que des considérations de race aient eu quoi que ce soit à voir avec l'opération antidrogue et nous a précisé que d'autres opérations du même type avaient été déjà menées dans les Rodia Gardens.

« Comme si on pouvait se plaindre de vider les rues de dealers et autres membres de gangs ! » s'est écrié le capitaine Art Grossman, qui dirigeait l'opération. »

Carver arrêta de lire. Il ne sentait aucune menace contre lui dans cet article. Il n'empêche : cela n'expliquait pas pourquoi quelqu'un du *Los Angeles Times* – Cook ou McEvoy, c'était probable – avait lancé les mots « meurtre au coffre » dans un moteur de recherche. Était-ce simplement qu'on voulait se montrer exhaustif et connaître toutes les affaires de ce genre ? Ou bien y avait-il autre chose ?

Il jeta un œil aux deux autres articles répertoriés aux archives et où l'on parlait de meurtre au coffre et découvrit que tous les deux avaient été écrits par McEvoy. Simple relation des faits, ils rapportaient, le premier, la découverte du corps de Denise Babbit, et le second – un jour plus tard –, l'arrestation du jeune membre de gang pour ce meurtre.

Carver ne put s'empêcher de sourire en lisant comment le gamin s'était fait mettre cet assassinat sur le dos. Mais l'humour de la chose ne lui fit pas baisser la garde. Il entra McEvoy dans la recherche d'archives et se trouva vite en présence de centaines d'articles traitant de crimes commis à Los Angeles. McEvoy était donc le spécialiste de ces affaires pour le journal. Au bas de chacun de ses articles se trouvait son adresse e-mail : *JackMcEvoy@LATimes.com*.

Il entra ensuite Angela Cook dans le moteur de recherche et découvrit bien moins d'articles. Elle écrivait pour le *Times* depuis moins de six mois et ce n'était que la semaine précédente qu'elle s'était lancée dans les affaires criminelles. Avant, elle avait traité de sujets allant d'une grève d'éboueurs à un concours de gros mangeurs. Elle ne semblait pas avoir eu de domaine d'enquêtes particulier avant la semaine où elle avait apposé deux fois sa signature à côté de celle de McEvoy.

– Il lui apprend les ficelles du métier, dit-il tout haut.

Il en conclut que Cook était jeune et McEvoy âgé. Voilà qui ferait d'elle une cible plus facile. Il tenta sa chance et passa sur Facebook en se servant d'une identité bidon qu'il s'était concoctée depuis longtemps et, tiens donc, elle y avait sa page. Le contenu n'était pas destiné au grand public, mais on y trouvait sa photo. Une vraie beauté avec ses cheveux blonds qui lui tombaient jusqu'aux épaules. Yeux verts et lèvres à la moue apprise. Ah, cette moue ! se dit-il. On pourrait changer ça.

La photo était du type portrait. Il regretta de ne pas pouvoir voir la demoiselle en entier. Surtout la forme et la longueur de ses jambes.

Il se mit à chantonner. Ça ne manquait jamais de le calmer. Des chansons des années soixante et soixante-dix, quand il était gamin. Des chansons de rockers avec lesquels une femme pouvait danser, auxquels elle pouvait aussi montrer son corps.

Il continua de chercher et s'aperçut qu'Angela Cook avait laissé tomber MySpace quelques années plus tôt, mais sans effacer sa page. Il trouva aussi un profil professionnel de la journaliste sur LinkedIn, profil qui le conduisit droit au gros filon : un blog intitulé CityofAngela.com dans lequel elle tenait toujours le journal de sa vie et de son travail à Los Angeles.

La dernière entrée de ce blog débordait d'excitation : elle venait d'être affectée au suivi des affaires criminelles du journal et allait être formée par Jack McEvoy.

Carver était toujours émerveillé de constater à quel point les jeunes pouvaient être confiants et naïfs. Pour eux, personne ne pouvait relier les pointillés. Pour eux, on pouvait se mettre à nu sur le Net, y afficher des photos et des renseignements à volonté et ne s'attendre à aucune conséquence particulière. En lisant son blog, Carver fut à même de recueillir toutes les informations dont il avait besoin. La ville où elle avait grandi, le club de jeunes femmes qu'elle avait fréquenté à l'université, jusqu'au nom de son chien.

Il découvrit que ses préférences allaient à *Death Cab for Cutie* pour les groupes de musique et à la pizza de chez Mozza pour la bouffe. Au milieu de toutes sortes de renseignements sans intérêt, il apprit sa date de naissance, et qu'il ne lui fallait traverser que deux carrefours pour aller à pied déguster sa pizza préférée dans son restaurant préféré. Déjà il tournait autour d'elle sans même qu'elle le sache. Et chaque fois qu'il le faisait le cercle se resserrait.

Et soudain, il s'arrêta net en découvrant un de ses posts qui remontait à neuf mois et qu'elle avait intitulé « Mes dix meilleurs tueurs en série ». Elle y avait listé dix noms de tueurs connus de tous pour leurs débauches d'assassinats à travers le pays. Le premier était Ted Bundy... « parce que je suis originaire de Floride et que c'est là qu'il a terminé sa carrière ».

Il sentit sa lèvre se contracter. Cette fille lui plaisait bien.

L'alarme du sas se mettant à sonner, il mit aussitôt fin à la connexion Internet. Il changea d'écran et vit entrer McGinnis. Il pivota et lui faisait déjà face lorsque celui-ci ouvrit la dernière porte de la salle de contrôle. McGinnis avait sa carte magnétique attachée au bout d'un cordon élastique agrafé à sa ceinture. Ça lui donnait l'air particulièrement abruti.

– Qu'est-ce que vous faites ici ? demanda-t-il.

Carver se leva et repoussa son fauteuil devant son poste de travail.

– J'ai lancé un logiciel dans mon bureau et je voulais vérifier un truc pour Mercer et Gissal.

McGinnis n'eut pas l'air de s'en inquiéter. Par la baie vitrée, il regarda dans la salle des serveurs, le cœur et l'âme de l'affaire.

– Et ça marche ?

– Quelques hoquets de routage, mais on va trouver la solution et on sera en ordre de bataille avant la date butoir. Il se peut que je doive repartir là-bas, mais le voyage sera court.

– Bien. Où est passé tout le monde ? Vous êtes tout seul ?

– Stone et Early sont derrière ; ils montent une tour Je surveille ici jusqu'à ce que les mecs du service de nuit arrivent.

McGinnis approuva d'un signe de tête. Assembler une nouvelle tour signifiait qu'on avait de nouveaux clients.

– Autre chose ?

– On a un problème à la tour trente-sept. Je l'ai vidée entièrement jusqu'à ce qu'on puisse savoir de quoi il s'agit. C'est temporaire.

– On a perdu des trucs ?

– Pas que je sache.

– À qui est la lame ?

– À un établissement de soins privés de Stockton, Californie. Ce n'est pas énorme.

McGinnis acquiesça d'un signe de tête. Ce n'était pas un client pour lequel il fallait s'inquiéter.

– Et l'intrusion de la semaine dernière ?

– Le problème est réglé. Nom de la cible : Guthrie et Jones. Ils travaillent dans le tabac et sont en litige avec la Biggs, Barlow et Cowdry. À Raleigh-Durham. Quelqu'un de chez Biggs, un petit génie de rang inférieur, s'est avisé que Guthrie gardait des documents par-devers lui et a essayé d'y jeter un coup d'œil tout seul comme un grand.

– Et... ?

– Le FBI vient d'ouvrir une enquête sur un site de pornographie enfantine et le petit génie en est la cible principale. Je ne pense pas qu'il nous casse les pieds encore bien longtemps.

McGinnis acquiesça d'un hochement de tête et sourit.

– Le voilà bien, mon épouvantail ! s'écria-t-il. Vous êtes le meilleur !

Carver n'avait pas besoin que McGinnis le lui dise pour le savoir. Mais comme c'était lui le patron... Et en plus, Carver lui devait d'avoir pu créer son propre laboratoire et centre de données. C'était McGinnis qui l'avait fait connaître. Et il ne se passait pas de mois que Carver ne soit courtisé par un concurrent.

– Merci, dit-il.

McGinnis regagna la porte du sas.

– Je file à l'aéroport. On a des gens qui arrivent de San Diego et la visite des lieux est prévue pour demain.

– Où les emmenez-vous ?

– Ce soir ? Barbecue chez Rosie, c'est probable.

– La routine, quoi. Et après, le Highlighter ?

– S'il le faut. Vous voulez sortir ? Vous pourriez les impressionner, vous savez. Et m'aider.

– La seule chose qui les impressionnera, ce sera les femmes nues. Non, c'est pas mon truc.

– Bon, ben, c'est pas un boulot marrant, mais faut bien que quelqu'un le fasse. Allez, je vous laisse filer.

McGinnis quitta la salle de contrôle. Son bureau se trouvait en surface, à l'avant du bâtiment. L'endroit était retiré et c'était là qu'il se tenait les trois quarts du temps pour accueillir des clients potentiels et probablement aussi être à l'abri de Carver.

Les conversations qu'ils avaient dans le bunker semblaient toujours un peu tendues. McGinnis donnait l'impression de savoir comment les réduire au minimum.

Le bunker était le royaume de Carver. La gestion des affaires revenait à McGinnis et au personnel administratif installés en haut, dans l'entrée. Le centre d'hébergement Web avec tous ses concepteurs et opérateurs se trouvait lui aussi en surface. La ferme de colocation était, elle, sous terre, dans ce qu'on appelait « le bunker ». Peu nombreux étaient les employés qui avaient accès aux sous-sols et Carver appréciait.

Il se rassit à son poste de travail et se remit en ligne.

Ressortit la photo d'Angela Cook et l'étudia quelques instants avant de basculer sur Google. L'heure était venue de travailler la question McEvoy et de voir s'il s'était montré plus astucieux qu'Angela Cook côté protection.

Il entra son nom dans le moteur de recherche, un nouveau frisson s'emparant aussitôt de lui. Il n'avait ni blog ni profil sur Facebook ou autre, mais Google donnait de nombreux résultats. Carver avait l'impression de le connaître et il sut vite pourquoi. Une douzaine d'années plus tôt, McEvoy avait écrit l'ouvrage de référence sur un tueur surnommé le Poète et ce livre, Carver l'avait lu... et relu bien des fois. Non, corrigeons ça : McEvoy avait fait plus qu'écrire un livre sur ce tueur. De fait, c'était lui qui avait révélé son existence au monde entier. Il s'était même suffisamment approché de lui pour être là quand il avait poussé son dernier souffle.

McEvoy était un tueur de première.

Carver hocha lentement la tête en examinant la photo de McEvoy sur la vieille jaquette de l'ouvrage reprise sur Amazon.

— Très honoré, monsieur Jack, dit-il tout haut.

Ce fut le chien d'Angela Cook qui la perdit. D'après une entrée vieille de cinq mois dans son blog, il s'appelait Arfy. Carver n'eut qu'à essayer deux variations sur ce nom pour avoir les six lettres exigées par le mot de passe, tomber sur Arphie et arriver à ouvrir le compte de la journaliste à LATimes.com.

Il y avait toujours quelque chose de bizarrement excitant à se retrouver dans l'ordinateur de quelqu'un. La dépendance au plaisir d'envahir. Il en eut l'estomac qui se serra violemment. C'était comme s'il se trouvait dans la tête et le corps d'un inconnu. Comme s'il devenait cet inconnu.

Il commença par ses e-mails. Il ouvrit sa boîte de messages et s'aperçut qu'elle était bien rangée. Il ne s'y trouvait que deux messages qu'elle n'avait pas encore lus, plus quelques autres qu'elle avait lus, puis sauvegardés. Il n'en vit aucun de Jack McEvoy. Il y avait là un message du genre « comment-tu-t'en-sors, là-bas-à-L.A. » qu'une amie lui avait envoyé de Floride (il le sut tout de suite, le serveur n'étant autre que Road Runner de la baie de Tampa), et un autre qui, lui, était interne au *L.A. Times* et se réduisait à un vif échange entre elle et un superviseur ou rédacteur en chef.

De . AlanPrendergast <AlanPrendergast@LATimes.com>
Re : collision
Date : 12 mai 2009 14 h 11 heure du Pacifique

À : AngelaCook@LATimes.com

Calmez-vous. Beaucoup de choses peuvent se produire en quinze jours.

De : AngelaCook@LATimes.com
Re : collision
Date : 12 mai 2009 13 h 59 heure du Pacifique
À : AlanPrendergast@LATimes.com

Vous m'aviez dit que CE SERAIT MOI qui l'écrirais ! ☹

Elle avait l'air contrariée. Mais, n'en sachant pas assez sur la situation pour comprendre, Carver passa à autre chose, ouvrit un dossier de messages anciens et, coup de chance, elle n'avait pas fait le ménage depuis plusieurs jours. Il fit défiler des centaines de messages et en trouva plusieurs émanant de son collègue et coéquipier Jack McEvoy. Il commença par le plus ancien et se mit en devoir d'aller jusqu'aux plus récents.

Et eut tôt fait de comprendre que tout cela était inoffensif et se réduisait à des courriers entre collègues pour des questions d'articles et de rendez-vous à la cafète pour prendre un café. Rien de salace. À s'en tenir à ce qu'il lisait, Cook et McEvoy ne se connaissaient que depuis très peu de temps. Leurs mails étaient pleins de raideur. Ni abréviations ni argot, chez l'un comme chez l'autre. Il semblait clair que Jack ne connaissait Angela que depuis le jour où elle avait été détachée aux affaires criminelles et où il avait reçu comme tâche de la former.

Dans le dernier message qu'il lui avait envoyé quelques heures auparavant, Jack lui avait donné le résumé d'un article sur lequel ils travaillaient ensemble. Carver le lut avec avidité et sentit son angoisse d'être détecté s'apaiser au fur et à mesure qu'il lisait.

De : Jack McEvoy <JackMcEvoy@LATimes.com>
Re : collision
Date : 12 mai 2009 14 h 23 heure du Pacifique
À : AngelaCook@LATimes.com

Angela, voici ce que j'ai envoyé à Prendo pour le budget prévisionnel. Dites-moi si vous voulez y introduire des modifications.

Jack

COLLISION – Le 25 avril, le corps de Denise Babbit a été trouvé dans le coffre de sa voiture garée sur un parking en bordure de la plage de Santa Monica. Après avoir été victime d'agressions sexuelles, Denise Babbit a été asphyxiée à l'aide d'un sac en plastique passé pardessus sa tête et fermé par un bout de corde à linge. La danseuse de charme, qui avait des problèmes de drogue, est morte les yeux grands ouverts. Il n'a pas fallu longtemps à la police pour découvrir une empreinte de doigt sur le rétroviseur de la voiture et remonter la piste jusqu'à un petit dealer de drogue de seize ans appartenant à un gang et habitant dans une cité de South L.A., Alonzo Winslow, qui a grandi dans cette cité sans avoir de père et en ne voyant que très rarement sa mère, a été arrêté et inculpé de ce crime en tant que mineur. Il a avoué à la police le rôle qu'il avait joué dans cette affaire et attend de savoir si l'État parviendra à le poursuivre en tant qu'adulte. Nous avons parlé au suspect, à sa famille et à ceux qui connaissaient la victime et retracé l'histoire de cette rencontre fatale jusqu'à ses origines.
27 000 signes – McEvoy et Cook, avec photos de Lester.

Carver relut l'article. Il commença à sentir les muscles de son cou se détendre.

McEvoy et Cook ne savaient rien. Jack, le grand tueur, s'attaquait à la mauvaise cible.

Exactement comme il avait vu le coup. Il se promit de lire l'article entier dès sa parution. Il serait alors une des trois seules personnes au monde à savoir à quel point tout y était faux – y compris la partie consacrée à ce pauvre Alonzo Winslow.

Il ferma la liste et fit monter les messages envoyés par Cook. Il ne trouva que les suites de l'échange de mails avec McEvoy et de la missive envoyée à Prendergast. Tout cela était bien aride et ne lui servait à rien.

Il referma la boîte de messages et passa au navigateur. Il lança le défilement et vit tous les sites Web qu'Angela Cook avait visités depuis peu. Tomba ainsi sur celui intitulé trunkmurder.com et s'aperçut qu'elle était passée plusieurs fois sur Google et les sites Web d'autres journaux. Et découvrit un site qui l'intrigua. Il ouvrit DanikasDungeon.com et eut droit à la visite d'un site de bondage hollandais bourré de photos de dominatrices en train de torturer des bonshommes. Il sourit. Il doutait fort qu'il y ait une raison professionnelle à ces visites de la dame. Pour lui, c'était bien plutôt des intérêts très personnels d'Angela Cook qu'il avait un aperçu. De sa part maudite.

Il ne s'attarda pas. Il mit ces renseignements de côté en se disant qu'ils pourraient lui servir plus tard. Il tenta ensuite d'ouvrir la boîte de Prendergast, dont le mot de passe paraissait évident. Il essaya Prendo et entra dans son ordinateur du premier coup. Ce que les gens pouvaient être idiots et prévisibles !

Il alla droit à ses messages et là, en haut de la liste, il tomba sur un mail que McEvoy lui avait envoyé deux minutes plus tôt.

« Qu'est-ce que tu manigances, Jack ? »

Il ouvrit le message.

De : Jack McEvoy <JackMcEvoy@LATimes.com>
Re : collision

Date : 12 mai 2009 16 h 33 heure du Pacifique
À : AlanPrendergast@LATimes.com
Cc : AngelaCook@LATimes.com

Prendo, je t'ai cherché, mais tu étais parti dîner. Le sujet est en train de changer. Alonzo n'a pas avoué le meurtre et je ne pense même pas qu'il l'ait commis. Je pars pour Las Vegas dès ce soir pour voir ça de plus près demain. Je te tiens au courant. Angela peut se débrouiller des affaires courantes. J'ai des pièces de dix.

Jack

Carver sentit sa gorge se serrer. Les muscles de son cou se tendant fort, il s'écarta de la table au cas où il aurait envie de vomir. Il sortit la poubelle de dessous son bureau pour pouvoir s'en servir si nécessaire.

Sa vision s'assombrit à la périphérie, puis le voile noir disparut et tout s'éclaircit.

Il repoussa la poubelle sous la table d'un coup de pied et se pencha en avant pour étudier à nouveau le message.

McEvoy avait fait le lien avec Las Vegas. Carver sut alors qu'il ne devait s'en prendre qu'à lui-même. Il avait rejoué trop vite son coup en suivant le même modus operandi. Il s'était ainsi découvert et Jack le grand tueur s'était lancé à ses trousses. Grave erreur. Dès qu'il serait à Las Vegas, même avec un minimum de chances, McEvoy reconstituerait le puzzle.

Il fallait arrêter ça. Il n'y avait aucune raison pour qu'une erreur grave se transforme en erreur fatale, se dit-il. Il ferma les yeux et réfléchit un bon moment. Sa confiance revint. En partie. Il se savait prêt à toutes les éventualités. Les premières ébauches d'un plan se faisant jour dans sa tête, il comprit que la première mesure à prendre était d'effacer le message qu'il avait à l'écran devant lui, et la deuxième de réintégrer le compte d'Angela Cook et d'effacer aussi ce message de sa boîte. Prendergast et Cook ne le verraient jamais et, avec un peu de chance, ne sauraient donc jamais ce que savait McEvoy.

Il effaça le message, mais, avant de se déconnecter, il téléchargea un logiciel espion qui lui permettrait de suivre toutes les activités Internet de Prendergast en temps réel. Il saurait ainsi à qui il envoyait des mails, qui le contactait et quels sites il visitait. Il revint au compte d'Angela Cook et se dépêcha de faire la même chose.

McEvoy était le suivant, mais il décida que ça pouvait attendre... jusqu'à ce que Jack arrive à Las Vegas et y soit seul pour faire son boulot. Mieux valait commencer par le commencement.

Il se leva et posa la main sur le scanner apposé sur la porte en verre de la salle des serveurs. Le scan terminé et approuvé, la porte se déverrouilla et il l'ouvrit en la faisant coulisser. Il faisait froid dans la salle, qu'il fallait maintenir à un vivifiant seize degrés. Ses pas résonnèrent sur le sol en métal tandis qu'il longeait la troisième allée et y rejoignait la sixième tour. Avec une clé, il déverrouilla le panneau avant du serveur grand comme un frigo, se pencha et souleva deux des lames de données de quelques centimètres. Puis il referma et reverrouilla la porte et regagna son poste de travail.

À peine quelques secondes plus tard une alarme d'écran montait des postes de travail.

Il entra les commandes du protocole de réponse. Attendit encore quelques secondes et tendit la main vers le téléphone. Appuya sur le bouton de l'interphone et entra le numéro de poste de McGinnis.

— Hé, patron, vous êtes encore là ?

— Qu'est-ce qu'il y a, Wesley ? J'allais partir.

— On a un problème de code 3. Il vaudrait mieux que vous veniez voir.

Code 3 ou « on laisse tout tomber et on rapplique ».

— J'arrive tout de suite.

Carver fit de son mieux pour ne pas sourire. Il n'aurait pas voulu que McGinnis le voie. Trois minutes plus tard, celui-ci franchissait la porte, sa carte magnétique revenant d'un coup sec à sa ceinture. Il était tout essoufflé d'avoir descendu les marches de l'escalier.

– Qu'est-ce qui ne va pas ? lança-t-il.

– Dewey et Bach de L.A. viennent de se faire attaquer. Tout s'est effondré.

– Nom de Dieu ! Comment est-ce arrivé ?

– Je n'en sais rien.

– Qui nous a fait ça ?

Carver haussa les épaules.

– De ce bout-ci, il n'y a pas moyen de savoir. Ça pourrait être un truc interne.

– Vous les avez appelés ?

– Non, j'attendais de vous en parler d'abord.

McGinnis s'était posté derrière Carver et sautillait d'un pied sur l'autre en regardant les serveurs à travers la vitre comme si c'était là que se trouvait la réponse.

– Qu'en pensez-vous ? demanda-t-il.

– Le problème ne vient pas d'ici… j'ai tout vérifié. C'est à l'autre bout, chez eux, que ça s'est passé. Je crois qu'il faut leur envoyer quelqu'un pour réparer ça et remettre en route la circulation des données. Je crois que c'est au tour de Stone. Je vais l'y envoyer. Après, on voit d'où ça vient et on fait ce qu'il faut pour que ça ne se reproduise pas. Si c'est des hackers, on les crame dans leurs plumards.

– Combien de temps cela va-t-il prendre ?

– Il y a des vols au départ de Los Angeles à peu près toutes les heures. Je mets Stone dans un avion et dès demain matin il pourra s'y coller.

– Et si vous y alliez, vous ? Je veux qu'on règle ça comme il faut.

Carver hésita. Il voulait que McGinnis continue de croire que l'idée venait de lui.

– Freddy Stone devrait pouvoir s'en occuper, dit-il.

– Mais c'est vous le meilleur. Je tiens à ce que Dewey et Bach voient bien qu'on ne déconne pas Qu'on fait ce qu'il faut. Vous avez un problème, on vous envoie le meilleur technicien. Pas un gamin. Emmenez Stone ou n'importe quel autre bonhomme dont vous avez besoin, mais je veux que vous y alliez, vous.

– D'accord, je pars tout de suite.

– Je veux juste que vous me teniez au courant.

– Ce sera fait.

– Il faut que j'aille à l'aéroport, moi aussi… pour prendre mes gens.

– Ça, vous avez le boulot le plus dur.

– Inutile d'enfoncer le couteau dans la plaie.

McGinnis flanqua une claque sur l'épaule de Carter et ressortit par la porte. Carver resta assis sans bouger quelques instants, à sentir encore son épaule. Il détestait qu'on le touche.

Enfin il bougea. Il se pencha vers son écran et entra le code de désengagement de l'alarme. Il confirma ensuite le protocole et l'effaça.

Et sortit son portable et entra un numéro en abrégé.

– Qu'est-ce qu'il y a ? lui demanda Stone.

– Tu es toujours avec Early ?

– Oui, on assemble la tour.

– Reviens à la salle de contrôle. On a un problème. Non, en fait, on en a deux. Et il faut qu'on s'en occupe. Je bosse à un plan d'action.

– Je suis déjà parti.

Carver referma son portable en le faisant claquer.

6

La route
la moins fréquentée
d'Amérique

À neuf heures du matin, ce mercredi-là, j'attendais devant la porte fermée des bureaux de Schifino Associates, au quatrième étage d'un bâtiment de Charleston Street, dans le centre-ville de Las Vegas. J'étais si fatigué que je me laissai glisser le long du mur pour m'asseoir sur le plancher très confortablement moquetté. Je me sentais vraiment en manque de chance dans une ville censée la susciter.

La première partie de la matinée avait pourtant plutôt bien commencé. Après avoir rempli ma fiche d'hôtel au Mandalay Bay à minuit, je m'étais retrouvé bien trop tendu pour dormir. J'étais descendu dans la partie casino et avais multiplié par trois les deux cents dollars que j'avais apportés avec moi en jouant à la roulette et aux tables de black jack.

Avoir ainsi fait grossir mes réserves de cash et bu pas mal d'alcool gratis en jouant m'avait aidé à m'endormir lorsque j'avais enfin réintégré ma chambre. C'est après l'appel du réveil téléphonique que les choses avaient pris un tour dramatique. Le problème était que je n'aurais pas dû être réveillé par téléphone. La réception m'appelait pour me dire que ma carte American Express du *Times* avait été refusée.

« C'est insensé ! m'étais-je écrié. J'ai acheté un billet d'avion avec seulement hier soir. Et j'ai loué une voiture à l'aéroport McCarran et il n'y a pas eu de problème quand je vous l'ai passée à la réception. Quelqu'un s'est servi de ma carte.

– Oui, monsieur, c'était juste pour avoir l'autorisation. La note n'est pas portée sur votre carte avant six heures du matin le jour de votre départ. Nous avons fait passer la carte et elle a été refusée. Pourriez-vous descendre nous donner une autre carte ?

– Pas de problème. De toute façon, je voulais me lever pour pouvoir vous prendre encore un peu de votre argent ».

Sauf qu'un problème, il y en avait un : mes trois autres cartes n'avaient pas mieux marché. Toutes étant refusées, j'avais été obligé de rendre la moitié de mes gains pour pouvoir quitter l'hôtel. Et une fois arrivé à ma voiture de location, j'avais sorti mon portable pour appeler mes sociétés de cartes de crédit et m'étais aperçu que je ne pouvais pas le faire parce que mon portable était mort. Et pas parce que je me trouvais dans une zone où la couverture était mauvaise. Non, mon portable était mort parce que mon serveur m'avait déconnecté.

Agacé et déconcerté, mais pas démonté, je m'étais rendu à l'adresse de William Schifino que j'avais retrouvée. J'avais toujours un article à finir.

Quelques minutes avant neuf heures, une femme sortit de l'ascenseur et prit le couloir où je me trouvais. Je remarquai sa légère hésitation lorsqu'elle me vit affalé par terre contre la porte de Schifino. Je me relevai et hochai la tête tandis qu'elle s'approchait.

– Vous travaillez pour William Schifino ? lui demandai-je avec un grand sourire.

– Oui, je suis sa réceptionniste. Que désirez-vous ?

– J'ai besoin de lui parler. J'arrive de Los Angeles et je…

– Vous avez rendez-vous ? Me Schifino ne reçoit ses clients potentiels que sur rendez-vous.

– Je n'ai pas de rendez-vous, mais je ne suis pas non plus un client potentiel. Je suis journaliste. Je veux lui parler de Brian Oglevy. Il a été condamné l'année dernière pour…

– Je sais qui est Brian Oglevy. L'affaire est en appel.

– Je sais, je sais. Mais j'ai de nouvelles informations. Je pense que Me Schifino voudra me parler.

Sa clé à quelques centimètres de la serrure, elle s'immobilisa, puis se tourna vers moi comme pour me jauger pour la première fois.

– Je sais qu'il le voudra, insistai-je.

– Vous pouvez entrer l'attendre, dit-elle. Je ne sais pas quand il arrivera. Il ne doit pas aller au tribunal avant cet après-midi.

– Pourriez-vous l'appeler ?

– Peut-être.

Nous entrâmes et elle me montra un canapé installé dans une petite aire d'attente. Le mobilier était confortable et semblait relativement neuf. J'eus le sentiment que Schifino était un avocat accompli. La réceptionniste passa derrière son bureau, alluma son ordinateur et se lança dans sa routine pour préparer sa journée.

– Vous allez l'appeler ? lui demandai-je.

– Dès que j'ai un instant. Mettez-vous à l'aise.

J'essayai, mais je n'avais pas envie d'attendre. Je sortis mon ordinateur portable de mon sac et l'initialisai.

– Vous avez le wifi ? demandai-je.

– Oui.

– Je peux m'en servir pour vérifier mes mails ? Ça ne prendra que quelques minutes.

– Je crains que non.

Je la regardai un instant.

– Je vous demande pardon ?

– J'ai dit non. C'est un réseau sécurisé et il faudra demander l'autorisation à Me Schifino.

– Eh bien mais... vous pourriez le lui demander quand vous l'appellerez pour lui dire que je l'attends ?

– Dès que ce sera possible, me renvoya-t-elle.

Elle me gratifia de son sourire efficacité et reprit son travail. Le téléphone sonnant, elle ouvrit un carnet de rendez-vous et se mit en devoir d'en trouver un pour un client et de lui parler des cartes de crédit acceptées par l'avocat pour le paiement des honoraires. Cela me rappelant ma situation, je m'emparai d'un des magazines posés sur la table basse pour éviter d'y penser.

Il avait pour titre *The Nevada Legal Review* et débordait de petites annonces pour des avocats et des services juridiques du genre transcription et stockage de données. On y trouvait aussi des articles sur des affaires judiciaires, la plupart ayant trait à des permis d'ouverture de casinos ou à des infractions perpétrées contre ces établissements. J'avais déjà passé vingt minutes à lire une histoire de recours juridique contre la loi interdisant l'ouverture de bordels dans les contés de Clark et de Las Vegas quand la porte s'ouvrit sur un homme qui entra aussitôt. Il m'adressa un signe de tête et regarda la réceptionniste, qui était encore au téléphone.

– Ne quittez pas, je vous prie, dit celle-ci.

Puis elle me montra du doigt et ajouta :

– Monsieur Schifino, ce monsieur n'a pas de rendez-vous. Il dit travailler comme journaliste à Los Angeles et…

– Brian Oglevy est innocent ! lançai-je en l'interrompant. Et je pense être en mesure de le prouver.

Schifino me regarda longuement. Il avait les cheveux foncés et un beau visage au bronzage inégal à cause de la casquette de base-ball qu'il portait. Il jouait au golf ou était entraîneur dans ce sport. Peut-être même les deux. Il avait le regard vif et prit vite sa décision.

– Dans ce cas, je pense qu'il vaudrait mieux que vous passiez dans mon cabinet, dit-il.

Je l'y suivis et il s'assit derrière un grand bureau en me faisant signe de prendre place de l'autre côté.

– Vous travaillez pour le *Times* ? me demanda-t-il.

– Oui.

– Bon journal, mais il a pas mal d'ennuis depuis peu. D'ennuis financiers, s'entend.

– Oui. Comme tous les journaux.

– Bon alors, comment êtes-vous arrivé à la conclusion là-bas à L.A. que mon gars ici était innocent ?

Je lui décochai mon plus beau sourire de fripouille.

– C'est que... je n'en suis pas sûr, mais il fallait que je vous voie. Voici ce que j'ai. J'ai un gamin qui traîne en prison à L.A. pour un meurtre qu'à mon avis il n'a pas commis, et il me semble que les détails de ce meurtre ressemblent beaucoup à l'histoire d'Oglevy, enfin... d'après ce que j'ai. Cela dit, mon affaire à moi s'est produite il y a quinze jours.

– Ce qui fait que si ces détails sont semblables, mon client a un alibi évident et qu'il y a peut-être une tierce personne impliquée ?

– Exactement.

– Bon, bien, voyons voir ce que vous avez.

– C'est-à-dire que... j'espérais pouvoir apprendre ce que vous avez, vous aussi.

– Ça me semble juste. Mon client est en prison et je ne pense pas qu'au point où il en est, il se soucie beaucoup du respect de la confidentialité des rapports client-avocat... surtout si échanger certaines de mes informations avec vous peut aider sa cause. De plus, les trois quarts des choses que je peux vous dire sont disponibles au greffe du tribunal.

Il sortit ses dossiers et nous entamâmes une petite séance de tu-me-montres-ce-que-tu-as-je-te-montre-ce-que-j'ai. Je lui racontai ce que je savais sur Winslow et contins mon excitation au fur et à mesure que nous avancions dans la lecture de nos documents. Mais quand nous passâmes à la comparaison des photos de scène de crime, l'adrénaline entra en action et j'eus le plus grand mal à me contrôler. Non seulement les photos de l'affaire Oglevy ressemblaient à s'y méprendre à celle du dossier Babbit, mais les victimes elles-mêmes étaient d'une ressemblance frappante.

– C'est incroyable ! m'écriai-je. On dirait presque la même femme.

Babbit et Oglevy étaient en effet de grandes brunes aux yeux marron, au nez busqué et aux longues jambes de danseuse. Je fus aussitôt en proie à l'impression que ces deux femmes n'avaient pas été prises au hasard par leur assassin. Elles avaient été choisies. Elles correspondaient à une espèce de modèle qui en faisait des cibles.

Schifino était lui aussi très troublé. Une photo après l'autre, il soulignait les similitudes dans la scène de crime. Les deux femmes avaient été asphyxiées à l'aide d'un sac en plastique qu'on leur avait attaché autour du cou avec un fin cordon blanc. L'une comme l'autre, elles avaient été déposées dans le coffre entièrement nues et le visage tourné vers le plancher, leurs habits étant ensuite simplement jetés sur leurs cadavres.

– Mon Dieu !... Regardez ça ! s'écria-t-il. Ces crimes sont absolument identiques et il n'y a pas besoin d'être un expert pour le voir. Il faut que je vous avoue quelque chose, Jack. Quand vous êtes arrivé, je me suis dit que vous seriez le clown de la matinée. Une belle diversion, quoi. Le journaliste fou qui traque ses chimères. Mais ça... (Il montra les jeux de photos que nous avions posées côte à côte sur son bureau.) Ça, c'est la liberté de mon client. Il va sortir de taule !

Trop excité pour rester assis, il se tenait debout derrière son bureau.

– Comment ça se fait ? demandai-je. Comment cela a-t-il pu échapper à tout le monde ?

– C'est arrivé parce que ces affaires ont été résolues rapidement, dit-il. Dans les deux cas, les flics ont été dirigés sur un suspect évident et n'ont pas cherché plus loin. Ils n'ont pas cherché de similitudes parce qu'ils n'en avaient pas besoin. Ils tenaient leurs suspects, ils sont partis faire la fête.

– Mais comment l'assassin a-t-il, lui, compris qu'il fallait déposer le cadavre de Sharon Oglevy dans le coffre de la voiture de son ex ? Comment a-t-il pu même seulement savoir où trouver sa voiture ?

– Je ne sais pas, mais c'est sans importance. L'important, c'est que ces deux meurtres sont de factures tellement semblables qu'il n'y a tout simplement pas moyen que Brian Oglevy ou Alonzo Winslow en soient les auteurs. Les autres détails se mettront en place quand la véritable enquête aura commencé. En attendant, je n'ai aucun doute que vous êtes en train de mettre au jour quelque chose d'absolument énorme. Parce qu'enfin... comment être sûr qu'il n'y a que ces deux-là ? Il pourrait y en avoir d'autres.

J'acquiesçai d'un signe de tête. Je n'avais pas envisagé cette possibilité. La recherche en ligne menée par Angela n'avait donné que l'affaire Oglevy. Cela dit, il suffit de deux meurtres pour avoir un mode opératoire. Et il pouvait y en avoir d'autres.

– Qu'est-ce que vous allez faire ? lui demandai-je.

Schifino finit par se rasseoir. Et se mit à tourner et virer dans son fauteuil en réfléchissant à la question.

– Je vais rédiger et soumettre une requête en *habeas corpus*[1]. Ce nouvel élément d'information est susceptible de disculper mon client et nous allons le présenter à la cour.

– À ceci près que moi, je ne suis pas censé être en possession de ces dossiers. Vous ne pouvez pas y faire référence.

– Bien sûr que si. Je ne suis simplement pas obligé de dire d'où je les tiens.

Je fronçai les sourcils. Leur origine serait plus qu'évidente dès la parution de mon article.

– Combien de temps vous faudra-t-il pour que ça arrive devant un juge ?

– Je vais devoir faire quelques recherches, mais je soumettrai ma requête à la fin de la semaine.

– Ça va tout faire péter. Je ne suis pas certain d'être prêt à publier mon article avant.

Schifino ouvrit grand les bras et hocha la tête.

1. Saisine d'un juge pour détention arbitraire *(NdT)*.

– Mon client est incarcéré à Ely depuis plus d'un an. Savez-vous que les conditions d'internement y sont si mauvaises qu'il n'est pas rare de voir des condamnés à mort renoncer à tout pourvoi en appel et demander à être exécutés juste pour pouvoir sortir de là ? Chaque jour supplémentaire qu'il y passe est un jour de trop.

– Je sais, je sais. C'est juste que…

J'arrêtai de réfléchir et, non, rien ne justifiait de garder Brian Oglevy un seul jour de plus en prison de façon à ce que moi, j'aie le temps de préparer et rédiger mon article. Schifino avait raison.

– Bon, d'accord, dis-je. Mais vous m'avertissez dès que vous soumettez votre requête. Et je veux parler avec votre client.

– Pas de problème. Dès qu'il sort, l'exclusivité est à vous.

– Non, non, pas à ce moment-là. Maintenant. Je veux écrire l'article qui les fera sortir de taule, lui et Alonzo Winslow. Je veux lui parler aujourd'hui. Comment faut-il faire ?

– Il est au quartier de haute sécurité et à moins que vous ne figuriez sur sa liste de visiteurs, vous ne pourrez pas le voir.

– Mais vous, vous pouvez me faire entrer, non ?

Il était toujours assis derrière le porte-avions qu'il appelait son bureau. Il porta la main à son menton, réfléchit à la question, puis hocha la tête.

– Oui, dit-il, je peux vous faire entrer. Il faut que je faxe une lettre à la prison pour dire que vous êtes enquêteur et que, comme vous travaillez pour moi, vous avez accès au prisonnier. Après, je vous donne une lettre « à qui de droit » que vous portez toujours sur vous et qui vous identifie comme travaillant pour moi. Quand on travaille pour un avocat, on n'a pas besoin d'une licence d'État. Vous avez la lettre sur vous et vous la montrez au portillon. Ça vous permettra d'entrer.

– Techniquement, je ne travaille pas pour vous. Mon journal a des règles strictes sur le fait de se présenter sous un faux jour.

Il glissa la main dans sa poche, en sortit du liquide et me passa un dollar par-dessus le bureau. Je tendis la main au-dessus des photos de scène de crime pour le lui prendre.

— Tenez, dit-il, je viens de vous payer un dollar. Vous travaillez pour moi.

Ça ne réglait pas vraiment la question, mais vu l'état dans lequel je me trouvais côté emploi, je ne m'en inquiétai pas trop.

— Ça devrait marcher, dis-je. C'est loin, Ely ?

— Selon votre manière de conduire, c'est à trois ou quatre heures de route d'ici, vers le nord. C'est au milieu de nulle part et, à ce qu'on dit, la route qui y mène est la moins fréquentée d'Amérique. Je ne sais pas si c'est parce qu'elle conduit à la prison ou si c'est à cause du paysage qu'elle traverse, mais on ne l'appelle pas comme ça pour rien. Il y a un aéroport. Vous pourriez prendre un saute-montagnes pour y monter.

Je me dis qu'un saute-montagnes devait être un petit avion à hélice. Je fis non de la tête. J'avais écrit trop d'articles sur le crash de ce genre d'appareils. Je ne les prenais jamais à moins d'y être absolument obligé.

— Je vais y aller en voiture, dis-je. Écrivez-moi vos lettres. Et je vais avoir besoin d'une copie de tous les documents de votre dossier.

— Je m'attaque aux lettres et je demande à Agnes de commencer la photocopie. Moi aussi, je vais avoir besoin de copies de ce que vous avez pour la requête en *habeas corpus*. On pourra dire que c'est ce que mon dollar a acheté.

J'acquiesçai d'un signe de tête et songeai : « C'est ça, mettez donc la très zélée Agnes à mon service ! J'aimerais assez. »

— Vous permettez que je vous pose une question ? ajoutai-je.

— Allez-y.

— Avant que je vienne ici vous montrer tout ça, avez-vous jamais pensé que Brian Oglevy puisse être innocent ?

Il pencha la tête de côté et se mit à réfléchir.

— Strictement entre nous ?

Je haussai les épaules. Ce n'était pas ce que je voulais, mais je prendrais.

— Si c'est la seule façon que vous acceptiez de me répondre...

— Bon, d'accord. Pour le journal, je peux vous dire que j'ai su que Brian était innocent dès le premier jour. Il n'y avait tout simplement pas moyen qu'il ait commis ce crime horrible.

— Et strictement entre nous ?

— J'ai toujours pensé qu'il était coupable comme c'est pas permis. C'était la seule façon que j'avais d'accepter de perdre le procès.

Après m'être arrêté à un 7-Eleven et y avoir acheté un jetable avec cent minutes d'appels, je pris vers le nord à travers le désert et me dirigeai vers la prison d'État d'Ely par la national 93.

Cela me fit longer la base aérienne de Nellis, avant de rejoindre la 50 vers le nord. Il ne se passa guère de temps avant que je commence à voir pourquoi cette route avait la réputation d'être la moins fréquentée d'Amérique. Dans tous les sens et jusqu'à l'horizon, c'était le désert qui régnait. Dures et ciselées, des chaînes de montagnes sans la moindre trace de végétation se dressaient puis disparaissaient au loin au fur et à mesure que j'avançais. Les seuls signes de civilisation étaient la route goudronnée à deux voies et les lignes électriques qui franchissaient les montagnes portées par des espèces de bonshommes en ferraille ressemblant à des géants tombés d'autres planètes.

Les premiers appels que je passai avec mon nouveau portable furent pour mes sociétés de cartes de crédit auxquelles je demandai d'un ton péremptoire pourquoi mes cartes ne marchaient plus. Et chaque fois je reçus la même réponse : j'en avais déclaré le vol la veille au soir, ce qui suspendait temporairement leur usage. J'étais passé sur le Net et avais répondu correctement à toutes les questions de sécurité avant de déclarer le vol.

Que je leur dise que je n'avais jamais fait rien de tel n'avait aucune importance. Quelqu'un d'autre l'avait fait et ce quelqu'un d'autre connaissait aussi bien mes numéros de compte que mon adresse personnelle, ma date de naissance, le nom de jeune fille de ma mère et le numéro de ma carte de Sécurité sociale. J'exigeai qu'on rouvre mes comptes, les employés du service m'obéirent avec joie. Le seul problème était que mes nouvelles cartes de crédit devaient encore être émises, puis expédiées chez moi. Cela prendrait plusieurs jours et, en attendant, je ne disposais plus du moindre crédit. J'étais baisé comme je ne l'avais encore jamais été.

Après, j'appelai ma banque à Los Angeles et eus droit à une variation sur le même thème, la seule différence étant la violence de l'impact. La bonne nouvelle était que ma carte de débit marchait encore. La mauvaise était que je n'avais plus un sou ni sur mon compte courant ni sur mon compte d'épargne. La veille au soir, je m'étais connecté au service en ligne, avais fait passer tous mes avoirs sur mon compte courant et fait don de toute la somme à la fondation Make-A-Wish[1] par voie de transfert électronique. Je n'avais maintenant plus rien à la banque. Mais ça, qu'est-ce qu'on devait m'aimer à la fondation Make-A-Wish !

Je coupai la communication et hurlai tout ce que je savais dans la voiture. Que se passait-il ? Le journal publiait régulièrement des histoires de vols d'identité. Mais cette fois, la victime, c'était moi et j'avais du mal à le croire.

À onze heures j'appelais le desk Metro et appris qu'on était encore monté d'un cran dans l'opération intrusion et destruction. Dès que j'eus Alan Prendergast au téléphone, j'entendis la nervosité dans sa voix. Je savais d'expérience que ce genre de tension le poussait à se répéter.

— Où es-tu, où es-tu ? me demanda-t-il. On a les pasteurs sur les bras et je trouve personne.

— Je te l'ai déjà dit. Je suis à Las Vegas. Où est...

1. Soit « Faites un vœu » (NdT).

– À Las Vegas ! À Las Vegas ? Mais qu'est-ce que tu fous à Las Vegas ?

– T'as pas eu mon message ? Je t'ai envoyé un mail hier avant de partir.

– Je l'ai pas eu. Hier, t'as tout simplement disparu, mais je m'en fous. Ce qui m'intéresse, c'est aujourd'hui. Ce qui m'intéresse, c'est maintenant, là, tout de suite. Dis-moi que tu es à l'aéroport, Jack, et que tu seras de retour à L.A. dans une heure.

– De fait, je ne suis pas à l'aéroport. Et même, technique-ment, je ne suis plus à Las Vegas. Je suis sur la route la moins fréquentée d'Amérique et je me dirige vers le milieu d'absolument nulle part. Que fabriquent nos pasteurs ?

– Qu'est-ce que tu crois ? Ils sont en train de préparer une grosse manif aux Rodia Gardens pour protester contre le LAPD et la nouvelle va passer dans tout le pays. Et moi, qu'est-ce que j'ai ? Toi à Las Vegas et Cook dont je n'entends plus parler. Qu'est-ce que tu fous là-bas, Jack ? Qu'est-ce que tu fous ?

– Je te l'ai dit dans le mail que tu n'as pas lu. Le sujet...

– Je vérifie mes mails régulièrement, me répliqua-t-il d'un ton sec. Je n'ai pas eu d'e-mails de toi. Pas d'e-mails. Aucun.

Je m'apprêtais à lui dire qu'il se trompait lorsque je son-geai à mes cartes de crédit. Si quelqu'un était capable de liquider mes cartes de crédit et d'assécher mes comptes ban-caires, peut-être ce quelqu'un était-il aussi capable d'entrer dans mes mails.

– Écoute, Prendo, il se passe des trucs bizarres. Mes cartes de crédit sont foutues, mon téléphone portable est mort et maintenant tu me dis que mon mail ne t'est jamais arrivé ? Y a quelque chose qui ne va pas. Je...

– Pour la dernière fois, Jack. Qu'est-ce que tu fous dans le Nevada ?

Je soufflai fort et regardai par la fenêtre. Je vis un paysage misérable qui n'avait pas changé depuis que l'humanité avait pris possession de la planète et qui ne changerait pas long-temps après que cette même humanité aurait disparu.

– L'histoire d'Alonzo Winslow a évolué, lui dis-je. J'ai découvert qu'il n'a pas tué.

– Il n'a pas tué ? Il n'a pas tué ? Tu veux dire qu'il n'a pas tué cette fille ? Qu'est-ce que tu racontes, Jack ?

– Oui, la fille. Il ne l'a pas tuée. Il est innocent, Alan, et je peux le prouver.

– Il a avoué, Jack. Je l'ai lu dans ton sujet.

– Bien sûr, parce que c'est ce que disent les flics. Mais ses prétendus aveux, je les ai lus et tout ce qu'il a avoué se réduit au vol de la voiture et du portefeuille de la fille. Il ne savait pas qu'il y avait un cadavre dans le coffre de la voiture quand il l'a piquée.

– Jack…

– Écoute, Prendo, j'ai relié ce meurtre à un autre à Las Vegas. C'est le même scénario. Une femme étranglée et déposée dans un coffre de voiture. Et elle aussi était dan-seuse. Il y a ici un type en prison pour ça et il n'a pas tué lui non plus. Je suis en train de monter le voir au pénitencier en ce moment même. Il faut que j'enquête et que j'écrive cet article avant jeudi. Il faut qu'il passe vendredi parce que c'est ce jour-là que ça va éclater au grand jour.

Il y eut un grand silence.

– Hé, Prendo ? T'es toujours là ?

– Oui, oui, Jack. Il faut qu'on en parle.

– C'est pas ce qu'on fait ? Où est Angela ? Elle devrait s'occuper des pasteurs. C'est elle qui est de service aujourd'hui.

– Si je savais où elle est, je l'enverrais aux Gardens avec un photographe. Mais elle n'est pas encore arrivée. Hier soir avant de rentrer chez elle, elle m'a dit qu'elle passerait prendre les infos à Parker Center avant de venir ici. Sauf qu'elle n'est toujours pas là.

– Elle doit travailler sur l'affaire Denise Babbit. Tu l'as appelée ?

— Bien sûr que je l'ai appelée. Je *l'ai appelée*. Je lui ai laissé des messages, mais elle n'a pas rappelé. Elle doit se dire que tu es ici et ignorer mes coups de fil.

— Bon, écoute, Prendo. Mon truc est plus important que la manif de Treacher le Prêcheur, d'accord ? T'as qu'à mettre un mec des JG dessus. Le truc dont je te parle est énorme. On a un tueur dans la nature et ce type a échappé à tout le monde, aux flics, aux mecs du FBI et à tous les autres. On a aussi un avocat de Las Vegas qui va déposer une requête au plus tard vendredi pour mettre tout ça au grand jour. Il faut qu'on le coiffe, lui et tous les autres sur le poteau. Je vais causer au type en prison et je rentre. Je ne sais pas quand j'arriverai. La route sera longue pour revenir à Las Vegas avant de pouvoir reprendre l'avion. Heureusement, je crois que mon billet de retour est toujours bon. Je l'ai acheté avant que quelqu'un m'ait siphonné toutes mes cartes de crédit.

Encore une fois j'eus droit au silence.

— Prendo ?

— Écoute, Jack, dit-il, le calme enfin revenu dans sa voix. On connaît tous les deux la situation et on sait parfaitement ce qui est en train de se jouer. Tu ne pourras rien y changer.

— De quoi tu parles ?

— De ton licenciement. Si tu crois pouvoir nous sortir un sujet qui va te sauver ta place... À mon avis, ça ne va pas marcher.

Ce fut à moi de garder le silence tandis que la colère me montait à la gorge.

— Eh, Jack ? Jack, t'es là ?

— Bien sûr que je suis là, Prendo, et je n'ai qu'une réponse à te donner : Va te faire foutre ! Cette histoire, je ne suis pas en train de l'inventer. Elle est en train de se produire. Et moi, je suis ici, au milieu de nulle part, et je ne sais pas trop qui est en train de me baiser et pourquoi.

— D'accord, d'accord, Jack. Calme-toi. Tu te calmes, d'accord ? Je ne suis pas en train de suggérer que tu...

– Mon cul, oui ! Tu fais plus que le suggérer ! Tu viens de le dire.

– Écoute, il n'est pas question que je te réponde si tu continues à m'expédier ce genre de langage à la figure ! On ne pourrait pas parler poliment, dis !

– Tu sais quoi, Prendo ? J'ai d'autres appels à passer. Si tu ne veux pas de mon sujet ou si tu penses que j'invente, je trouverai quelqu'un d'autre pour passer mon article, vu ? La dernière chose à laquelle je m'attendais était bien de voir mon Ram essayer de me cisailler au moment même où j'ai le cul à l'air !

– Non, Jack, c'est pas ça.

– Je crois que si, Prendo. Alors va te faire mettre, mec. Je te rappelle plus tard.

Je raccrochai et fus à deux doigts de jeter mon portable par la fenêtre. Mais me rappelai que je n'avais pas de liquide pour le remplacer. Je roulai en silence pendant quelques instants de façon à retrouver mes esprits. J'avais encore un appel à passer et je voulais être calme quand je le ferais.

Je regardai par les fenêtres et scrutai les montagnes d'un gris bleuâtre. Je les trouvai d'une beauté sévère et primitive. Elles avaient été brisées par des glaciers dix millions d'années plus tôt, mais elles en avaient réchappé et continueraient à jamais de monter vers le soleil.

Je sortis mon portable foutu de ma poche et ouvris le carnet d'adresses. Je trouvai le numéro du FBI à Los Angeles et l'entrai dans le téléphone jetable. Lorsque la standardiste décrocha, je demandai à parler à l'agent Rachel Walling. Mon appel fut transféré et cela prit du temps, mais dès que ça sonna, quelqu'un répondit.

– Renseignement, lança une voix d'homme.

– Passez-moi Rachel, dis-je le plus calmement possible.

Cette fois, je n'avais pas demandé après l'agent Rachel Walling de crainte qu'on veuille savoir qui j'étais et qu'elle ait, elle, la possibilité de se défiler. J'espérais qu'on me prenne pour un agent et que mon appel soit pris.

— Agent Walling.

C'était elle. Cela faisait quelques années que je n'avais pas entendu sa voix au téléphone, mais aucun doute n'était permis.

— Allô ? Walling à l'appareil. Qu'y a-t-il à votre service ?

— Rachel ? C'est moi, Jack. (Ce fut à son tour de garder le silence.) Comment vas-tu ?

— Pourquoi est-ce que tu m'appelles, Jack ? On était tombés d'accord qu'il valait mieux ne plus se parler.

— Je sais… mais j'ai besoin de ton aide. J'ai des ennuis, Rachel.

— Et tu penses que je vais t'aider ? Quel genre d'ennuis as-tu, Jack ?

Une voiture me dépassa à au moins cent cinquante kilomètres heure et me donna l'impression de ne pas avancer.

— Disons que c'est une longue histoire. Je suis dans le Nevada. En plein désert. J'enquête sur un sujet : un tueur qui vadrouille dans la nature et dont personne n'a jamais entendu parler. J'ai besoin de quelqu'un qui me croie et qui m'aide.

— Jack, je ne suis pas la bonne personne et tu le sais. Je ne peux pas t'aider. Et je suis en plein milieu d'un truc. Il faut que j'y aille.

— Rachel, ne raccroche pas ! S'il te plaît…

Elle ne répondit pas, mais ne raccrocha pas non plus.

— Jack… dit-elle enfin. Tu as l'air à bout. Qu'est-ce qu'il t'arrive ?

— Je ne sais pas. Y a quelqu'un qui me cherche. Mon portable, mes mails, mes comptes bancaires… je suis en train de rouler à travers le désert et je n'ai même plus une carte bancaire qui marche.

— Où vas-tu ?

— À Ely. Pour parler à quelqu'un.

— Tu vas à la prison ?

— Voilà.

– C'est quoi ? Quelqu'un t'a téléphoné pour te dire qu'il était innocent et tu accours en espérant prouver qu'encore une fois les flics se sont gourés ?

– Non, c'est pas du tout ça. Écoute, Rachel, ce type étrangle des femmes et les jette dans des coffres de voiture. Il leur fait des trucs horribles et ça fait au moins deux ans qu'il l'emporte en paradis.

– Jack, j'ai lu tes articles sur la fille dans le coffre. C'est un membre de gang qui a fait le coup et il a avoué.

J'eus un frisson auquel je ne m'attendais pas en apprenant qu'elle lisait mes articles. Mais cela ne m'aida pas à la convaincre.

– Il ne faut pas croire tout ce qu'on lit dans les journaux, lui renvoyai-je. J'approche de la vérité et j'ai besoin que quelqu'un... qu'une autorité... entre dans la danse et...

– Tu sais bien que je ne suis plus aux Sciences du comportement. Pourquoi m'appelles-tu ?

– Parce que toi, je peux te faire confiance.

Cela suscita un grand silence. Je refusai d'être le premier à le briser.

– Comment peux-tu dire ça ? me lança-t-elle enfin. On ne s'est pas vus depuis très très longtemps.

– Aucune importance. Après ce que nous avons vécu ensemble, j'aurai toujours confiance en toi, Rachel. Et je sais que tu pourrais m'aider maintenant... et peut-être rattraper des trucs toi aussi.

– De quoi parles-tu ? dit-elle en se moquant. Non, attends.. ne réponds pas. Ça n'a pas d'importance. Je t'en prie, Jack, ne me rappelle plus. Le fond du problème, c'est que je ne peux pas t'aider. Alors, bonne chance et fais attention. Sois prudent.

Et elle raccrocha.

Je gardai mon portable à l'oreille presque une minute après qu'elle eut disparu. J'espérais qu'elle change d'idée, reprenne son téléphone et me rappelle. Mais, rien de tel ne se produisant, au bout d'un moment je laissai tomber mon portable dans le logement entre les sièges. Je n'avais plus d'appels à passer.

Devant moi, la voiture qui m'avait dépassé disparut de l'autre côté de la crête suivante. J'eus l'impression qu'on me laissait seul à la surface de la lune.

Comme pour les trois quarts des gens qui franchissent le portail de la prison d'État d'Ely, la chance ne changea pas en bien lorsque j'arrivai à destination. Je fus autorisé à passer par l'entrée des avocats et des enquêteurs. Je serrai fort la lettre d'introduction que William Schifino avait rédigée à mon intention et la montrai au capitaine de garde. On me conduisit dans une salle de détention, où j'attendis vingt minutes qu'on m'amène Brian Oglevy. Mais lorsque la porte se rouvrit, ce fut le capitaine qui entra. Et pas de Brian Oglevy.

– Monsieur McEvoy, dit-il en écorchant mon nom, je crains que nous ne soyons pas en mesure de faire ça aujourd'hui.

Je me dis soudain qu'on m'avait démasqué. Qu'on savait que j'étais un journaliste qui travaillait sur un sujet et pas du tout un enquêteur mandaté par un avocat.

– Que voulez-vous dire ? lui demandai-je. Tout était arrangé. J'ai la lettre de l'avocat. Vous l'avez vue. Il vous en a aussi faxé une autre pour vous dire que j'arrivais.

– Oui, nous avons reçu son fax et j'étais prêt à faire ce qu'il fallait, mais l'homme que vous voulez voir n'est pas disponible à cette heure. Revenez demain et vous pourrez le voir.

Je hochai la tête de colère. Tous les problèmes que j'avais rencontrés depuis ce matin-là étaient sur le point de déborder et ça risquait de chauffer avec le capitaine.

– Écoutez, lui dis-je, j'arrive de Las Vegas et j'ai roulé

quatre heures pour interroger ce type. Et vous, vous me dites de faire demi-tour, de rentrer chez moi et de refaire tout ça demain ? Il n'est pas questions que je…

– Je ne vous dis pas de retourner à Las Vegas. À votre place, j'irais juste en ville et descendrais à l'hôtel Nevada. Ce n'est pas un mauvais endroit. Ils ont un petit casino et le soir, en général, ça déménage. Prenez-y une chambre, revenez demain matin et je vous aurai préparé votre gars. Ça, je peux vous le promettre.

Je hochai la tête. Je me sentais totalement impuissant. Mais je n'avais pas le choix.

– Neuf heures, répétai-je. Et vous serez là ?

– J'y serai pour tout organiser moi-même.

– Pouvez-vous me dire pour quelle raison je ne peux pas le voir aujourd'hui ?

– Non, je ne peux pas. Question de sécurité.

Je hochai une dernière fois la tête de frustration.

– Merci, capitaine. On se verra donc demain.

– On y sera.

Après avoir regagné ma voiture de location, j'entrai l'hôtel Nevada dans mon GPS, suivis l'itinéraire et y arrivai en une demi-heure. Je mis la voiture au parking et vidai mes poches avant de me décider à entrer. Il me restait deux cent quarante-huit dollars en liquide. Je savais qu'il me faudrait compter au moins soixante-quinze dollars d'essence pour regagner l'aéroport de Las Vegas. Et même en mangeant pas cher jusqu'à ce que je rentre à la maison, il m'en faudrait encore quarante de plus pour le taxi de l'aéroport à chez moi. J'estimai donc qu'il me restait environ cent dollars pour l'hôtel. Je jetai un coup d'œil à ses six étages fatigués et me dis que ça ne devrait pas poser de problème. Je quittai la voiture, attrapai mon sac et entrai.

Je pris une chambre à quarante-cinq dollars au quatrième étage. Elle était bien arrangée et propre et le lit était raison-nablement confortable. Il n'était encore que quatre heures de l'après-midi, soit bien trop tôt pour que je commence à dépenser le reste de ma fortune en alcool. Je sortis mon jetable et me mis en devoir d'en consommer des minutes. Je commençai par appeler Angela Cook, d'abord sur son portable, puis sur son fixe, mais n'obtins de réponse ni sur l'un ni sur l'autre. Je lui laissai deux fois le même message, puis je ravalai mon orgueil et rappelai Alan Prendergast. Je m'excusai pour mes éclats et mes grossièretés. Puis je tentai de lui expliquer calmement ce qui était en train de se passer et de lui dire combien j'étais sous pression. Il ne me répondit que par monosyllabes et m'informa qu'il avait une réunion dans pas longtemps. Je promis de lui envoyer un budget pour l'article dans sa nouvelle version révisée dès que je pourrais me mettre en ligne, il me répondit que rien ne pressait.

— Prendo, il faut qu'on fasse passer ce truc dans l'édition de vendredi, sinon ce sera quelqu'un d'autre qui aura l'histoire.

— Écoute, dit-il, j'en ai parlé ce matin à la réunion. On veut aller doucement sur ce coup-là. On t'a, toi, en train de cavaler dans le désert, on n'a même plus de nouvelles d'Angela et, franchement, on commence à s'inquiéter. Elle aurait dû passer. Bref, ce que je veux, c'est que tu reviennes ici dès que tu pourras. Après quoi, on s'assied tous autour d'une table et on voit ce qu'on a.

J'aurais pu me remettre encore une fois en colère vu la façon dont il me traitait, mais quelque chose de plus pressant venait de se faire jour dans ce qu'il disait d'Angela.

— Tu n'as reçu aucun message d'elle de toute la journée ? lui demandai-je.

— Pas un seul. J'ai envoyé un journaliste à son appartement pour voir si elle y était, mais personne ne lui a ouvert. Nous ne savons pas où elle est.

— Ça lui est déjà arrivé ?

— Elle s'est fait porter pâle plusieurs fois très tard le soir. Probablement la gueule de bois ou autre. Mais au moins elle appelait. Pas cette fois.

– Bon, écoute. Si quelqu'un a de ses nouvelles, tu me le fais savoir, d'accord ?

– Entendu, Jack.

– Bon, allez, Prendo. On se parle dès que je reviens.

– T'as des pièces de dix ? me demanda-t-il en guise d'offrande pour faire la paix.

– Quelques-unes, lui répondis-je. On se retrouve dès que possible.

Je refermai mon portable et songeai au fait qu'Angela manquait à l'appel. Je commençai à me demander si tout cela n'était pas lié. Mes cartes de crédit, plus aucune nouvelle d'Angela… Ça me paraissait un peu tiré par les cheveux parce que je ne voyais pas où étaient les liens, mais…

Je jetai un coup d'œil à ma chambre à quarante-cinq dollars. D'après un petit dépliant posé sur la table de nuit, l'hôtel avait plus de soixante-quinze ans d'âge et avait jadis été le bâtiment le plus haut du Nevada. À cette époque-là, l'extraction du cuivre faisait d'Ely une ville en plein boom et personne n'avait jamais entendu parler de Las Vegas. Tout cela était depuis longtemps révolu.

J'initialisai mon ordinateur et eus recours au wifi gratuit de l'hôtel pour essayer d'ouvrir mon mail. Mais mon mot de passe fut refusé au bout de trois essais et je me retrouvai coincé. Il ne faisait aucun doute que l'individu qui avait fait annuler mes cartes de crédit et mon service de portable avait aussi modifié mon mot de passe.

– C'est dément ! m'écriai-je tout haut.

Incapable d'obtenir un contact avec l'extérieur, je me concentrai sur l'interne. J'ouvris un fichier dans mon ordinateur et sortis mes notes imprimées. Et commençai à relater les événements de la journée. Il me fallut bien plus d'une heure pour achever ma tâche, mais lorsque ce fut fait, je me retrouvai avec un sujet de quelque neuf mille signes. Et l'histoire était bonne. Peut-être était-ce même la meilleure que j'aie écrite depuis des années.

Après l'avoir relue et y avoir apporté quelques corrections, je sentis que tout ce travail m'avait donné faim. Je recomptai une fois de plus mon argent et quittai ma chambre en m'assurant de bien refermer la porte derrière moi. Je traversai la salle de jeu et gagnai un bar, près des machines à sous. Je commandai une bière et un sandwich à la viande et m'assis à une table de coin avec vue sur les machines à piquer le fric des gens.

Je regardai autour de moi et me rendis compte que cet hôtel de deuxième zone respirait le désespoir et l'idée de devoir y passer douze heures de plus me déprima. Sauf que je n'avais pas beaucoup le choix. J'étais coincé et le resterais jusqu'au lendemain matin.

Je vérifiai encore un coup combien il me restait et décidai que j'avais encore assez d'argent pour me payer une deuxième bière et un rouleau de *quarters* pour les machines à sous bon marché. Je m'installai dans une rangée près de l'entrée et commençai à mettre des pièces dans une machine de poker électronique. Je perdis les sept premières mains avant de récolter un full. Que je fis suivre par une quinte et une suite. Je ne tardai pas à me dire que j'étais sur le point de pouvoir m'offrir une troisième bière.

C'est alors qu'un autre joueur s'installa à deux machines de moi. Je ne remarquai sa présence que lorsqu'il décida que perdre de l'argent était plus agréable en parlant.

– Z'êtes là pour le cul ? me lança-t-il, enthousiaste.

Je me tournai vers lui. Âgé d'une trentaine d'années, il arborait de gros favoris et portait un chapeau de cow-boy poussiéreux sur ses cheveux d'un blond sale, des gants de conduite automobile et des lunettes de soleil à verres réfléchissants alors qu'on était à l'intérieur.

– Je vous demande pardon ?

– Y paraît qu'il y a deux ou trois bordels en dehors de la ville. Je me demandais dans lequel y a les plus belles chattes. J'arrive juste de Salt Lake City.

– J'en sais vraiment rien, mec.

Je retournai à ma machine et tentai de me concentrer sur la question de savoir quelles cartes je devais garder ou jeter. J'avais l'as, le trois, le quatre et le neuf de pique et l'as de cœur. Je cherche le flush ou je reste prudent et garde la paire en espérant récolter un troisième as ou une deuxième paire ?

– Un tiens vaut mieux que deux tu l'auras, me lança M. Favoris.

Je le regardai, il hocha la tête comme pour me dire que le sage conseil était gratuit. Je vis le reflet de l'écran de ma machine dans ses verres réfléchissants. Il ne me manquait plus que d'avoir quelqu'un qui me conseille au poker à vingt-cinq *cents* ! Je gardai mes piques, lâchai l'as de cœur et appuyai le bouton de donne. Le dieu de la machine fut à la hauteur. Je récoltai le valet de pique et un pot de sept contre un pour mon flush. Dommage que je n'aie parié que des *quarters*.

J'appuyai sur le bouton de paiement et écoutai quatorze dollars du tonnerre dégringoler en pièces de vingt-cinq *cents* dans le réceptacle en ferraille. Je les ramassai, les versai dans un gobelet en plastique, me levai et laissai M. Favoris derrière moi.

J'apportai mes *quarters* au caissier et demandai des billets. Je n'avais plus guère envie de jouer avec de la petite monnaie. J'allais investir mes gains dans deux bières de plus et les emporter dans ma chambre. J'avais encore des trucs à écrire et devais me préparer pour l'interview du lendemain matin. J'allais m'entretenir avec un homme qui avait passé plus d'un an en prison pour un crime qu'il n'avait pas commis, j'en étais convaincu. Ce serait une journée magnifique, le début même du rêve de tout journaliste – celui de libérer un innocent d'un emprisonnement injuste.

J'attendis l'ascenseur dans l'entrée en tenant mes bouteilles le long du corps au cas où j'aurais enfreint quelque règlement de la maison. J'entrai dans l'ascenseur, appuyai sur le bouton et gagnai un coin du fond de la cage. Les portes commençaient à se refermer lorsqu'une main gantée passa entre elles et coupa le rayon infrarouge. Les portes se rouvrirent.

Mon pote à favoris entra dans la cage. Il leva un doigt pour appuyer sur un bouton, puis le retira.

– Hé mais, on est au même étage ! s'écria-t-il.

– Super, dis-je.

Il s'installa dans le coin en face de moi. Je savais qu'il allait dire quelque chose, mais je n'avais aucun endroit où fuir. J'attendis que ça se produise et ne fus pas déçu.

– Hé, mec, me lança-t-il, je voulais pas vous casser la baraque là-bas en bas. Mon ex disait toujours que je parlais trop. C'est peut-être pour ça que c'est mon ex.

– Vous inquiétez pas pour ça. De toute façon, j'avais encore du travail à faire.

– Parce que vous êtes ici pour le boulot, hein ? Quel genre de boulot peut bien forcer quelqu'un à venir dans ce coin perdu de la planète ?

Ça y est, ça recommence, me dis-je. L'ascenseur montait si lentement qu'il aurait été plus rapide de prendre les escaliers.

– J'ai un rendez-vous à la prison demain.

– Pigé. Vous êtes l'avocat d'un de ces mecs.

– Non. Je suis journaliste.

– On écrit, hein ? Bon, ben, bonne chance. Vous au moins, vous pourrez rentrer chez vous après, pas comme les gars là-bas.

– Ça, j'en ai de la chance !

Je m'approchai de la porte quand nous arrivâmes au quatrième étage, signal on ne peut plus clair que la conversation était terminée et que je voulais regagner ma chambre. L'ascenseur s'arrêta, les portes me semblant prendre un temps interminable avant de s'ouvrir enfin.

– Bonne nuit, lançai-je.

Je sortis vite de l'ascenseur et pris à gauche. Ma chambre se trouvait trois portes plus loin.

– Vous aussi, mon pote, me renvoya M. Favoris.

Je dus faire passer mes deux bouteilles de bière dans mon autre main pour sortir la clé de ma chambre. J'étais devant ma porte en train de la sortir de ma poche lorsque je vis M. Favoris descendre le couloir vers moi. Je tournai la tête et regardai à droite. De ce côté-là, il n'y avait que trois autres chambres avant la sortie donnant sur l'escalier. J'eus le désagréable pressentiment que ce type allait finir par venir frapper à ma porte en pleine nuit pour me demander de descendre prendre une bière ou aller chercher du cul avec lui. La première chose que j'envisageai fut de ranger mes affaires, d'appeler la réception et de changer de chambre. Il ne savait pas mon nom et ne pourrait pas me retrouver.

J'arrivai enfin à glisser la clé dans la serrure et poussai la porte. Je jetai un coup d'œil en arrière et lui adressai un dernier hochement de tête. Il eut soudain un sourire étrange en s'approchant de moi.

– Salut, Jack ! lança une voix dans ma chambre.

Je me retournai brutalement et vis une femme se lever de la chaise posée à côté de la fenêtre. Et reconnus tout de suite Rachel Walling. Elle avait l'air très business business. Je sentis M. Favoris passer dans mon dos en rejoignant sa chambre.

– Rachel ? Mais qu'est-ce que tu fais ici ?

– Et si tu entrais et fermais la porte ?

Toujours stupéfait, je fis ce qu'elle me disait. Je fermai la porte derrière moi. Et entendis une autre porte se fermer bruyamment dans le couloir. M. Favoris venait d'entrer dans sa chambre.

Je m'avançai prudemment dans la chambre.

– Comment as-tu fait pour entrer ? demandai-je à Rachel.

– Assieds-toi et je te dis tout.

Douze ans plus tôt j'avais eu avec elle une liaison de courte durée, intense, et impropre selon certains. Si j'avais vu des photos d'elle dans les journaux quelques années plus tôt, au moment où elle aidait la police de Los Angeles à traquer, puis abattre un homme recherché à Echo Park, je ne m'étais plus trouvé en sa présence depuis que nous nous étions assis dans une salle d'audience presque dix ans plus tôt. Il n'empêche : il ne s'était pas beaucoup passé de jours dans cette décennie que je ne pense à elle. Elle était en effet une des raisons – peut-être la plus importante – pour lesquelles je considérais depuis toujours que cette époque avait été le moment fort de ma vie.

Elle ne montrait pas de signe d'usure suite à toutes les années qui s'étaient écoulées depuis lors, et je savais pourtant qu'elles n'avaient rien eu de facile pour elle. Elle avait payé cette liaison avec moi d'un exil de cinq ans dans un poste du FBI du Dakota du Sud, où elle s'était retrouvée seule. Elle était passée du profilage et de la chasse aux tueurs en série à des enquêtes sur les coups de poignard donnés par des Indiens dans les bars de leurs réserves.

Mais elle s'était sortie de ce trou et avait fini par rejoindre L.A., où depuis cinq ans elle travaillait dans une unité du Renseignement. Je lui avais téléphoné dès que je l'avais su, mon appel était transféré sur son poste, mais rejeté ensuite. Depuis, je suivais ses activités de loin chaque fois que je pouvais. Et voilà qu'elle était debout devant moi, dans ma chambre d'hôtel au milieu de nulle part. Bizarre, quand même, comment la vie s'agence parfois.

La surprise que j'éprouvais de la voir mise à part, je ne pouvais m'empêcher de la dévisager et de lui sourire. Elle gardait une attitude professionnelle, mais je voyais bien la manière dont elle me fixait des yeux. Ce n'est pas souvent qu'on se retrouve si près d'une ancienne amante.

– Qui était le type avec toi ? me demanda-t-elle. Tu as un photographe avec toi pour ce sujet ?

Je me retournai et regardai la porte.

– Non, je suis tout seul. Et je ne sais pas qui est ce type. C'est juste un mec qui m'a parlé en bas, dans la salle de jeu. Il est remonté dans sa chambre.

Elle me passa brusquement devant, ouvrit la porte et regarda dans le couloir dans les deux sens avant de réintégrer la chambre et de refermer la porte.

– Comment s'appelle-t-il ?

– Je ne sais pas. Je ne lui ai pas vraiment parlé.

– Dans quelle chambre est-il ?

– Ça non plus, je ne sais pas. Qu'est-ce qui se passe ? Comment se fait-il que tu sois dans ma chambre ?

Je lui montrai mon lit. Mon ordinateur portable était ouvert, les sorties papier de mes notes, les photocopies des dossiers d'affaires que m'avaient passées Schifino et Meyer et les articles retrouvés par Angela sur le Web s'étalaient dessus. La seule pièce qui manquait était la transcription de l'interrogatoire de Winslow, et ce n'était que parce que je l'avais trouvée trop lourde pour l'emporter avec moi.

Et je n'avais rien laissé de tout cela sur mon lit.

– Et... tu as fouillé dans mes affaires ? Rachel, je t'ai demandé de l'aide. Je ne t'ai pas demandé d'entrer dans ma chambre par effraction et de...

– Tu veux t'asseoir, dis ?

Il n'y avait qu'une chaise dans la chambre, celle sur laquelle elle m'avait attendu. Je m'assis sur le lit, refermai mon ordinateur d'un air maussade et remis toutes ces feuilles de papier en tas. Elle resta debout.

– OK. J'ai montré mes références au gérant et lui ai demandé de me laisser entrer dans ta chambre en lui disant que ta sécurité était peut-être en danger.

Je hochai la tête tant j'étais abasourdi.

– Qu'est-ce que tu racontes ? Comme si on me connaissait ici !

– Ça, je n'en suis pas si sûre. Tu m'as dit que tu montais à la prison. À qui d'autre l'as-tu dit ? Qui d'autre est au courant ?

– Je ne sais pas. Je l'ai dit à mon rédacteur en chef et il y a un avocat de Las Vegas qui est dans la confidence. C'est tout.

Elle acquiesça d'un signe de tête.

– William Schifino. Oui, je lui ai parlé, dit-elle.

– Tu lui as parlé ? Pourquoi ? Qu'est-ce qui se passe, Rachel ?

Elle hocha de nouveau la tête, mais cette fois pas du tout pour acquiescer. Elle le fit parce qu'elle savait qu'elle allait devoir me dire ce qui se passait, même si cela allait à l'encontre des pratiques du FBI. Elle tira la chaise au milieu de la pièce et s'assit en face de moi.

– OK, quand tu m'as appelée aujourd'hui, tu ne m'as pas paru très rationnel. Il faut croire que tu écris mieux que tu ne racontes tes histoires. Quoi qu'il en soit, dans tout ce que tu m'as dit, ce qui m'a frappée, c'est ce que tu m'as raconté sur tes cartes de crédit, tes comptes bancaires, ton portable et tes e-mails. Je sais t'avoir dit que je ne pouvais pas t'aider, mais après avoir raccroché, j'ai commencé à réfléchir à tout ça et ça m'a inquiétée.

– Pourquoi ?

– Parce que tu m'en parlais comme si ce n'étaient que des trucs embêtants. Qu'une espèce de grosse coïncidence… comme si ça s'était produit par hasard alors que tu avais pris la route pour éclaircir une histoire de soi-disant tueur qui n'avait rien à voir avec ça.

– Ce tueur n'a rien de soi-disant, Rachel. Mais… tu me dis que ça pourrait avoir un lien ? Moi aussi, j'y ai pensé, mais ce n'est pas possible. Ce type que j'essaie de traquer n'a aucun moyen d'imaginer que je suis ici et que je le cherche.

– N'en sois pas si sûr, Jack. Ce qui t'arrive est une tactique classique de recherche. On sépare et on isole sa cible avant de passer à l'attaque pour tuer. Dans la société d'aujourd'hui, séparer et isoler quelqu'un implique qu'on le fasse sortir de sa zone de sécurité… de l'environnement qu'il connaît… et qu'après on lui ôte toute possibilité de se connecter avec quiconque. Portable, Internet, cartes de crédit, argent, dit-elle en énumérant avec ses doigts.

– Mais comment veux-tu que ce type me connaisse ? Je ne le connaissais même pas, moi, avant hier soir. Écoute, Rachel, c'est génial de te revoir et j'espère que tu pourras rester ce soir. J'ai très envie que tu sois là, mais je ne comprends rien à tout ça. Je veux dire… comprends-moi bien. J'apprécie le souci que tu te fais pour moi et… comment as-tu donc fait pour arriver ici aussi vite ?

– J'ai pris un jet du FBI jusqu'à Nellis et demandé qu'on m'amène ici en hélico.

– Putain ! Pourquoi ne m'as-tu pas rappelé, tout simplement ?

– Parce que je ne pouvais pas. Quand tu m'as téléphoné, ton appel m'a été transféré au site extérieur où je travaille. Et il n'y a pas d'écran d'identification pour ces transferts d'appel. Je n'avais pas ton numéro et je savais que tu m'appelais probablement d'un jetable.

– Et que va dire ta hiérarchie quand elle découvrira que tu as tout lâché et sauté dans un avion pour venir me sauver ? Ton séjour au Dakota du Sud ne t'a donc rien appris ?

Elle écarta mon inquiétude d'un geste de la main. Quelque chose dans ce geste me rappela notre première rencontre. Elle aussi s'était déroulée, comme par hasard, dans une chambre d'hôtel. Rachel m'y avait violemment poussé la figure dans le lit avant de me passer les menottes et de m'arrêter. Ce n'avait pas été le coup de foudre.

– J'ai un prisonnier d'Ely sur ma liste d'interrogatoires depuis quatre mois, reprit-elle. Officiellement, je suis venu l'interroger.

– Tu veux dire que ce serait disons… un terroriste ? C'est ça qu'on fait dans ton unité ?

– Jack, je ne peux pas te parler de cet aspect-là de mon travail. Mais je peux te dire avec quelle facilité il a été possible de te retrouver et pourquoi je sais que je ne suis pas la seule à t'avoir traqué.

Ce seul mot de « traqué » me glaça. Il m'évoqua de très vilaines choses.

– Bon, dis-je. Raconte-moi.

– Quand tu m'as appelée aujourd'hui, tu m'as dit que tu allais à Ely et j'ai tout de suite su que ça ne pouvait être que pour y interroger un prisonnier. Ce qui fait que quand j'ai commencé à m'inquiéter et que j'ai décidé d'agir, j'ai appelé la prison pour demander si tu étais encore là. On m'a répondu que tu venais de partir. J'ai discuté avec un certain capitaine Henry qui m'a informée que ton interview avait été repoussée à demain matin. Il a ensuite ajouté qu'il t'avait recommandé d'aller en ville et de descendre à l'hôtel Nevada.

– C'est ça, le capitaine Henry. C'est à lui que j'ai eu affaire.

– Oui, bon, je lui ai demandé pourquoi ton interview avait été repoussée et il m'a répondu que ton type, Brian Oglevy, était consigné dans sa cellule parce qu'il avait reçu des menaces.

– Quelles menaces ?

– Minute, j'y arrive. Le gardien chef a reçu un mail disant que l'AB prévoyait de liquider Oglevy aujourd'hui. Voilà pourquoi ils ont pris la précaution de le consigner dans sa cellule.

– Oh, allons ! Ils ont pris ça au sérieux ? L'Aryan Brother-hood[1] ? Ils menacent tous ceux qui ne font pas partie de leur fraternité ! Et Oglevy est un nom juif, non ?

– S'ils ont pris la menace au sérieux, c'est parce que l'e-mail provenait de la secrétaire même du gardien chef. Et que ce n'est pas elle qui l'a écrit. Il a été écrit par un anonyme qui a eu accès à son service e-mail au pénitencier. Un hacker. De l'intérieur ou de l'extérieur de la prison, cela n'a pas d'importance. C'est la façon dont il leur est arrivé qui leur a fait penser que ce n'était pas un avertissement en l'air. Ils ont consigné Oglevy, tu n'as pas pu le voir et on t'a envoyé passer la nuit ici. Seul, dans un environnement que tu ne connais pas.

– Bon, d'accord. Autre chose ? Parce que c'est quand même un peu tiré par les cheveux.

Elle commençait à me convaincre, mais je jouai les sceptiques pour qu'elle m'en dise plus.

– J'ai demandé au capitaine Henry si quelqu'un d'autre lui avait téléphoné et avait demandé après toi. Il m'a répondu que l'avocat pour qui tu travailles, William Schifino, avait appelé pour avoir de tes nouvelles et qu'il avait reçu la même réponse : l'interview était repoussée et il y avait toutes les chances pour que tu passes la nuit à l'hôtel Nevada.

– D'accord.

– J'ai appelé William Schifino. Qui m'a dit n'avoir jamais passé cet appel.

Je la regardai longtemps tandis qu'un doigt glacé me descendait le long de la colonne vertébrale. Surtout lorsqu'elle ajouta :

– J'ai alors demandé à Schifino si en dehors de moi quelqu'un avait appelé pour avoir de tes nouvelles et il m'a répondu qu'il avait effectivement eu un appel un peu plus tôt. De quelqu'un qui disait être ton rédacteur en chef... un

1. Soit la Fraternité aryenne, gang très puissant dans les prisons américaines (*NdT*).

certain Prendergast… et se faire du souci pour toi. Il voulait savoir si tu avais vu Schifino. Schifino lui a répondu que tu l'avais vu et que tu étais en train de rejoindre la prison d'Ely.

Je savais que Prendergast ne pouvait pas avoir passé cet appel parce que lorsque je lui avais téléphoné il n'avait pas reçu mon e-mail et ignorait totalement que j'étais descendu à Las Vegas. Rachel avait raison. Quelqu'un me suivait et le faisait fort bien.

Je pensai alors à M. Favoris et à la façon dont il était monté avec moi dans l'ascenseur et m'avait suivi dans le couloir jusqu'à ma chambre.

Que serait-il arrivé s'il n'avait pas entendu la voix de Rachel ? Aurait-il poursuivi son chemin ou m'aurait-il poussé pour entrer avec moi dans la chambre ?

Rachel se leva et gagna le téléphone. Elle appela l'opératrice et demanda la direction. Elle fut mise en attente quelques instants avant que son appel ne soit pris.

– Oui, agent Walling à l'appareil. Je suis toujours dans la chambre 410 ; j'ai trouvé M. McEvoy et il est en sûreté. Pourriez-vous me dire s'il y a des clients dans les trois chambres du bout du couloir ? Les 411, 12 et 13, sans doute.

Elle attendit, écouta et remercia le directeur de l'hôtel.

– Une dernière question, lança-t-elle. Il y a une porte marquée « Sortie » au bout de ce couloir. J'imagine qu'elle donne sur l'escalier. Où conduit-il ?

Elle écouta, le remercia de nouveau et raccrocha.

– Il n'y a personne dans ces chambres. L'escalier mène au parking.

– Tu penses que le type aux favoris, c'était lui ?

Elle se rassit.

– C'est possible.

Je repensai à ses lunettes de soleil panoramiques, à ses gants de conduite automobile et à son chapeau de cow-boy. Ses favoris très fournis lui couvraient quasiment tout le reste du visage et détournaient le regard d'autres traits caractéristiques de sa figure. Je me rendis compte que si j'avais dû donner le signalement du type qui m'avait suivi, je n'aurais pu me souvenir que de son chapeau, de ses cheveux, de ses gants, de ses lunettes de soleil et de ses favoris – soit tous les éléments jetables d'un déguisement.

– Putain ! J'arrive pas à croire à quel point j'ai été con ! Mais comment… comment ce type a-t-il appris mon existence et fait pour me trouver ? Ça fait moins de vingt-quatre heures et tout d'un coup, voilà qu'il est assis à côté de moi aux machines à sous !

– Descendons et allons voir à quelle machine il était. On pourra peut-être relever des empreintes.

Je fis non de la tête.

– Tu peux oublier ça tout de suite. Il portait des gants de conduite automobile. De fait, même les caméras de surveillance installées dans le plafond ne pourront pas t'aider. Il portait un chapeau de cow-boy, des lunettes de soleil… enfin quoi, il était complètement déguisé.

– On va sortir la bande vidéo quand même. On y trouvera peut-être quelque chose qui nous aidera.

– J'en doute, dis-je en hochant à nouveau la tête, plus pour moi que pour elle. Il s'est approché tout près de moi.

– Son astuce avec le mail de la secrétaire du gardien chef de la prison montre qu'il a plusieurs cordes à son arc. Pour moi, il serait sage de se dire que ton compte d'e-mails a été violé.

– Mais ça n'explique pas comment, et c'est la première chose, il a entendu parler de moi. Pour violer le secret de mes mails, il fallait qu'il commence par savoir qui j'étais.

Je frappai sur le lit d'agacement et hochai la tête.

– D'accord, repris-je, je ne sais pas comment il a découvert mon existence, mais hier soir j'ai effectivement envoyé des mails. À mon rédacteur en chef et à la personne qui travaille avec moi sur ce sujet pour leur dire que l'affaire était en train de changer et que je suivais une piste qui conduisait à Las Vegas. J'ai parlé avec mon rédacteur en chef aujourd'hui et il m'a dit n'avoir reçu aucun mail de moi.

Rachel hocha la tête d'un air entendu.

– Destruction de la communication vers l'extérieur. Voilà qui entre parfaitement dans la rubrique « isolation de la cible ». Et ton collègue... il a reçu ton mail ?

– C'est une femme et je ne sais pas si elle l'a reçu parce qu'elle ne répond ni à ses mails ni au téléphone et n'a pas..

Je m'arrêtai de penser tout haut et regardai Rachel.

– Quoi ?

– Elle ne s'est pas pointée au boulot hier. Elle n'a pas appelé et personne n'a réussi à la joindre. Le journal a même envoyé quelqu'un à son appartement, mais personne n'a ouvert.

Rachel se leva brusquement.

– Il faut rentrer à L.A., Jack. L'hélico attend.

– Et mon interview ? Et la bande vidéo que tu voulais récupérer en bas ?

– Et ta collègue, hein ? L'interview et la vidéo peuvent attendre.

Gêné, je fis oui de la tête et me levai du lit. Il était temps d'y aller.

Je n'avais aucune idée de l'endroit où habitait Angela Cook. Je donnai à Rachel tout ce que je savais sur elle, y compris la fixation qu'elle faisait sur l'affaire du Poète, et ajoutai avoir entendu dire qu'elle avait un blog, mais que je ne l'avais jamais lu. Rachel transmit tous ces renseignements à un agent de L.A. avant que nous montions à bord de l'hélicoptère de l'armée qui nous emmena plein sud, jusqu'à la base aérienne de Nellis.

Pendant le vol, nous portâmes des casques qui réduisirent le bruit de l'appareil, mais ne nous permirent pas de dépasser le stade de la conversation par signes. Rachel sortit mes dossiers et passa son heure de vol à les étudier. Je la vis faire des comparaisons entre les photos de scène de crime et les rapports d'autopsie de Denise Babbit et Sharon Oglevy. Elle travaillait avec une expression de concentration absolue et prit des notes sur un bloc grand format qu'elle avait sorti de son sac. Elle passa un long moment à regarder les horribles photos des deux mortes qu'on avait prises sur la scène de crime et sur la table d'autopsie.

Les trois quarts du temps, je restai, moi, assis sur mon siège à dos droit à me creuser la cervelle pour essayer de trouver comment tout cela avait pu arriver si vite. Et plus précisément à essayer de comprendre comment ce tueur avait pu commencer à me traquer alors même que je venais à peine de l'avoir dans le collimateur. Lorsque enfin nous arrivâmes à Nellis, je crus tenir quelque chose et attendis l'occasion d'en faire part à Rachel.

Nous fûmes immédiatement conduits jusqu'à un jet qui nous attendait et dans lequel nous étions les deux seuls passagers. Nous nous assîmes l'un en face de l'autre, le pilote annonçant aussitôt à Rachel qu'elle avait un appel en attente au téléphone de bord. Nous nous sanglâmes, elle décrocha le téléphone et l'avion commença tout de suite à rouler sur la piste. Dans le haut-parleur au-dessus de nos têtes, le pilote nous informa que nous serions à L.A. dans une heure. Rien de tel que le pouvoir et la puissance du gouvernement fédéral ! me dis-je. C'était comme ça qu'il fallait voyager... sauf pour une chose : c'était un petit avion et je n'en prenais jamais.

Rachel écouta son interlocuteur, posa quelques questions et raccrocha.

– Angela Cook n'était pas chez elle, dit-elle. Elle est introuvable.

Je gardai le silence. La peur de ce qui pouvait lui être arrivé me saisit et me remonta dans la poitrine. Cela ne m'aida pas au moment où l'appareil décolla et s'éleva dans les airs selon un angle nettement plus raide que celui auquel m'avaient habitué les avions de ligne. J'en arrachai presque mon accoudoir avec les ongles. Ce ne fut que lorsque nous nous retrouvâmes en sécurité dans les airs que je parlai enfin.

– Rachel, dis-je, je crois savoir comment ce type a pu nous trouver aussi rapidement... Angela, au moins.

– Dis-moi.

– Non, toi d'abord. Dis-moi ce que tu as trouvé dans les dossiers.

– Ne sois pas mesquin, Jack. Ce truc est devenu un peu plus important qu'un article de journal.

– Ça ne signifie pas que tu ne puisses pas commencer, toi. Ce truc est aussi plus important que le penchant du FBI à prendre des infos sans jamais rien donner en retour.

Elle ne s'arrêta pas à cette pique.

– Bien, dit-elle, je commence. Mais d'abord, que je te félicite, Jack. D'après ce que j'ai lu sur ces affaires, il n'y a, à mon avis, absolument aucun doute qu'elles sont reliées à un seul tueur. C'est le même homme qui est responsable de ces deux meurtres. Mais il a échappé à l'attention de tous parce qu'un suspect apparaissant tout de suite dans les deux affaires, les autorités locales ont travaillé avec des œillères. Dans les deux cas, elles ont eu leur bonhomme dès le début et n'ont pas cherché ailleurs. Sauf, bien sûr, que dans l'affaire Babbit leur bonhomme était un gamin.

Je me penchai en avant, rayonnant de confiance en moi après le compliment qu'elle venait de me faire.

– Et il n'a jamais avoué comme on l'a dit dans la presse, ajoutai-je. J'ai la transcription de son interrogatoire au bureau. Neuf heures de file et ce gamin n'a jamais avoué. Il a reconnu avoir volé la voiture et le fric de la fille, mais à ce moment-là le cadavre était déjà dans le coffre. Il n'a jamais avoué avoir tué Denise Babbit.

Elle acquiesça d'un signe de tête.

– C'est ce que j'ai posé d'entrée de jeu. C'est pourquoi, avec les documents que tu avais, j'ai travaillé à profiler les deux meurtres. À en chercher la signature.

– Elle est évidente. Il aime bien étrangler des femmes avec des sacs en plastique.

– Techniquement parlant, elles n'ont pas été étranglées. Elles ont été asphyxiées. Ce n'est pas la même chose.

– D'accord.

– Le sac en plastique et la corde autour du cou de la victime me rappelaient quelque chose. Mais, de fait, je cherchais quelque chose de moins évident que cette signature de surface. J'essayais aussi de trouver des liens ou des similitudes entre ces deux femmes. Si nous découvrons ce qui les relie, nous trouverons leur assassin.

– C'était toutes les deux des strip-teaseuses.

– Ça en fait partie, mais ce critère est un peu trop large. De plus, techniquement, l'une était strip-teaseuse et l'autre danseuse exotique. Ce qui n'est pas tout à fait la même chose.

– Comme tu voudras. Mais l'une comme l'autre se montraient nues pour gagner leur vie. C'est le seul lien que tu as trouvé ?

– Eh bien il y aussi, comme tu l'as sûrement remarqué, qu'elles étaient physiquement très semblables. De fait, la différence de poids entre elles n'est que d'un kilo et demi et la différence de taille d'un centimètre et quelques. La structure du visage et les cheveux sont aussi très proches. Le corps est un des éléments clés qui président au choix de la victime. Le tueur d'occasion prend ce qu'il trouve. Mais quand on voit deux victimes comme celles-là, avec le même type physique, on sait qu'on a affaire à un prédateur patient et qui choisit.

J'eus l'impression qu'elle avait encore des choses à dire, mais elle s'arrêta. J'attendis, mais elle ne reprit pas son analyse.

– Quoi ? lui lançai-je. Tu en sais plus long que ce que tu dis.

Elle laissa tomber son hésitation.

– Quand j'étais aux Sciences du comportement, cette unité n'en était qu'à ses débuts. Les profileurs s'asseyaient souvent ensemble pour parler des liens entre les prédateurs que l'on recherchait et ceux qui vadrouillent dans la nature. Tu serais surpris de voir à quel point un tueur en série peut s'apparenter à un léopard ou à un chacal. Et on pourrait en dire autant des victimes. De fait, quand on en arrivait à la question des types physiques, on leur donnait souvent des noms d'animaux. Ces deux femmes auraient été qualifiées de « girafes ». Elles étaient grandes et avaient de longues jambes. Notre prédateur a un goût prononcé pour les girafes.

J'eus envie de prendre ces remarques en note pour m'en servir plus tard, mais eus peur qu'en me voyant transcrire son interprétation des dossiers, elle ne cesse de parler. J'essayai de ne pas bouger.

— Il y a autre chose, reprit-elle. Pour le moment, il ne s'agit que de conjectures de ma part, mais les deux autopsies font apparaître des marques de ligature sur les victimes. Je me demande s'il n'y a pas une erreur.

— Pourquoi ?

— Je vais te montrer quelque chose.

Enfin je remuai. Nous étions assis l'un en face de l'autre. J'ôtai ma ceinture et m'assis sur le siège à côté d'elle. Elle feuilleta les dossiers et en sortit plusieurs copies de photos de scènes de crimes et d'autopsies.

— Bon, tu vois les marques laissées au-dessus et au-dessous des genoux, ici, ici et ici ?

— Oui, on dirait qu'elles ont été attachées.

— Pas tout à fait.

D'un ongle au vernis transparent elle suivit les marques sur les victimes et m'expliqua.

— Attacher une victime ne laisse pas des marques aussi symétriques. Sans compter que s'il s'agissait vraiment de marques de ligatures, on en trouverait autour des chevilles. Quand on veut contrôler ou empêcher quelqu'un de fuir, on lui attache les chevilles. Or il n'y a aucune marque de ligature à ces endroits. Aux poignets oui, mais pas aux chevilles.

Elle avait raison. Simplement, je ne l'avais pas vu avant qu'elle ne me l'explique.

— Alors, c'est quoi, ces marques sur leurs jambes ?

— Eh bien… je n'en suis pas très sûre, mais quand je travaillais aux Sciences du comportement, on tombait sur de nouvelles paraphilies dans pratiquement toutes les affaires. On a donc commencé à les ordonner par catégories.

— C'est bien de perversions sexuelles que tu parles, non ?

— C'est-à-dire qu'on ne les appelait pas comme ça.

— Pourquoi ? Vous deviez faire dans le politiquement correct avec les tueurs en série ?

– La nuance est peut-être ténue, mais il y a une différence entre être pervers ou anormal. Pour les comportements, nous parlons de paraphilies.

– D'accord, et ces marques feraient donc partie d'une paraphilie.

– Ça se pourrait. Pour moi, ce sont des marques laissées par des lanières.

– Des lanières de quoi ?

– De prothèses pour les jambes.

Je faillis éclater de rire.

– Tu rigoles, lui dis-je. Y a des gens que ça excite ?

Elle acquiesça d'un signe de tête.

– Ça a même un nom : l'abasiophilie. C'est une fascination pour ce type de prothèses. Et, oui, il y a des gens que ça excite. Il y a même des sites Web et des chat rooms spécialisés dans ça. On y parle de « fers » et d'« étriers ». Les femmes qui en portent sont parfois appelées « Vierges de fer ».

Cela me rappela tout ce qu'avait de profondément troublant le talent de profileuse de Rachel à l'époque où nous traquions le Poète. Elle avait plus d'une fois mis dans le mille dans cette histoire. Parfois, cela tenait même de la prescience. J'avais été fasciné par la capacité qu'elle avait de s'emparer de petits bouts de renseignements et de détails obscurs et d'en tirer des conclusions révélatrices. Et là, elle remettait ça et j'étais du voyage.

– Et tu as eu un cas de ce genre ?

– Oui, en Louisiane. Un type qui avait enlevé une femme assise sur un banc d'abribus et l'avait retenue prisonnière une semaine entière dans une cabane de pêche loin dans un bayou. Elle a réussi à s'échapper et à retrouver son chemin dans les marécages. Elle avait eu de la chance : les quatre autres femmes qu'il avait attrapées avant elle ne s'en étaient pas sorties. On avait retrouvé des bouts de leurs corps dans le bayou.

– Et c'était un cas de basophilie ?

— D'abasiophilie, me reprit-elle. Oui, la femme qui en avait réchappé nous a raconté que le type l'avait obligée à porter des attelles qui s'attachaient autour des jambes et étaient munies de plaques de fer et d'articulations qui lui montaient des chevilles jusqu'aux hanches et tenaient en place grâce à des lanières de cuir.

— Mais c'est répugnant ! m'écriai-je. Pas qu'un tueur en série serait particulièrement normal mais… des attelles pour les jambes ? D'où peut bien venir pareille addiction ?

— On ne le sait pas. Cela dit, les trois quarts des paraphilies remontent à l'enfance. La paraphilie ressemble à la recette idéale du plaisir sexuel. C'est de ça qu'ont besoin les pervers. Il est impossible de savoir pourquoi il faudrait se mettre des attelles ou demander à son ou sa partenaire de le faire, mais cette addiction commence tôt. Ça, on le sait.

— Et tu penses que ton type pourrait…

— Non, l'auteur de ces meurtres en Louisiane a été exécuté. Et j'ai assisté à l'exécution. Et jusqu'à la fin, il ne nous a absolument rien dit sur tout ça.

— Voilà qui lui donne un alibi parfait dans notre affaire !

Je souris, mais elle ne me renvoya pas mon sourire. Je passai à autre chose.

— Ces prothèses sont-elles difficiles à trouver ?

— On en vend et achète tous les jours sur la Toile. Elles sont parfois munies de toutes sortes de gadgets et de lanières et peuvent être très coûteuses. La prochaine fois que tu iras sur Google, cherche donc abasiophilie et tu verras ce que tu trouveras ! C'est de la face sombre d'Internet que nous parlons, Jack. Le Net, c'est la grande maison où l'on se rencontre, celle où se retrouvent tous ceux qui ont les mêmes intérêts. Tu crois que tes désirs secrets font de toi un monstre ? Passe sur le Net et tu trouveras des gens comme toi et seras accepté.

Au fur et à mesure qu'elle parlait, je me rendis compte que je tenais un article. Séparé de l'affaire des meurtres au coffre proprement dite. Peut-être même un livre. Je mis cette idée de côté pour plus tard et revins à ce qui nous occupait.

– Et donc, pour toi, qu'est-ce qu'il fait ? Il les oblige à mettre des prothèses pour les jambes et après, il les viole ? La suffocation a-t-elle un sens particulier ?

– Chaque détail a son importance, Jack. Il suffit seulement de savoir le lire. Sa mise en scène dit sa paraphilie. Il est plus que vraisemblable que pour lui ce qui compte, ce n'est pas de tuer des femmes, mais plutôt de monter une scène psycho-sexuelle qui réponde à ses fantasmes. Les femmes sont tuées après, parce qu'il en a tout simplement terminé avec elles et qu'il ne peut pas se payer le luxe de la menace qu'elles représenteraient en vivant et parlant de lui. Je le vois même assez bien s'excuser auprès d'elles avant de leur passer le sac sur la tête.

– Elles étaient toutes les deux danseuses. Tu crois qu'il les a obligées à danser ?

– Encore une fois, il ne s'agit pour l'instant que de conjectures, mais ça pourrait faire partie du scénario. Pour moi néanmoins, ça tourne plus autour du type corporel des victimes. Autour des girafes. Du fait de leur profession, les danseuses ont des jambes fines et musclées. Si c'est ça qu'il cherchait, c'est vers des danseuses qu'il s'est tourné.

Je songeai à toutes les heures que ces deux femmes avaient passées avec leur assassin. Au temps qui s'était écoulé entre leur enlèvement et le moment où elles étaient mortes. Que s'était-il passé pendant ces heures ? Quelle que soit la réponse, tout s'était conclu par une mort horrible et terrifiante.

– Tout à l'heure tu as dit que se servir d'un sac te rappelait quelque chose. Tu te rappelles quoi ?

Elle réfléchit longuement avant de répondre.

– Non, c'est juste qu'il y a quelque chose de familier dans cette histoire. Un truc que je connais. Ça a probablement à voir avec une autre affaire, mais je n'arrive pas encore à la situer.

– Tu vas communiquer ça au VICAP ?

– Dès que j'en aurai la possibilité.

La banque de données du Violent Criminal Apprehension Program du FBI regroupait les détails de milliers de crimes. En y entrant les détails d'un nouvel assassinat, on pouvait s'en servir pour retrouver des affaires similaires.

– Il y a autre chose à remarquer dans ce protocole, reprit-elle. Dans ces deux affaires, l'assassin a laissé en place le sac et la ligature au cou alors que ce qui a servi à comprimer les membres, que ce soit des attelles ou autre, a été enlevé.

– Exact. Et ça veut dire quoi ?

– Je ne sais pas, mais ça pourrait avoir plusieurs sens. Les femmes ont été manifestement limitées dans leurs mouvements pendant leur captivité. Mais que ce soit avec des prothèses ou autre chose, ces instruments ont été enlevés alors que le sac, lui, est resté en place. Cela pourrait avoir valeur de déclaration et faire partie de sa signature. Bref, revêtir un sens dont nous n'avons pas encore conscience.

J'acquiesçai d'un signe de tête. Sa façon de voir les choses m'impressionnait.

– Ça fait combien de temps que tu ne travailles plus aux Sciences du comportement ? lui demandai-je.

Elle sourit, mais je vis alors que ce que je croyais être un compliment l'avait rendue mélancolique.

– Très longtemps, me répondit-elle.

– Typique de leur ligne politique et de leur connerie. On prend quelqu'un d'excellent dans un domaine et on le fout dans un autre.

Il fallait que je ramène Rachel à ce qui nous occupait et lui fasse oublier que notre liaison lui avait coûté le poste pour lequel elle était le mieux outillée.

– Tu penses que si jamais on capture ce type, on pourra comprendre ce qu'il avait dans le crâne ?

– Ces types-là, on ne les comprend jamais, Jack. On n'a que des aperçus de la manière dont ils fonctionnent. Le type de la Louisiane avait été élevé dans un orphelinat dans les années cinquante. Il y avait là beaucoup de jeunes qui avaient attrapé la polio. Et nombre d'entre eux portaient des prothèses. Pourquoi c'est devenu ce qui l'excitait à l'âge adulte et l'a poussé à commettre des assassinats en série reste mystérieux. Beaucoup d'autres gamins sont passés par cet orphelinat et ne sont pas devenus des tueurs en série pour autant. Savoir pourquoi untel fait ceci ou cela tient de la conjecture.

Je détournai la tête et regardai par le hublot. Nous survolions le désert entre Las Vegas et Los Angeles. Tout n'était que ténèbres.

– Comme quoi le monde, là-bas en bas, est parfois bien malade, dis-je.

– Ça arrive, oui.

Nous continuâmes de voler un moment sans rien dire, puis je me tournai à nouveau vers elle.

– Y a-t-il d'autres liens entre les deux victimes ?

– J'ai dressé une liste des similitudes et des différences entre les deux affaires. Je veux étudier tout de plus près, mais pour l'instant ce sont les prothèses pour les jambes qui me paraissent l'élément le plus significatif. Après, il y a le type de femmes et les moyens employés pour les faire mourir. Mais il y a sûrement un lien dans tout ça. Quelque chose qui unit ces deux femmes.

– Qu'on le trouve et on le trouvera, lui.

– Voilà. Et maintenant, c'est ton tour, Jack. Qu'est-ce que tu as trouvé ?

J'acquiesçai d'un hochement de tête et ordonnai rapidement mes pensées.

– Bon, il y a quelque chose qui n'était pas dans les trucs qu'Angela a trouvés sur le Net, dis-je. Elle ne m'en a parlé que parce qu'il n'y avait rien à imprimer. Elle m'a dit avoir découvert l'histoire de Las Vegas et certaines autres plus anciennes qui s'étaient déroulées à Los Angeles en lançant une recherche en ligne avec les mots clés : « meurtres au coffre ». D'accord ?

– D'accord.

– Bien, elle m'a aussi dit avoir trouvé une occurrence en cherchant un site intitulé trunkmurder.com, mais le site était vide lorsqu'elle l'a ouvert. En cliquant pour y entrer, elle est tombée sur un panneau indiquant que le site était en construction. Bref, je me suis dit que comme pour toi ce type avait bien des talents, dont celui de faire des trucs sur le Net, et que peut-être...

– Mais bien sûr ! Ç'aurait pu être un piège à IP. Il doit surveiller tous les gens qui pourraient chercher des renseignements sur les meurtres au coffre sur le Net. Après, il remonte l'IP et découvre l'identité du curieux. C'est peut-être ça qui l'a conduit à Angela et à toi.

Le jet amorça sa descente, là encore selon un angle nettement plus raide que tout ce dont j'avais fait l'expérience sur des vols commerciaux. Je m'aperçus que j'avais encore une fois planté mes ongles dans l'accoudoir.

– Et il a dû avoir un grand frisson en découvrant ton nom, reprit-elle.

Je la regardai.

– Qu'est-ce que tu racontes ? lui demandai-je.

– Ton passé, Jack. Tu es le journaliste qui a traqué le Poète. Tu as écrit un livre sur l'affaire. Monsieur Big Bestseller. Tu es passé à l'émission de Larry King. Ce sont là des choses auxquelles les tueurs en série prêtent attention. Ces livres-là, ils les lisent. Non, en fait, même, ils les étudient.

– C'est vraiment super de le savoir ! Peut-être que je pourrais lui en dédicacer un exemplaire.

– Je te parie un truc, moi : quand on l'aura, on trouvera un exemplaire de ton bouquin dans ses affaires.

– J'espère bien que non.

– Et je suis prête à te parier autre chose. Avant qu'on le coince, il prendra contact avec toi, et directement. Il t'appellera, t'enverra un e-mail ou te contactera par un autre moyen.

– Pourquoi ? Pourquoi prendre ce risque ?

– Parce que dès qu'il comprendra qu'il est découvert… qu'on connaît son existence… il cherchera à attirer l'attention. Ils le font toujours. Ils font toujours cette erreur.

– Pas de paris, Rachel.

L'idée que, d'une manière ou d'une autre, j'avais déjà nourri l'esprit tordu de ce type ou que je le ferais bientôt n'était pas ce à quoi j'avais envie de penser.

– Je ne t'en voudrais pas, dit-elle en sentant mon malaise.

– Cela dit, j'apprécie assez que tu aies dit « quand on l'aura » et pas « si jamais on l'attrape ».

Elle acquiesça.

– Oh non, ne t'inquiète pas pour ça, Jack. On va l'avoir.

Je me retournai et regardai à nouveau par le hublot. Je vis apparaître le tapis de lumière tandis que nous repassions du désert à la civilisation telle que nous la connaissons. C'était des milliards de lumières qu'il y avait là, à l'horizon, mais je savais que, même mises toutes ensemble, elles ne suffiraient pas à percer les ténèbres qu'on trouve dans le cœur de certains hommes.

Nous atterrîmes à l'aéroport de Van Nuys et montâmes dans la voiture que Rachel y avait laissée. Elle téléphona pour voir si l'on avait du nouveau sur Angela Cook et non, il n'y avait rien de neuf. Elle raccrocha et me regarda.

– Où est ta voiture ? À l'aéroport de Los Angeles ?

– Non, j'ai pris un taxi. Elle est chez moi. Dans le garage.

Je n'aurais jamais cru qu'une réponse aussi banale puisse évoquer de pareils dangers. « Dans le garage. » Je donnai mon adresse à Rachel et nous nous mîmes en route.

Il était presque minuit et il n'y avait guère de circulation sur le freeway. Nous prîmes la 101 et traversâmes la San Fernando Valley, puis nous redescendîmes par le col de Cahuenga. Rachel quitta l'autoroute à Hollywood, par la sortie de Sunset Boulevard, direction ouest.

J'habitais Curson Street, une rue au sud de Sunset Boulevard. Quartier agréable, essentiellement fait de petites maisons construites pour des familles des classes moyennes que la montée des prix avait chassées depuis belle lurette. J'y avais un trois pièces de style Craftsman avec garage à une voiture à l'arrière. La courette était si petite que même un chihuahua s'y serait trouvé à l'étroit. J'avais acheté le tout quelque douze ans auparavant avec l'argent que m'avait rapporté mon livre sur le Poète. J'avais partagé mes revenus avec la veuve de mon frère pour l'aider à élever sa fille. Cela faisait un moment que je ne touchais plus de droits d'auteur et plus longtemps encore que j'avais vu ma nièce, mais j'avais la maison et l'éducation de la famille à mettre à mon crédit pour cette période de ma vie. Quand j'avais divorcé, ma femme n'avait pas réclamé la maison – j'en étais déjà propriétaire avant de la connaître – et il ne me restait plus que trois ans de traites à régler avant qu'elle m'appartienne entièrement.

Rachel entra dans l'allée et gagna l'arrière de la propriété. Elle se gara, mais laissa les phares allumés. Ils éclairèrent vivement la porte fermée du garage. Nous descendîmes de la voiture et approchâmes de chez moi avec la lenteur du spécialiste en explosifs qui s'avance vers un type au gilet bardé de dynamite.

– Je ne ferme jamais à clé, dis-je. En dehors de la voiture, je n'y garde jamais quoi que ce soit qui vaudrait la peine qu'on le vole.

– Bon et ta voiture, tu la fermes à clé ?

– Non. Les trois quarts du temps j'oublie de le faire.

– Et cette fois-ci ?

– Je crois que j'ai oublié.

La porte était du type à abattant. Je me penchai en avant, la soulevai et nous entrâmes. Une lumière s'allumant automatiquement au-dessus de nos têtes, nous fixâmes des yeux le coffre de ma voiture. J'avais déjà sorti ma clé. J'appuyai sur le bouton de déverrouillage, nous entendîmes le bruit sourd de la serrure qui s'ouvrait.

Rachel avança d'un pas sans hésiter et ouvrit le couvercle.

En dehors d'un sac rempli d'habits que je voulais laisser à l'Armée du Salut, le coffre était vide.

Rachel retenait son souffle, je l'entendis exhaler lentement.

– Oui, lançai-je. Je me disais qu'à tous les coups, elle…

En colère, elle referma le coffre d'un coup sec.

– Quoi ? m'écriai-je. Ça t'ennuie qu'elle ne soit pas dedans ?

– Non, Jack, me répondit-elle. Ce qui m'ennuie, c'est de me faire manipuler. Il m'a obligée à penser d'une certaine façon et c'est là que j'ai fait l'erreur. Ça ne se reproduira pas. Allez, on vérifie la maison pour être sûrs.

Elle regagna la voiture, éteignit les phares et nous entrâmes dans la cuisine par la porte de derrière. La maison sentait le rance, mais c'était toujours comme ça quand elle était fermée. Les bananes trop mûres dans la coupe de fruits posée sur le comptoir n'aidaient guère. J'ouvris le chemin en allumant les lumières au fur et à mesure. Rien ne semblait avoir changé depuis mon départ. Tout était raisonnablement propre et en ordre, mais il y avait trop de journaux empilés sur les tables et le plancher à côté du sofa de la salle de séjour.

– Bel endroit, dit Rachel.

Nous jetâmes un coup d'œil à la chambre d'amis – je m'en servais comme d'un bureau –, et n'y vîmes rien d'anormal. Pendant que Rachel se dirigeait vers la grande chambre, je me glissai derrière mon bureau et initialisai mon ordinateur. J'avais bien accès au Net, mais toujours pas moyen d'ouvrir mes e-mails au *Times*. Mon mot de passe fut rejeté. Furieux, j'éteignis mon ordinateur, quittai mon bureau et rejoignis Rachel dans ma chambre. N'attendant pas de visite, je n'avais pas fait le lit. Il n'y avait pas d'air dans la pièce, j'allai ouvrir une fenêtre tandis que Rachel examinait la penderie.

– Pourquoi tu n'accroches pas ça quelque part sur un mur ? me demanda-t-elle.

Je me retournai. Elle avait découvert le tirage encadré de la publicité pleine page publiée dans le *New York Times* à la sortie de mon livre. Cela faisait deux ans qu'il traînait dans la penderie.

– Je l'avais mis dans mon bureau, mais au bout de dix années sans rien écrire en guise de suite, ce truc a comme qui dirait commencé à se moquer de moi. Alors je l'ai mis là-dedans.

Elle acquiesça d'un signe de tête et entra dans la salle de bain. Je retins mon souffle – je ne savais pas dans quel état sanitaire elle se trouvait. Je l'entendis tirer le rideau de douche, puis elle revint dans la chambre.

– Tu devrais nettoyer ta baignoire, Jack, me dit-elle. Qui sont toutes ces femmes ?

– Quoi ?

Elle me montra la commode, sur laquelle j'avais posé des photos encadrées sur des petits chevalets. Je les identifiai les unes après les autres.

– Ma nièce, ma belle-sœur, ma mère, mon ex.

Rachel haussa les sourcils.

– Ton « ex » ? Tu aurais donc réussi à m'oublier ?

Elle sourit, je lui renvoyai son sourire.

– Ça n'a pas duré longtemps. Elle était reporter. Quand j'ai débarqué au *Times,* j'ai partagé le service des Affaires de flics avec elle. Une chose conduisant à une autre, nous nous sommes mariés. Et ça a commencé à s'étioler. C'était une erreur. Maintenant, elle travaille au bureau de Washington et nous sommes toujours amis.

J'aurais voulu en dire plus, mais quelque chose me retint. Rachel se retourna et repartit vers le couloir. Je la suivis dans la salle de séjour. Nous nous arrêtâmes et nous fixâmes des yeux.

– Bon et maintenant ? demandai-je.

– Je ne sais pas trop. Il faut que je réfléchisse. Je devrais sans doute te laisser dormir un peu. Ça va aller ?

– Bien sûr. Pourquoi ça n'irait pas ? Et en plus, j'ai un flingue.

– Tu as un flingue ?! Jack, qu'est-ce que tu fabriques avec un flingue ?

– Comment se fait-il que les gens qui portent des armes veulent toujours savoir pourquoi il y en a d'autres qui en ont ? Je me le suis procuré après l'histoire du Poète, tu vois ?

Elle acquiesça d'un signe de tête. Elle comprenait.

– Bon, eh bien, si tout va bien, je te laisse ici avec ton flingue et je t'appelle demain matin. Nous aurons peut-être une nouvelle idée pour Angela.

Je hochai la tête. Je savais que, Angela mise à part, le moment était crucial. Ou bien j'essayais d'avoir ce que je voulais ou bien je laissais tomber comme je l'avais fait bien des années auparavant.

— Et si je ne voulais pas que tu t'en ailles ? lui demandai-je. (Elle me regarda sans mot dire). Et si je ne t'avais jamais oubliée ?

Elle baissa les yeux.

— Jack, dit-elle. Dix ans, c'est énorme. Nous avons changé.

— Vraiment ?

Elle leva la tête et nous nous regardâmes longuement.

Je m'approchai, posai la main sur sa nuque, l'attirai vers moi et l'embrassai sans qu'elle se débatte ou me repousse.

Son portable lui échappa et tomba par terre avec un bruit creux. Nous nous enlaçâmes avec une manière de désespoir. Sans aucune douceur. On voulait, on désirait. Pas d'amour là-dedans, et pourtant tout était amour et désir sans prudence de franchir la ligne jaune pour être enfin dans l'intimité d'un autre être humain.

— Retournons à la chambre, lui murmurai-je à l'oreille.

Elle sourit dans mon baiser, Dieu sait comment nous réussîmes à rejoindre la chambre sans nous lâcher d'un pouce. Nous nous arrachâmes nos vêtements et, d'urgence, fîmes l'amour sur le lit. Cela se termina avant même que j'aie eu le temps de réfléchir à ce que nous faisions et à ce que cela pouvait signifier. Enfin, nous restâmes allongés sur le dos, côte à côte, les doigts de ma main gauche lui caressant doucement la poitrine tandis que l'un et l'autre nous respirions à longues et profondes inspirations.

— Ttt ttt ! dit-elle enfin.

Je souris.

— Tu vas voir comment tu vas te faire virer, dis-je.

Elle sourit à son tour.

— Et toi ? Coucher avec l'ennemi n'est pas sujet à réglementation au L.A. Times ?

— L'« ennemi » ? Mais qu'est-ce que tu racontes ? N'oublions pas que moi, c'est la semaine dernière que je me suis fait virer. Il me reste huit jours de présence et c'est fini.

Tout d'un coup elle se redressa sur un côté et me regarda d'un air inquiet.

– Quoi ?

– Eh oui, je suis une victime du Net. On m'a dégraissé et donné quinze jours pour former Angela avant de dégager.

– Ah mon Dieu, mais c'est horrible ! Pourquoi ne me l'as-tu pas dit ?

– Je ne sais pas. Ça n'est pas venu sur le tapis, c'est tout.

– Pourquoi toi ?

– Parce que j'avais un gros salaire, au contraire d'Angela.

– Qu'est-ce que c'est bête !

– Tu prêches un convaincu. Mais c'est comme ça que ça marche dans les journaux maintenant. Et c'est partout pareil.

– Qu'est-ce que tu vas faire ?

– Je ne sais pas. Me mettre à mon bureau et écrire le roman dont je parle depuis quinze ans, y a des chances. Mais pour moi, la grosse question est de savoir ce qu'on va faire, nous, maintenant.

Elle détourna les yeux et commença à me caresser la poitrine.

– J'espère que ce n'est pas un truc sans lendemain, repris-je. J'ai pas envie de ça.

Elle mit longtemps à me répondre.

– Moi non plus, finit-elle par dire.

Mais ce fut tout.

– À quoi tu penses ? lui demandai-je. Tu as toujours l'air de réfléchir à quelque chose.

Elle me gratifia d'un demi-sourire.

– Quoi ? Ce serait toi, le profileur, maintenant ?

– Non. C'est juste que j'ai envie de savoir à quoi tu penses.

– Pour être honnête, je pensais à quelque chose que m'a dit un type avec qui je vivais il y a deux ans de ça. Nous... euh... on était ensemble et ça n'allait pas marcher. J'avais mes problèmes et lui tenait toujours à son ex, alors même qu'elle était à quinze mille kilomètres de là. Quand on abordait le sujet, il me parlait de la « balle unique ». Tu sais ce que c'est ?

– Quoi ? Celle qui a tué Kennedy ?

Elle fit semblant de me donner un coup de poing dans la poitrine.

– Non, c'est de l'amour de ta vie que je te parle. Tout le monde a une seule et unique âme sœur. La balle unique. Et quand on a de la chance, cette âme sœur, on la rencontre. Et quand c'est fait, quand on est frappé au cœur par cette balle, il n'y a plus personne qui compte. Quoi qu'il arrive… mort, divorce, infidélités, peu importe… personne n'arrive à la cheville de l'âme sœur. Voilà, c'était ça, sa théorie de la balle unique.

Elle hocha la tête. Elle y croyait.

– Qu'est-ce que tu es en train de me dire ? lui demandai-je. Que ce type était ta balle unique à toi ?

Elle fit non de la tête.

– Non, ce que je te dis, c'est qu'il ne l'était pas. Qu'il arrivait trop tard. Que quelqu'un d'autre m'avait prise. Avant lui.

Je la regardai longuement, puis l'attirai avec un baiser. Au bout d'un moment, elle se dégagea.

– Il faut que j'y aille, dit-elle. On devrait réfléchir à ça et à tout le reste.

– Non, reste. Dors ici. On se lèvera tôt demain matin et on partira au boulot à l'heure.

– Non. Il faut que je rentre chez moi, sinon mon mari va s'inquiéter.

Je me redressai d'un coup. Elle se mit à rire et glissa hors du lit. Et commença à s'habiller.

– C'était pas drôle ! dis-je.

– Oh mais… je crois que si, insista-t-elle.

Je quittai le lit et commençai à m'habiller, moi aussi. Elle continua à rire comme si elle était saoule. Je finis par rire, moi aussi.

J'enfilai mon pantalon et ma chemise, puis je me mis à chercher mes socquettes et mes chaussures autour du lit. Je trouvai tout, hormis une socquette. Je finis par me mettre à genoux et la cherchai sous le lit, tout au bout.

Ce fut là que les rires s'arrêtèrent, net.

Angela Cook me regardait fixement sous le lit et ses yeux étaient morts. Sans même le vouloir, je me rejetai en arrière et m'écrasai le dos dans la commode, la lampe posée dessus se mettant à osciller avant de dégringoler par terre à grand bruit.

– Jack ! hurla Rachel.

Je tendis la main.

– Angela est sous le lit ! m'écriai-je.

Rachel me rejoignit à toute allure. Elle ne portait que sa petite culotte noire et son chemisier blanc. Elle se baissa pour voir.

– Ah mon Dieu !

– Je croyais que tu avais regardé sous le lit ! m'exclamai-je.

– Quand je suis entrée dans la chambre, je croyais que tu l'avais déjà fait.

– Et moi, je croyais que c'était ce que tu faisais pendant que je m'occupais de la penderie.

Elle se mit à quatre pattes et regarda longuement sous le lit avant de se tourner vers moi.

– Elle donne l'impression d'être morte depuis un jour, environ. Étouffement par sac en plastique. Elle est nue et complètement enveloppée dans une bâche en plastique transparent. Comme si on s'apprêtait à la transporter. Ou alors c'est pour contenir l'odeur de décomposition. La scène est assez diffi...

– Rachel, je t'en prie. Je la connaissais. Tu pourrais ne pas tout analyser maintenant ?

J'appuyai ma nuque à la commode et levai la tête vers le plafond.

– Je suis désolée, Jack. Pour elle et pour toi.

– Tu peux voir si… s'il l'a torturée ou juste…

– Non, ça, je ne peux pas. Il faut appeler la police.

– Je sais.

– Voilà ce qu'on va dire. On va dire que je t'ai ramené chez toi, qu'on a fouillé la maison et qu'on l'a trouvée. On oublie le reste. D'accord ?

– Bon, oui. D'accord. Comme tu voudras.

– Il faut que je m'habille.

Elle se leva et je découvris que la femme à qui je venais de faire l'amour avait complètement disparu. Elle était maintenant entièrement FBI. Elle finit de s'habiller, puis se pencha en avant pour examiner le dessus du lit en oblique. Je la regardai ramasser des cheveux sur les oreillers afin que les techniciens de scène de crime qui allaient fondre sur la maison n'aient rien à recueillir. Je ne bougeai pas de tout ce temps. Je voyais toujours le visage d'Angela de l'endroit où je me trouvais et ne m'étais pas encore habitué à cette réalité.

C'était une fille que je connaissais à peine et que je n'aimais sans doute pas beaucoup, mais elle était bien trop jeune et avait encore bien trop de vie devant elle pour mourir aussi soudainement. J'avais vu pas mal de cadavres dans mon existence et avais écrit beaucoup d'articles sur des meurtres, y compris celui de mon propre frère. Mais rien de ce que j'avais vu ou rapporté avant ne m'avait autant bouleversé que ce visage dans ce sac en plastique. Avec sa tête ainsi rejetée en arrière, Angela m'aurait regardé de bas en haut si elle s'était tenue debout. Grands ouverts et pleins de terreur, ses yeux brillaient presque dans la pénombre sous le lit. C'était comme si, cette pénombre l'aspirant peu à peu, elle y avait disparu en cherchant encore un rayon de lumière. Alors elle avait une dernière fois tenté de rester en vie, désespérément. Puis sa bouche s'était ouverte en un hurlement ultime et terrifiant.

J'avais maintenant l'impression de violer Dieu sait comment quelque chose de sacré en ne faisant même que la regarder.

– Ça ne va pas marcher, dit Rachel. On va être obligés de se débarrasser des draps et des oreillers.

Je levai les yeux vers elle. Elle commença à ôter les draps du lit et à les rouler en boule.

– On ne pourrait pas leur dire ce qui s'est passé, tout simplement ? Leur dire qu'on ne l'a pas vue avant d'avoir…

– Réfléchis une minute, Jack. Que je reconnaisse un truc pareil et je serai la risée de la salle de garde pendant dix ans. Et il n'y a pas que ça : j'y perdrai aussi mon boulot. Désolée, mais ça, je n'en ai pas envie. On fait comme ça et ils se diront que l'assassin a emporté les draps.

Elle termina de les rouler en boule.

– Et s'il avait laissé des traces sur les draps ? lui demandai-je.

– C'est peu probable. Il est bien trop soigneux et il n'a jamais laissé la moindre trace avant. S'il était resté quelque chose sur les draps, c'est lui qui les aurait emportés. Et je ne pense pas non plus qu'Angela ait été tuée sur ce lit. Il s'est contenté de l'envelopper et de la cacher dessous… pour que tu l'y trouves, toi.

Elle avait dit ça d'un ton si neutre que je songeai qu'il n'y avait probablement plus rien en ce monde pour la surprendre ou l'horrifier.

– Allez, Jack, reprit-elle. Faut se dépêcher.

Elle quitta la pièce en emportant les draps et les oreillers. Je me levai lentement, trouvai ma socquette derrière un fauteuil et sortis de ma chambre avec mes chaussures et mes socquettes. J'étais en train de les mettre lorsque j'entendis la porte de derrière se fermer. Rachel revenant les mains vides, j'en déduisis qu'elle avait rangé les draps et les oreillers dans le coffre de sa voiture.

Elle ramassa son téléphone portable par terre, mais au lieu de passer un appel, elle se mit à faire les cent pas, tête baissée et comme perdue dans ses pensées.

– Qu'est-ce que tu fabriques ? finis-je par lui demander. Tu vas les appeler ?

– Oui, je vais les appeler. Mais avant que ce soit le cirque, il faut que j'essaie de comprendre ce qu'il cherchait à faire. Qu'est-ce qu'il avait en tête en venant ici ?

– Ça me semble évident. Il allait me coller le meurtre d'Angela sur le dos, sauf que c'était idiot parce que ça n'aurait jamais marché. Je suis allé à Las Vegas et je peux le prouver. L'heure de sa mort montrera que je n'aurais jamais pu faire ça à Angela et que c'était donc un piège.

Rachel fit non de la tête.

– Quand il y a suffocation, dit-elle, il est très difficile de déterminer le moment exact de la mort. Même avec une marge de deux heures, tu pourrais être encore dans le tableau.

– Tu es en train de me dire que m'être trouvé dans un avion ou être allé à Las Vegas ne constitue pas un alibi ?

– Pas si on n'arrive pas à démontrer qu'à l'heure exacte de sa mort tu étais dans ton avion ou déjà à Las Vegas. Et je crois que ce type est assez malin pour l'avoir compris. Ça faisait bien partie de son plan.

Je hochai lentement la tête et sentis la terreur me gagner. Je risquais de connaître le sort d'Alonzo Winslow et de Brian Oglevy.

– Mais ne t'inquiète pas, Jack. Je ne permettrai pas qu'on te colle en prison.

Enfin elle leva son portable et passa l'appel. Je l'écoutai parler brièvement à quelqu'un qui devait être superviseur. Elle ne parla ni de moi, ni de l'affaire, ni du Nevada. Elle l'informa seulement qu'elle venait de tomber sur un homicide et qu'elle allait vite entrer en relation avec le LAPD.

Puis elle appela les flics, s'identifia, leur communiqua mon adresse et demanda qu'on envoie une équipe des Homicides. Après quoi elle leur donna son numéro de portable, mit fin à l'appel et me regarda.

– Et toi ? me lança-t-elle. Si tu as besoin d'appeler quelqu'un, vaudrait mieux le faire tout de suite. Dès que les inspecteurs seront là, il y a toutes les chances pour qu'ils t'interdisent de te servir de ton portable.

– Juste.

Je sortis mon jetable et appelai le service Métro du *Times*. Je jetai un coup d'œil à ma montre et m'aperçus qu'il était plus d'une heure du matin. Tout le monde était au lit depuis longtemps, mais il fallait absolument que je mette quelqu'un au courant de ce qui était en train de se passer.

Le rédac chef de service de nuit était un vieux rescapé du nom d'Esteban Samuel. Il avait survécu à tout et travaillait au journal depuis presque quarante ans : restructurations, purges et changements de régime, il avait tout évité. En gardant le profil bas et ne se mettant dans les pattes de personne, essentiellement. Il n'arrivait jamais au boulot avant six heures du soir, soit, en général, après que les tueurs de la direction et de la rédaction du genre Kramer étaient rentrés chez eux. Loin des yeux, loin du cœur. Et ç'avait marché.

– Sam, lui lançai-je. C'est moi, Jack McEvoy.

– Jack Mack ! Comment va ?

– Pas très bien. J'ai de mauvaises nouvelles. Angela Cook a été assassinée. Un agent du FBI et moi venons de découvrir son corps. Je sais que c'est fermé à l'édition du matin, mais ça serait bien que tu appelles qui de droit ou que tu laisses la nouvelle au calepin.

Le calepin était une liste de notes, d'idées et d'articles incomplets que Samuel dressait à la fin de son service et laissait pour le rédac chef du matin.

– Ah mon Dieu ! s'écria-t-il. Mais c'est terrible ! Ah la pauvre, la pauvre !

– Oui, c'est horrible.

– Qu'est-ce qui s'est passé ?

– Ç'a un lien avec l'article auquel on travaillait. Mais je n'en sais guère plus. On attend les flics.

– Où es-tu ? Où ça s'est passé ?

Je savais qu'il finirait par me poser la question.

— Chez moi, Sam. Je ne sais pas ce que tu sais, mais je suis allé à Las Vegas hier soir et Angela a disparu aujourd'hui. Je suis revenu ce soir avec un agent du FBI et c'est en fouillant la maison que nous avons trouvé son corps. Sous le lit.

Tout cela me paraissait insensé au fur et à mesure que je le disais.

— Jack, ils t'ont arrêté ? me demanda-t-il, la perplexité se faisant clairement entendre dans sa voix.

— Non. L'assassin essaie bien de me mettre ça sur le dos, mais le FBI a compris ce qui se passait. Angela et moi étions sur la piste de ce type et Dieu sait comment il l'a découvert. Il a tué Angela et a essayé de me liquider au Nevada, mais l'agent du FBI était déjà là. Bref, tout ça sera dans l'article que j'écrirai demain. Je vais passer dès qu'ils me libéreront et j'écrirai mon article pour l'édition de vendredi. D'accord ? Assure-toi que tout le monde le sache.

— C'est entendu, Jack. Je passe les coups de fil et toi, tu restes en contact.

Si j'y arrive, pensai-je. Je lui donnai mon numéro de jetable et mis fin à l'appel. Rachel continuait de faire les cent pas dans la pièce.

— Pas très convaincant, tout ça, dit-elle.

J'acquiesçai d'un signe de tête.

— Je sais. J'avais l'impression d'être complètement cinglé en le disant. Ça m'inquiète, Rachel. Personne ne va me croire.

— Si, si, Jack. Et je crois comprendre ce qu'il essayait de faire. Tout commence à se mettre enfin en place.

— Dis-moi vite. Les flics vont débarquer d'une minute à l'autre.

Elle finit par s'asseoir de l'autre côté de la table basse, en face de moi. Et se pencha en avant pour me dire.

— Il faut voir les choses de son point de vue à lui et en déduire certaines hypothèses sur le lieu où il se trouve et ce qu'il sait faire.

— D'accord.

– Et d'un, il n'est pas loin d'ici. Les deux premières victimes ont été découvertes à Los Angeles et Las Vegas. Le meurtre d'Angela et ce qu'il a essayé de te faire renvoient à Los Angeles et à un coin perdu du Nevada. Pour moi, il vit ou bien dans l'un de ces deux endroits ou bien à proximité. Il a réagi rapidement et n'a eu besoin que de quelques heures pour vous atteindre tous les deux.

J'acquiesçai d'un signe de tête. Cela me semblait juste.

– Passons à son savoir technique. À en juger par le mail qu'il a envoyé au gardien chef de la prison et la manière dont il a réussi à t'attaquer à divers niveaux, ses capacités techniques sont très élevées. À poser qu'il a été capable de violer tes mails, on peut déduire que c'est toute l'électronique du *Los Angeles Times* qu'il a réussi à percer. Et s'il a ainsi eu libre accès à tout le système, avoir accès à ton adresse perso et à celle d'Angela n'a pas dû lui poser de gros problèmes. D'accord ?

– Ça ! Tous les renseignements s'y trouvaient, nécessairement.

– Sauf que… ton histoire de licenciement ? Y aurait-il un mail ou une trace électronique qui lui aurait permis d'être au courant ?

Je hochai la tête.

– Il y a des tonnes d'e-mails là-dessus. Envoyés par des amis, des collègues dans d'autres journaux, partout… Et j'en ai moi-même écrit quelques-uns. Mais le rapport avec tout ça ?

Elle hocha la tête comme si elle était des kilomètres en avance dans sa réflexion et que ma réponse cadrait parfaitement avec ce qu'elle savait déjà.

– Bon alors, répondit-elle, qu'est-ce qu'on sait ? On sait que d'une manière ou d'une autre Angela et peut-être même toi, vous avez déclenché une alarme qui l'a mis au courant de votre enquête.

– trunkmurder.com.

– Je vais faire vérifier ça dès que possible. C'est peut-être ça, mais c'est peut-être aussi autre chose. Quoi qu'il en soit, ce type a été alerté. Et sa réponse a été de violer l'informatique du *Los Angeles Times* pour essayer de découvrir ce que vous fabriquiez. Nous ne savons pas ce qu'Angela a mis dans ses mails, mais on sait que toi, dans l'un des tiens, tu as parlé de ton voyage à Las Vegas hier soir. Je te parie que notre type l'a lu, celui-là et des tas d'autres, et qu'il a bâti son plan à partir de là.

– Nous n'arrêtons pas de parler de ce « type ». Ça serait bien qu'il ait un nom.

– Au FBI il aurait droit au titre de « Sujinc », soit « sujet inconnu », jusqu'à ce qu'on sache à qui on a affaire. Sujinc donc.

Je me levai et regardai à travers les rideaux de la fenêtre de devant. La rue était plongée dans l'obscurité. Il n'y avait toujours pas de flics. Je gagnai un interrupteur mural et allumai dehors.

– Bon, d'accord, dis-je. Sujinc. Mais ça veut dire quoi « il a bâti son plan à partir de là » ?

– Il fallait qu'il neutralise le danger. Il savait qu'il y avait pas mal de chances pour que tu n'aies pas eu encore confirmation de tes soupçons ou parlé aux autorités. Le journaliste que tu es ne pouvait que vouloir garder le sujet pour lui. Ce qui faisait son affaire. Cela étant, il fallait quand même agir vite. Il savait qu'Angela était à Los Angeles et que toi, tu te rendais à Las Vegas. Pour moi, il a commencé par Los Angeles et, Dieu sait comment, a réussi à s'emparer d'Angela, l'a tuée et t'a mis son crime sur le dos

Je me rassis.

– Oui, dis-je, c'est évident.

– Et après, il s'est concentré sur toi. Il est allé à Las Vegas, en roulant toute la nuit ou en prenant un avion tôt ce matin, c'est probable, et t'a suivi jusqu'à Ely. Ce n'était pas très difficile. Je pense que c'est le type qui t'a suivi dans le couloir de l'hôtel. Il allait s'attaquer à toi dans ta chambre. Mais il a renoncé en entendant ma voix et ça, je ne l'ai compris que maintenant.

— Pourquoi ?

— Eh bien… pourquoi aurait-il renoncé à son plan, hein ? Uniquement parce qu'il aurait entendu que tu avais de la visite ? Ce n'est pas un type qui a peur de tuer, Jack. Qu'est-ce que ç'aurait pu lui faire de te tuer, toi, et de tuer aussi la femme qu'il venait d'entendre dans la chambre ?

— Bon, et donc, pourquoi a-t-il renoncé ?

— Parce que te tuer toi et tuer la personne avec qui tu étais ne faisait pas partie de son plan. Ce qu'il avait en tête, c'était que tu te suicides.

— Oh, allons !

— Réfléchis. Ç'aurait été ce qu'il y a de mieux pour éviter toute détection. Qu'on te retrouve assassiné dans une chambre d'hôtel d'Ely n'aurait pu que conduire à la découverte de tout le bazar. Mais avec un suicide, l'enquête partait dans une direction tout à fait différente.

Je pensai à ce qu'elle venait de dire et compris son raisonnement.

— Le journaliste se fait virer, doit supporter l'humiliation de former la personne qui va le remplacer et n'a guère de chances de retrouver du travail, dis-je en énumérant des faits qui n'étaient que trop vrais. Il commence à déprimer et devient suicidaire. Pour se couvrir, il invente une histoire de tueur en série qui cavale dans deux États, et enlève et assassine sa jeune remplaçante. Il donne ensuite tout son argent à divers organismes de charité, annule ses cartes de crédit, file au milieu de nulle part et met fin à ses jours dans une chambre d'hôtel.

Elle ne cessait de hocher de la tête tandis que je lui dévidais mon scénario.

— Sauf qu'il manque quelque chose, dis-je enfin. Comment allait-il bien pouvoir s'y prendre pour me tuer et que ç'ait l'air d'un suicide ?

— Tu avais bu, non ? Tu es entré dans ta chambre avec deux bouteilles de bière. Je m'en souviens.

— Oui, mais je n'en avais descendu que deux avant ça.

– Peut-être, mais ç'aurait aidé à faire avaler le scénario. Des bouteilles vides éparpillées un peu partout. Chambre en désordre, esprit en désordre, tu vois ça d'ici.

– Mais ce n'est pas la bière qui m'aurait tué. Comment s'y serait-il pris ?

– Tu m'as déjà donné la réponse tout à l'heure, Jack. Quand tu m'as dit que tu avais une arme.

Pan. Tout collait enfin. Je me levai et gagnai ma chambre. J'avais acheté un colt .45 Government Series douze ans plus tôt, après ma rencontre avec le Poète. À ce moment-là, celui-ci était toujours dans la nature et je voulais me protéger au cas où il serait venu me rendre visite. Je gardais mon arme dans un tiroir à côté de mon lit et ne la sortais qu'une fois par an pour aller au stand de tir.

Rachel me suivit dans la chambre et me regarda ouvrir le tiroir. Le colt avait disparu.

Je me tournai vers elle.

– Tu m'as sauvé la vie, Rachel, tu le sais ? lui dis-je. Ça ne fait plus l'ombre d'un doute.

– J'en suis heureuse.

– Comment aurait-il pu savoir que j'avais une arme ?

– Elle est déclarée ?

– Oui, et alors ? Tu es en train de me dire qu'il serait capable de violer les ordinateurs de l'ATF[1] ? Ça commence à être un peu tiré par les cheveux, tout ça, tu ne trouves pas ?

– En fait, non. S'il a réussi à entrer dans l'ordinateur de la prison, je ne vois pas pourquoi il ne pourrait pas forcer celui de l'ATF. Et ce n'est peut-être qu'un des endroits où il aurait pu trouver ce renseignement. À l'époque où tu l'as acheté, tu te faisais interviewer par tout le monde, de Larry King au *National Enquirer*[2]. As-tu jamais fait savoir que tu possédais une arme ?

1. Ou Bureau of Alcohol, Tobacco and Firearms, agence gouvernementale chargée de la réglementation des alcools, tabacs et armes à feu *(NdT)*.
2. Respectivement célèbre animateur télé et journal à sensation à très forte diffusion *(NdT)*.

– C'est incroyable. Oui, je l'ai fait. Je l'ai dit dans plusieurs interviews. J'espérais que ça se sache et que ça dissuade le Poète de passer me voir.

– Eh bien voilà.

– Cela dit, soyons clairs : je n'ai jamais été interviewé par l'*Enquirer*. Ils ont passé un article sur le Poète et sur moi sans que j'y coopère.

– Désolée.

– Bref, notre type à nous n'est pas aussi futé que nous le pensons. Il y avait une grosse faille dans son plan.

– Ah oui ? Laquelle ?

– Je suis allé à Las Vegas en avion. Et tous les bagages sont scannés. Je n'aurais jamais pu passer avec une arme.

Elle hocha la tête.

– Peut-être pas, en effet, dit-elle. Mais il me semble assez largement accepté que ces scans ne sont pas sûrs à cent pour cent. Ça gênerait probablement beaucoup les enquêteurs d'Ely, mais pas assez pour qu'ils reviennent sur leurs conclusions. Des trucs non résolus, il y en a toujours, et dans toutes les enquêtes.

– On pourrait pas aller dans la salle de séjour ?

Elle sortit de la chambre, je la suivis et me retournai pour jeter un coup d'œil au lit en franchissant la porte. Puis, une fois dans le séjour, je me laissai tomber sur le canapé. Il s'était passé vraiment beaucoup de choses pendant ces dernières trente-six heures. L'épuisement me gagnait, mais je savais qu'il n'y aurait pas, et pendant longtemps, de repos pour les gens fatigués.

– Je viens de penser à autre chose, dis-je. Schifino.

– L'avocat de Las Vegas ? Et… ?

– C'est lui que je suis allé voir en premier et il savait tout. Il pourrait démentir mon suicide.

Elle envisagea mon hypothèse et hocha la tête.

– Ça pourrait l'avoir mis en danger, dit-elle. Notre assassin avait peut-être en tête de te tuer, toi, puis de revenir à Las Vegas et de le liquider, lui aussi. Mais quand il a laissé passer sa chance avec toi, il n'y avait plus de raisons de le liquider. Je vais quand même demander à l'antenne de Las Vegas de contacter Schifino et de veiller à sa protection.

– Tu vas leur demander de monter à Ely et de récupérer la vidéo de surveillance du casino où je suis resté assis à côté de ce mec ?

– Oui, ça aussi, je vais le faire.

Son portable s'étant mis à sonner, elle répondit aussitôt.

– Il n'y a que moi et le propriétaire, dit-elle. Jack McEvoy. Il est journaliste au *Times*. La victime était journaliste elle aussi.

Elle écouta un moment, puis ajouta :

– On sort tout de suite.

Elle referma son portable et m'informa que la police était devant.

– Ils se sentiront plus à l'aise si on va à leur rencontre.

Nous gagnâmes la porte de devant et Rachel l'ouvrit.

– Garde les mains bien visibles, me dit-elle.

Elle sortit en montrant bien haut son badge. Il y avait deux voitures de patrouille et deux inspecteurs qui nous attendaient dans l'allée cochère. Les policiers en tenue braquèrent leurs lampes torches sur nous.

Quand ils s'approchèrent, je reconnus les deux inspecteurs : ils venaient de la division d'Hollywood. Ils tenaient leur arme au côté et semblaient prêts à s'en servir si je leur donnais la moindre raison de le faire.

Je n'en fis rien.

Je n'arrivai au *Times* que le jeudi, peu avant midi. Tous s'affairaient. Reporters et rédacteurs, beaucoup s'agitaient dans la salle de rédaction telles des abeilles dans une ruche. Je savais que c'était à cause d'Angela et de ce qui s'était passé. Ce n'est pas tous les jours qu'on arrive au boulot pour découvrir que sa collègue vient de se faire assassiner.

Et que, Dieu sait comment, un autre collègue est impliqué dans l'affaire.

Dorothy Fowler, la responsable Métro, fut la première à me repérer lorsque j'arrivai par l'escalier. Elle sauta de son bureau au radeau et vint tout droit à ma rencontre.

— Jack, dit-elle, dans mon bureau, s'il te plaît.

Elle changea de direction et partit vers le mur de verre. Je la suivis en sachant que tous les regards étaient encore une fois braqués sur moi dans la salle de rédaction. Plus parce que j'étais celui qu'on venait de virer, mais parce que j'étais celui qui avait peut-être fait qu'Angela Cook était morte.

Nous entrâmes dans le petit bureau de Dorothy et elle me dit de fermer la porte. Je m'exécutai et m'assis en face d'elle, de l'autre côté de son bureau.

— Qu'est-ce qui s'est passé côté police ? me demanda-t-elle.

Ni « comment va ? », « ça va, toi ? » ou « désolée pour Angela ». On allait droit au but et je préférai.

— Bon alors, voyons, dis-je. J'ai été interrogé environ huit heures d'affilée. D'abord par le LAPD et le FBI, puis ç'a été au tour des inspecteurs de Santa Monica de s'y mettre. Ils m'ont laissé souffler une petite heure avant que je sois obligé de répéter toute l'histoire aux flics de Las Vegas qui avaient pris l'avion rien que pour venir me voir. Après, on m'a laissé partir, mais je n'ai pas eu le droit de rentrer chez moi parce que ma maison était toujours considérée comme une scène de crime. J'ai donc été obligé de demander aux flics de me conduire au Kyoto Grand, où j'ai pris une chambre... que j'ai mise sur la note du *Times* vu que je n'ai plus de carte de crédit qui fonctionne... et où je me suis douché avant de venir ici.

Le Kyoto se trouvait à une rue du *Times*, qui y logeait souvent des reporters d'autres villes, de nouveaux journalistes et des postulants chaque fois que c'était nécessaire.

— Pas de problème, dit-elle. Qu'est-ce que tu as raconté aux flics ?

— En gros que j'avais essayé d'avertir Prendo hier. Que j'avais découvert un tueur qui avait assassiné Denise Babbit et une femme de Las Vegas, Sharon Oglevy. Je ne sais trop comment ou Angela ou moi avons déclenché une alerte qui a averti ce type que nous l'avions repéré. Il a alors pris des mesures pour éliminer la menace. Entre autres, celle de commencer par tuer Angela et de rejoindre le Nevada pour essayer de m'avoir. Mais j'ai eu de la chance. Je n'ai pas réussi à convaincre Prendo hier, mais je suis arrivé à convaincre un agent du FBI que tout cela était vrai et cet agent est venu au Nevada pour qu'on en parle. C'est sa présence qui a éloigné l'assassin. Si cet agent ne m'avait pas cru et ne m'avait pas rejoint, vous en seriez tous à rédiger des articles sur la façon dont j'ai tué Angela Cook avant de partir dans le désert pour m'y suicider. Car c'était bel et bien ce qu'avait projeté le Sujinc.

— Le... « Sujinc » ?

— Le sujet inconnu. C'est le nom que lui a donné le FBI.

Fowler hocha la tête tant elle n'en croyait pas ses oreilles.

— Tu parles d'une histoire ! s'écria-t-elle enfin. Et les flics sont d'accord ?

– Tu veux dire : « est-ce qu'ils me croient ? » Ils m'ont laissé partir, non ?

Elle rougit de honte.

– C'est juste que j'ai du mal à digérer tout ça, Jack, dit-elle. Il n'est jamais arrivé rien de pareil dans cette salle de rédaction.

– De fait, les flics ne m'auraient probablement pas cru si cette histoire n'était venue que de moi. Mais j'ai passé presque toute la journée d'hier avec cet agent du FBI. Nous pensons même avoir vu notre type au Nevada. Et elle était avec moi quand je suis revenu chez moi. C'est elle qui a trouvé le corps d'Angela quand on fouillait la maison. Elle a confirmé tout ce que je disais aux flics. Et c'est sans doute pour ça que je ne suis pas en train de te parler de l'autre côté d'une paroi de Plexiglas.

Mentionner le cadavre d'Angela conduisit à une pause tout ce qu'il y a de plus morbide dans la conversation.

– C'est absolument horrible, reprit enfin Fowler.

– Oui. C'était une chouette gamine. Je préfère ne pas penser à ce que furent ses derniers instants.

– Comment a-t-elle été tuée, Jack ? Comme la fille dans le coffre ?

– À peu près, oui. C'est l'impression que j'ai eue, mais on ne saura probablement pas tout avant l'autopsie.

Fowler hocha la tête d'un air sombre.

– Tu sais comment ils enquêtent ?

– Ils étaient en train de monter un détachement spécial avec des inspecteurs de Las Vegas et de Santa Monica et des agents du FBI. Je crois que ce détachement sera basé à Parker Center.

– On peut en avoir confirmation pour le mettre dans un de nos articles ?

– Oui, je confirmerai. Je suis probablement le seul journaliste dont ils accepteront un appel. Combien de signes tu me donnes pour le mien ?

– Euh, c'était justement un des trucs dont je voulais te parler, dit-elle.

Je sentis mon estomac se nouer.

– Parce que c'est bien moi qui écris le grand article, non ?

– On va y aller à fond. Grand article et encadré en première page avec double page à l'intérieur. Pour une fois, on a beaucoup d'espace.

Deux pages entières ! C'était énorme, mais il avait fallu qu'une des reporters du journal y passe pour y arriver.

Dorothy continua de me détailler le plan.

– Jerry Spencer est déjà sur le terrain à Las Vegas et Jill Meyerson est en route pour la prison d'Ely, où elle va essayer de parler à Brian Oglevy. À Los Angeles, on a GoGo Gonzmart qui rédige l'encadré sur Angela et Teri Sparks qui est parti à South L.A. pour écrire un truc sur le gamin accusé du meurtre de Babbit. On a des photos pour Angela et on en cherche d'autres.

– Alonzo Winslow va-t-il sortir de prison aujourd'hui ?

– On n'en est pas sûr. On espère que ça ne demandera qu'un jour de plus et qu'on pourra passer l'article demain.

Même sans la libération de Winslow, le *L.A. Times* mettait le paquet. Envoyer des journalistes dans tout l'Ouest du pays et coller des tas de reporters locaux sur l'affaire était quelque chose que je n'avais pas connu au *Times* depuis les incendies qui avaient ravagé l'État l'année précédente. Il était excitant d'être dans le coup, mais ça l'était beaucoup moins quand on pensait à ce qui en était la cause.

– Bien, dis-je. Même si j'ai plein de choses à donner pour presque tous ces sujets, je vais me mettre en état d'écrire l'article de fond.

Dorothy hocha la tête, hésita, puis lâcha la bombe.

– Jack, dit-elle, c'est Larry Bernard qui est en train de l'écrire.

Je réagis vite et fort.

– C'est quoi, ces conneries ?! m'écriai-je. Ce sujet m'appartient, Dorothy ! En fait même, il nous appartient à nous deux, Angela et moi.

Dorothy jeta un coup d'œil à la salle de rédaction par-dessus mon épaule. Mon éclat avait dû s'entendre de l'autre côté de la paroi. Mais je m'en foutais.

– Jack, dit-elle, calme-toi et surveille ton langage. Je n'accepterai pas que tu me parles comme tu l'as fait à Prendo hier.

J'essayai de reprendre mon souffle et de parler calmement.

– Bon d'accord, je m'excuse pour ma grossièreté. Je vous demande pardon, à toi et à Prendo. Mais tu ne peux pas me piquer ce sujet. C'est moi qui ai commencé, c'est moi qui écris l'article.

– Jack, tu ne peux pas l'écrire et tu le sais très bien. Le sujet, c'est toi. J'ai besoin que tu ailles voir Larry pour qu'il puisse t'interviewer et écrire son papier. Le standard a déjà reçu plus de trente appels de journalistes qui veulent te poser des questions, y compris Katie Couric du *New York Times*. On a même eu Craig Ferguson du *Late Late Show*.

– Ferguson n'est pas journaliste.

– Aucune importance. L'essentiel, c'est que le sujet, c'est toi, Jack. Et ça, c'est un fait. Bon, c'est vrai qu'on a besoin de ton aide et de tout ce que tu sais sur cette histoire, mais on ne peut absolument pas laisser le sujet même d'un événement de cette importance écrire l'article. Tu as été incarcéré quelque huit heures aujourd'hui même, Jack. Ce que tu as raconté aux flics est à la base même de leur enquête. Comment voudrais-tu écrire cet article, hein ? En t'interviewant toi-même ? Et tu fais ça à la première personne ?

Elle marqua une pause pour me laisser répondre, mais je n'en fis rien.

– Et voilà, reprit-elle. Ça ne se fera pas. Tu ne peux pas et je sais que tu le comprends.

Je me penchai en avant et me pris la tête dans les mains. Je savais qu'elle avait raison. Je le savais avant même d'entrer dans la salle de rédaction.

– C'était censé me faire sortir par la grande porte. Je fais sortir ce gamin de taule et je m'en vais auréolé de gloire. Je mets un superbe 30 à la fin de ma carrière.

– Tu en auras toujours les honneurs. Cet article ne peut tourner qu'autour de toi. Katie Couric, le *Late Late Show*... moi, je dirais que c'est partir auréolé de gloire.

– Je voulais l'écrire, cette histoire, pas la raconter à quelqu'un d'autre.

– Écoute, on finit ce truc aujourd'hui et après, quand la poussière sera retombée, on envisage quelque chose à la première personne du singulier. À un moment ou à un autre, je te le promets, écrire quelque chose sur toute cette affaire, tu le pourras.

Je finis par me redresser et la regardai. Et, pour la première fois, remarquai la photo scotchée au mur derrière elle. On y voyait un plan fixe du *Magicien d'Oz* montrant Dorothy en train de descendre à cloche-pied le sentier en brique jaune avec Tin Man, le Lion et l'Épouvantail. Sous ces personnages, quelqu'un avait écrit au Magic Marker :

« **Dorothy ! Tu n'es plus au Kansas !** »

J'avais oublié qu'avant de venir au *L.A. Times*, Dorothy Fowler avait travaillé pour le *Wichita Eagle*.

– Bon d'accord, dis-je. Si tu me promets cet article...

– Je te le promets, Jack.

Il n'empêche : je me sentais toujours vaincu.

– Mais avant, je dois m'assurer d'une dernière chose, enchaîna-t-elle. Est-ce que ça te pose un problème de faire des déclarations devant un autre journaliste ? Veux-tu consulter un avocat ?

– Qu'est-ce que tu racontes ?

– Jack, je veux être sûre que tu es à l'abri. Il y a une enquête en cours. Je ne veux pas que tu dises quelque chose dans ce journal et que la police puisse s'en servir contre toi.

Je me levai, mais réussis à garder mon calme.

– En d'autres termes, tu ne crois pas un mot de toute cette histoire ! m'exclamai-je. Tu ne crois qu'à ce qu'il espérait que tu croies. Que je l'ai tuée dans un accès de délire psychotique suite à mon licenciement.

– Non, Jack, me renvoya-t-elle. Je te crois. Je tiens juste à ce que tu sois protégé. Et mais… de qui parles-tu ?

Je lui montrai la paroi de verre donnant sur la salle.

– À ton avis ? Le type, quoi ! Le Sujinc. Le tueur qui a assassiné Angela et les autres.

– D'accord, d'accord. Je comprends. Je suis navrée d'avoir évoqué les aspects juridiques de l'affaire. Je me débrouille pour te mettre dans la salle de conférence avec Larry pour que vous soyez tranquilles.

Elle se leva et me passa devant à toute allure pour quitter le bureau et aller chercher Larry Bernard. Je sortis de la pièce et balayai la salle de rédaction des yeux. Mon regard finit par s'arrêter sur le box vide d'Angela. Je le rejoignis et vis que quelqu'un avait posé un bouquet de fleurs emballées dans du Cellophane en travers de son bureau. Je fus aussitôt frappé par cet emballage transparent qui me rappela le sac dont s'était servi l'assassin pour l'étouffer. Une fois encore je vis son visage disparaître dans le noir, sous mon lit.

– Jack ? Je m'excuse…

J'en bondis presque. Je me retournai, c'était Emily Gomez-Gonzmart. Une des meilleures journalistes des pages Métro. Toujours à farfouiller, toujours à chercher de quoi écrire un article.

– Hé, GoGo ! dis-je.

– Désolée de t'interrompre, dit-elle, mais je rassemble les faits pour l'article sur Angela et je me demandais si tu ne pourrais pas me donner un petit coup de main. Et.. quelque chose que je pourrais citer ?

Elle tenait un stylo et un carnet de reporter dans la main. Je commençai par la déclaration à citer.

– Euh, oui, dis-je, mais je ne la connaissais pas vraiment. Je commençais seulement, mais, à en juger par ce que j'avais vu, je savais déjà qu'elle serait une grande journaliste. Elle avait le juste mélange de curiosité, d'allant et de détermination dont a besoin tout journaliste qui se respecte. Elle va nous manquer. Qui sait quels articles elle aurait pu nous écrire ? Qui sait tous les gens qu'elle aurait pu aider en les écrivant ?

Je lui laissai le temps d'écrire tout ça et ajoutai :

– Ça te va ?

– Super, Jack, merci. Des gens de la sphère flics à qui je pourrais parler ?

Je hochai la tête.

– Je ne sais pas. Elle venait juste de commencer et je ne pense pas qu'elle ait eu le temps d'impressionner quiconque. J'ai entendu dire qu'elle tenait un blog. Tu y es allée voir ?

– Oui, j'y suis allée et j'ai trouvé quelques contacts. Je me suis déjà entretenue avec un certain Pr Foley de l'université de Floride et deux ou trois autres personnes. Ça devrait aller de ce point de vue-là. Je cherchais juste quelqu'un du coin, quelqu'un qui ne soit pas du journal et qui aurait quelque chose à dire de plus récent sur elle.

– Eh bien... lundi dernier, elle a écrit un article sur l'arrestation d'un type suite à la réouverture par la brigade des Affaires non résolues d'une enquête sur un assassinat vieux de vingt ans. Quelqu'un de chez eux pourrait peut-être te dire des choses. Essaie donc Rick Jackson ou Tim Marcia. Ce sont les types auxquels elle s'était adressée. Il y a aussi Richard Bengston. Parle-lui.

Elle inscrivit ces noms dans son carnet.

– Merci. Je vais voir tout ça.

– Bonne chance. Je reste dans les parages si tu as besoin de moi.

Elle me laissa, je me retournai et regardai à nouveau les fleurs posées sur le bureau d'Angela. L'entreprise de glorification d'Angela Cook tournait déjà à plein régime et je venais d'y contribuer en faisant ma petite déclaration à GoGo.

Traitez-moi de cynique si vous voulez, mais je ne pus m'empêcher de me demander si ce bouquet d'œillets et de marguerites disait la douleur véritable de quelqu'un ou si on ne l'avait pas posé là pour faire une photo à publier dans l'édition du lendemain matin.

Une heure plus tard, je me retrouvai avec Larry Bernard dans la salle de conférence normalement réservée aux réunions de rédaction. Nous avions étalé tous mes dossiers sur la grande table et reprenions une à une toutes les étapes de l'affaire. Bernard avait sorti le grand jeu. Il comprenait rapidement toutes mes décisions et se montrait précis dans ses questions. Je voyais bien que ça l'excitait d'être le grand patron d'une histoire qui ferait le tour du pays, voire du monde entier. Larry et moi nous connaissions depuis longtemps – nous avions travaillé ensemble au *Rocky* de Denver. S'il devait y avoir quelqu'un qui supervise mon affaire, je ne pouvais qu'être malgré tout content que ce soit lui.

Il était important que la police ou le FBI lui donne la confirmation officielle de ce que je racontais. Il avait donc posé à côté de lui un bloc-notes grand format, sur lequel il écrivait toutes les questions qu'il poserait plus tard aux autorités avant d'écrire son article. À cause de ce besoin qu'il avait d'entrer en contact avec elles avant d'écrire quoi que ce soit, Bernard était boulot boulot avec moi. On papotait très peu et j'appréciais. Je n'en avais plus la force.

Mon jetable bourdonna dans ma poche pour la deuxième fois en un quart d'heure. La première, je ne m'étais pas donné la peine de le sortir et l'avais laissé enregistrer un message. Larry et moi discutions d'un point important et je n'avais pas besoin de cette intrusion. Mais celui ou celle qui m'avait appelé n'avait pas laissé de message : je n'avais pas eu de bourdonnement m'avertissant qu'on avait laissé quelque chose dans ma boîte vocale.

Et voilà que mon jetable bourdonnait à nouveau. Cette fois, je le sortis de ma poche pour voir de qui il s'agissait. L'écran ne me renvoya qu'un numéro, mais je le reconnus immédiatement : je l'avais appelé plusieurs fois ces deux ou trois derniers jours. C'était le numéro de portable d'Angela Cook. Celui que j'avais appelé dès que j'avais su qu'elle manquait à l'appel.

– Larry, dis-je, je reviens tout de suite.

Je me levai de la table, quittai la salle de conférence en appuyant sur le bouton de connexion et me dirigeai vers mon box.

– Allô ?

– Jack ?

– Oui. Qui êtes-vous ?

– Votre ami, Jack. Votre ami d'Ely.

Je savais très bien qui c'était. Il avait toujours son léger nasillement dans la voix. M. Favoris. Je m'assis à mon bureau et me penchai en avant pour empêcher que des oreilles nous entendent.

– Qu'est-ce que vous voulez ? lui demandai-je.

– Juste voir comment vous vous portez.

– Oui, bon, je me porte bien, et ce n'est pas grâce à vous. Dites, là-bas, dans le couloir de l'hôtel Nevada, pourquoi avez-vous renoncé ? Pourquoi, au lieu de vous en tenir à votre plan, vous êtes-vous contenté de continuer à marcher ?

Je crus entendre un petit ricanement au bout de la ligne.

– Vous aviez de la compagnie et ça, je ne m'y attendais pas, Jack. C'était quoi ? Votre petite copine ?

– Quelque chose comme ça, oui. Elle vous a foutu votre plan en l'air, pas vrai ? Vous auriez bien aimé que ça ressemble à un suicide.

Deuxième petit ricanement.

– On est très malin, je vois. Ou alors... vous me répétez seulement ce qu'on vous a dit ?

– « On » ?

– Ne soyez pas stupide, Jack. Je sais ce qui se passe. Ce n'est plus un secret pour personne. Il est en train de s'écrire des tas d'articles pour le journal de demain. Mais aucun ne portera votre nom, Jack. C'est quoi, ce truc ?

Cela me dit qu'il naviguait toujours à l'intérieur du système informatique du *Times*. Je me demandai si ça aiderait le détachement spécial à le coincer.

– Toujours là, Jack ?

– Toujours là, oui.

– Et l'on dirait que vous ne m'avez toujours pas trouvé de nom.

– Que voulez-vous dire ?

– Vous n'allez pas me donner un nom ? Nous y avons tous droit, vous savez. L'Éventreur du Yorkshire. L'Étrangleur des collines. Le Poète. Celui-là, vous le connaissez, non ?

– Oui, oui, on vous en a trouvé un. On va vous appeler la Vierge de fer. Ça vous plaît ?

Cette fois, aucun ricanement ne ponctua le silence qui suivit.

– Hé, toujours là, la Vierge de fer ?

– Vous devriez faire attention, Jack. Je peux toujours réessayer, vous savez ?

Je me payai sa tête.

– Mais je ne me cache pas, moi ! Je suis ici. Réessayez donc, si vous avez les couilles qu'il faut pour ça.

Il gardait le silence, j'en rajoutai une couche.

– C'est que tuer toutes ces femmes sans défense, ça en demande, des couilles, pas vrai ?

Le ricanement revint.

– Complètement transparent, que vous êtes, Jack. Vous me lisez un dialogue de cinéma ?

– Je n'ai pas besoin de ça.

– Oui, bon, je sais très bien ce que vous fabriquez. On joue les fanfarons et les bravaches pour appâter la proie. On espère que je viendrai vous chercher à L.A. Et pendant ce temps-là on avertit le FBI et le LAPD de surveiller et de se préparer à entrer dans la danse et à attraper le monstre juste à temps. C'est ça, Jack ?

– Si c'est ce que vous croyez…

– OK, mais ça ne se passera pas comme ça. Je suis patient, Jack. Il s'écoulera du temps, des années peut-être même avant qu'on se retrouve, mais je vous promets que ça se fera, et en face à face. Fini les déguisements. Et je vous rendrai votre arme.

Son petit ricanement fut de retour et j'eus l'impression qu'il appelait d'un endroit où il devait baisser la voix pour ne pas attirer l'attention. Je ne savais pas si c'était un bureau ou un espace public, mais il se contenait. J'en étais sûr.

– À propos de cette arme... lui lançai-je. Comment comptiez-vous expliquer ce truc ? En disant que j'avais pris l'avion pour Vegas, mais que, Dieu sait comment, je l'avais avec moi et que je me suis tué avec ? Pour moi, ça dénote une faille dans le plan, non ?

Cette fois il partit d'un grand rire.

– Jack, vous ne disposez pas encore de tous les éléments, vous savez. Quand ce sera le cas, vous comprendrez à quel point mon plan était sans faille, justement. Ma seule erreur a été la fille dans la chambre d'hôtel. Ça, je ne l'avais pas vu venir.

Ni moi non plus, mais je n'allais pas le lui dire.

– Ce qui fait que ce n'était quand même pas sans faille, non ?

– Je peux rattraper ça.

– Écoutez, j'ai une journée chargée aujourd'hui. Pourquoi m'appelez-vous ?

– Je vous l'ai dit : pour savoir comment vous vous portez. Pour faire connaissance. Parce que nous allons être liés pour l'éternité, n'est-ce pas ?

– Ah, tenez, puisque je vous ai au bout du fil... je peux vous poser quelques questions pour l'article qu'on est en train de bâtir ?

– Je ne pense pas, non, Jack. Ça reste entre nous, ce truc-là. Ça ne concerne pas vos lecteurs.

– Vous savez que vous avez raison ? La vérité, c'est que je ne vous donnerais pas les lignes qu'il faudrait. Vous croyez que je vais vous laisser expliquer votre univers de malade à mes lecteurs ?

Un silence sombre s'ensuivit.

– Vous... me lança-t-il enfin d'une voix tendue de colère, vous devriez me respecter.

Ce fut à mon tour de rire.

– Vous respecter ? Et si je vous disais plutôt d'aller vous faire foutre ? Vous vous êtes emparé d'une jeune fille qui n'avait que...

Il m'interrompit en faisant un bruit qui ressemblait à une toux étouffée.

– Vous avez entendu ça, Jack ? Vous savez ce que c'était ?

Comme je ne répondais pas, il recommença. Bruit sourd, une syllabe, vite. Puis il recommença.

– D'accord, je donne ma langue au chat.

– C'était elle. Elle en train de prononcer votre nom dans le sac en plastique quand il n'y a plus eu d'air dedans.

Il rit. Je gardai le silence.

– Vous savez ce que je leur dis, Jack ? Je leur dis : « Respirez fort et ça sera fini bien plus vite. »

Il rit de nouveau, longtemps et fort, et s'assura que je l'entendais bien avant de raccrocher brusquement. Je restai assis là un bon moment, mon portable toujours pressé contre l'oreille.

– Tss...

Je levai la tête. C'était Larry Bernard qui regardait par-dessus la paroi antibruit de mon box. Il croyait que j'étais toujours en ligne.

– Il y en a encore pour longtemps ? me demanda-t-il en chuchotant.

J'éloignai mon jetable de mon oreille et couvris l'écouteur de la paume de ma main.

– Juste quelques minutes, lui répondis-je. Je reviens tout de suite.

– OK. Je vais aller pisser un coup.

Il me laissa, aussitôt j'appelai Rachel. Elle décrocha au bout de quatre sonneries.

– Jack, je ne peux pas te parler, me lança-t-elle en guise de salutation.

– Tu as gagné ton pari.

– Quel pari ?

– Il vient de m'appeler. Le Sujinc. Il a le portable d'Angela.

– Qu'est-ce qu'il a dit ?

– Pas grand-chose. Je crois qu'il essayait de savoir qui tu es.

– Qu'est-ce que tu veux dire ? Comment pourrait-il avoir entendu parler de moi ?

– Il ne te connaît pas. Il essayait de savoir qui était la femme qui se trouvait dans la chambre d'hôtel à Ely. Tu lui as tout foutu en l'air et ça l'intrigue.

– Écoute, Jack, quoi qu'il ait dit, tu ne peux absolument pas le citer dans le journal. C'est ce genre de trucs qui met de l'huile sur le feu. Qu'il devienne accro aux manchettes de journaux et il va accélérer son cycle. Il pourrait vite en venir à tuer pour les manchettes.

– Ne t'inquiète pas. Personne ici ne sait qu'il m'a appelé et comme ce n'est pas moi qui vais écrire l'article, il n'y aura pas sa place. Je garde cet élément pour le moment où, cette histoire, je finirai par l'écrire. Je garde ça pour mon livre.

C'était la première fois que je mentionnais la possibilité de tirer un livre de cette affaire. Cela me semblait enfin totalement plausible. Un jour ou l'autre, oui, cette histoire, j'allais l'écrire.

– Tu l'as enregistré ? me demanda-t-elle.

– Non. Je ne m'attendais pas à son coup de fil.

– Il faut qu'on ait ton portable. On pourra trianguler l'appel et trouver la tour de transmission. Ça nous rapprochera de l'endroit où il se trouve. À tout le moins de celui où il était quand il a passé l'appel.

– J'ai eu l'impression qu'il était dans un endroit où il devait parler doucement pour ne pas attirer l'attention. Un bureau ou quelque chose de ce genre. Il a aussi lâché une bourde.

– Du genre ?

– J'essayais de l'appâter, de le mettre en colère, et…

– Jack, mais tu es fou ? Qu'est-ce que tu fabriques ?

— Je ne voulais pas me laisser intimider par ce type. Je l'ai donc cherché, sauf que lui a cru que je travaillais à partir d'un canevas que vous m'auriez donné. Il croyait que je faisais exprès de l'appâter pour qu'il se lance à ma poursuite. Et c'est là qu'il a dérapé. Il a dit que j'essayais de le faire venir à L.A. C'est comme ça qu'il a dit : « de venir à L.A. » Ce qui veut dire qu'il est en dehors de la ville.

— Ça, c'est bien, Jack. Sauf qu'il aurait pu, lui, te faire marcher en te disant ça justement parce qu'il y est. Voilà pourquoi c'est dommage que ça n'ait pas été enregistré. On aurait pu analyser le message.

Je n'avais pas pensé à ce renvoi d'ascenseur.

— Bon, ben, désolé, il n'y a pas de bande. Mais il y a aussi autre chose.

— Quoi ?

Elle me donnait l'impression de parler si brièvement et toujours sans fioritures que je me demandai si quelqu'un ne nous écoutait pas.

— Ou bien il est toujours dans le circuit informatique du journal ou bien il y a laissé un logiciel espion.

— Quoi ? Au *L.A. Times* ? Pourquoi dis-tu ça ?

— Il connaissait le budget articles de demain. Il savait que je n'écrirais aucun des articles concernant l'affaire.

— Ça, ça me paraît être quelque chose qu'on pourrait remonter, dit-elle, tout excitée.

— Oui, ben, bonne chance avec le *Times* pour la coopération ! Sans compter que si ce type est aussi malin que tu le dis, il sait très bien ce qu'il vient de me dire, ou alors que le truc qu'il a mis dans le système n'est pas décelable ou qu'il peut l'éteindre ou le retirer.

— N'empêche, ça vaut le coup d'essayer. Je vais demander à quelqu'un de la branche média d'approcher la direction du *Times*. Ça vaut le coup.

Je hochai la tête.

— On ne sait jamais, dis-je. Ça pourrait être le début d'une toute nouvelle coopération entre les médias et les organismes du maintien de l'ordre. Comme ce que nous faisons tous les deux, mais sur une plus grande échelle.

Je souris et espérai qu'elle en fasse autant.

– Quel optimiste tu fais, Jack ! me renvoya-t-elle. À propos de coopération... je peux t'envoyer quelqu'un pour ton portable ? Tout de suite ?

– Oui, mais... et si tu t'envoyais toi-même ?

– Je ne peux pas. Je suis en plein dans un truc. Je te l'ai dit.

Je ne sus comment interpréter ces paroles.

– Tu as des ennuis, Rachel ?

– Je ne le sais pas encore, mais il faut que j'y aille.

– Tu fais partie du détachement spécial ? Ils te laissent travailler sur l'affaire ?

– Pour l'instant, oui.

– Bon, d'accord, c'est bien.

– Oui.

Nous nous arrangeâmes pour qu'une demi-heure plus tard je retrouve à l'extérieur de la réception l'agent qu'elle allait m'envoyer pour récupérer mon portable. L'heure était venue de retourner tous les deux au boulot.

– Accroche-toi, Rachel ! lui lançai-je.

Elle garda le silence un instant, puis me répondit :

– Toi aussi, Jack.

Nous raccrochâmes. Et Dieu sait comment, malgré tout ce qui avait transpiré ces dernières trente-six heures, malgré ce qui était arrivé à Angela et le fait qu'un tueur en série venait juste de me menacer, une part de moi-même se sentait heureuse et pleine d'espoir.

Cela étant, j'avais aussi l'impression que ça n'allait pas durer.

7

La ferme

Carver regarda intensément les écrans de sécurité. Les deux hommes plantés devant le comptoir de la réception étaient en train de montrer des badges à Geneva. Mais le temps qu'il zoome dessus, ces badges avaient déjà été rangés.

Il vit Geneva décrocher son téléphone et y entrer trois chiffres. Il savait qu'elle allait appeler le bureau de McGinnis. Elle parla peu, raccrocha et indiqua un des canapés aux deux hommes badgés.

Il essaya de contenir son angoisse. Le désir impulsif de se battre ou de fuir lui embrasa le cerveau tandis qu'il repensait à tout ce qu'il avait fait pour essayer de voir s'il avait pu commettre une erreur. Non, il n'y a pas de danger, se dit-il. Il était à l'abri. Le plan était bon. Freddy Stone était le seul problème inquiétant – le seul aspect qui pouvait ressembler à un maillon faible –, et il allait devoir prendre des mesures pour faire disparaître ce problème potentiel.

À l'écran il regarda Yolanda Chavez, le bras droit de McGinnis, entrer dans le hall de la réception et serrer la main aux deux hommes. Encore une fois, ils lui montrèrent rapidement leurs badges, l'un d'eux sortant alors un document plié de la poche intérieure de sa veste de costume pour le lui présenter. Elle l'examina un instant, puis le lui rendit. Elle leur fit signe de la suivre et ils franchirent la porte menant à l'intérieur du bâtiment. En changeant d'écrans de sécurité, Carver fut à même de les suivre jusqu'aux bureaux de l'administration.

Il se leva et ferma la porte de son bureau. De retour à son poste, il décrocha son téléphone et y entra le numéro de la réception.

— Geneva, dit-il, c'est moi, monsieur Carver. Il se trouve que je regardais les écrans et je me demande qui sont les deux hommes qui viennent d'entrer. J'ai vu qu'ils vous montraient des badges. Qui est-ce ?

— Ce sont des agents du FBI.

Ces mots le glacèrent, mais il ne broncha pas et resta calme. Au bout d'un moment, Geneva reprit en ces termes :

— Ils ont dit qu'ils avaient un mandat de perquisition. Je ne l'ai pas vu, mais ils l'ont montré à Yolanda.

— Pour perquisitionner quoi ?

— Je n'en suis pas sûre, monsieur Carver.

— Qui ont-ils demandé à voir ?

— Personne. Juste un responsable. J'ai appelé M. McGinnis et Yolanda est venue les chercher.

— Bon, merci, Geneva.

Il raccrocha et se concentra de nouveau sur son écran. Il entra une commande qui enclencha d'autres caméras, un écran multiplex s'ouvrant alors pour lui montrer les quatre bureaux privés de la direction administrative. Ces caméras étaient cachées dans les détecteurs de fumée fixés au plafond, les occupants de ces bureaux ignorant tout de leur présence. Et il y avait le son.

Il vit les deux agents du FBI entrer dans le bureau de McGinnis. Il cliqua sur le bon écran, que l'image occupa aussitôt entièrement. Vue aérienne de la pièce montrée en oblique par une lentille convexe. Les agents s'assirent le dos à la caméra, Yolanda à leur droite. Carver eut une vue plein pot sur le PDG de la boîte lorsque celui-ci se rassit après avoir serré la main des agents – l'un noir, l'autre blanc. Qui s'identifièrent. L'un s'appelait Bantam et l'autre Richmond.

— Ainsi donc, on me dit que vous avez une espèce de mandat de perquisition ? leur lança McGinnis.

– Oui, monsieur, lui répondit Bantam en ressortant le document de sa poche et le lui passant en travers de la table. Vous abritez un site Web intitulé trunkmurder.com et nous avons besoin de tous les renseignements dont vous disposez là-dessus.

McGinnis ne réagit pas. Il lisait le document. Carver leva les mains et se les passa dans les cheveux. Il avait besoin de savoir ce qu'il y avait dans le mandat et à quelle distance ils étaient du but. Il essaya de se calmer en se rappelant qu'il était prêt. Que de fait, même, il s'y attendait. Il savait plus de choses sur le FBI que celui-ci n'en savait sur lui. Il pouvait commencer tout de suite.

Il coupa le flot de données, puis éteignit l'écran. Ouvrit un tiroir de son bureau et en sortit le tas de rapports mensuels sur le serveur que son équipe lui avait préparé plus tôt dans la semaine. D'habitude, il les classait jusqu'à ce que McGinnis les demande : alors il les lui faisait porter par un de ses ingénieurs qui voulait aller fumer une clope dehors. Cette fois, ce serait lui qui effectuerait la livraison en personne. Il tassa la pile sur son bureau et la mit au droit, puis il quitta son bureau et le ferma à clé.

Arrivé dans la salle de contrôle, il dit à Mizzou et à Kurt, les deux ingénieurs de service, où il se rendait et sortit par le sas. Dieu merci, Freddy Stone ne serait pas de service avant la soirée – sans cela, il n'aurait plus jamais pu revenir à Western Data. Carver savait comment travaillaient les agents du FBI. Ils allaient prendre les noms de tous les employés et les passer à l'ordinateur. Ils apprendraient alors que Freddy Stone n'était pas Freddy Stone et reviendraient le chercher.

Et ça, Carver n'allait pas le permettre. Il avait d'autres plans pour Freddy.

Il prit l'ascenseur, monta dans les bureaux de l'administration et y entra la tête basse, en lisant la première page de sa pile de rapports. Puis, nonchalamment, il leva la tête et, par la porte entrouverte du bureau de McGinnis, il vit que celui-ci avait de la compagnie. Il fit demi-tour et gagna le bureau de sa secrétaire.

– Donnez ça à Declan quand il sera libre, lui dit-il. Il n'y a pas le feu.

Puis il se retourna pour quitter la suite, en espérant que son demi-tour ait attiré l'attention de McGinnis. Mais non, il arriva à la grande porte sans qu'on l'ait appelé. Il posa la main sur le bouton de la porte.

– Wesley ?

C'était McGinnis qui l'appelait de son bureau. Il tourna la tête et regarda par-dessus son épaule. Assis à son bureau, McGinnis lui faisait signe de venir.

Il entra. Il salua les deux hommes d'un signe de tête et ignora totalement Chavez, qui, à son avis, n'était bonne à rien et qu'on n'avait embauchée que pour satisfaire aux exigences de la diversité culturelle. Il n'y avait pas assez de place pour qu'il s'assoie, mais ça n'avait pas d'importance. Être le seul à se tenir debout dans la pièce lui donnerait de la présence et de l'autorité.

– Wesley Carver, je vous présente les agents spéciaux Bantam et Richmond de l'antenne Phoenix du FBI. J'allais vous appeler au bunker.

Carver serra les mains des deux hommes en répétant chaque fois son nom.

– Wesley porte plusieurs casquettes dans cette maison, reprit McGinnis. C'est notre grand patron technologie, celui-là même qui a conçu l'essentiel de cet endroit. C'est aussi le grand responsable de la sécurité. Celui que j'aime bien qualifier de…

– On a un problème ? demanda Carver en l'interrompant.

– Ce n'est pas impossible, répondit McGinnis. Ces messieurs viennent de m'informer que nous abriterions un site Web qui les intéresse et ils ont un mandat qui les autorise à consulter tous les documents et archives ayant trait à son installation et son fonctionnement.

– Terrorisme ?

– Ils ne sont pas autorisés à nous le dire.

– Voulez-vous que j'aille chercher Danny ?

– Non, pour l'instant ils n'ont pas envie de parler aux gens du design ou de l'hébergement.

Carver mit les mains dans les poches de sa blouse blanche de laboratoire – il savait que ça lui donnait l'air d'un type qui pense –, puis il s'adressa aux agents :

– Danny O'Connor est notre responsable design et hébergement. On devrait le faire venir. Vous pensez que ce pourrait être un terroriste ? demanda-t-il en souriant devant l'absurdité de ce qu'il venait de suggérer.

– Non, nous ne le pensons absolument pas. En fait, nous allons à la pêche et moins nous impliquerons de personnes mieux ça vaudra. Surtout côté hébergement de votre société.

Carver approuva d'un hochement de tête, son regard se portant un instant sur Chavez. Mais les agents spéciaux ne le remarquèrent pas. Elle ne quitta pas la réunion.

– Quel est ce site ? reprit-il.

– trunkmurder.com, répondit McGinnis. Je viens de vérifier, il fait partie d'un lot plus important. Le compte est situé à Seattle.

Carver hocha de nouveau la tête et continua de se montrer calme. Pour cette affaire-là, il avait un plan. Il était meilleur qu'eux parce qu'un plan, il en avait toujours un.

Il montra l'écran posé sur le bureau de McGinnis.

– On pourrait y jeter un coup d'œil ou cela compromettrait-il la…

– Non, à ce stade, nous ne préférons pas. Ça pourrait avertir la cible. Ce n'est pas un site développé. Il n'y a rien à y voir. Nous pensons que c'est un site de capture.

– Et nous n'avons aucune envie d'être capturés, dit Carver.

– Exactement.

– Je peux voir le mandat ?

– Bien sûr.

Le document avait été rendu à Bantam pendant qu'il montait du bunker. L'agent spécial le ressortit et le lui tendit. Carver le déplia et le lut en espérant que rien ne le trahisse sur son visage. Et il fit attention à ne pas chantonner.

Le mandat de perquisition était plus remarquable par ce qu'il ne disait pas que par ce qu'il disait. Tout indiquait que le FBI avait un juge fédéral plus que coopératif. C'était en des termes très généraux que le document faisait référence à une enquête lancée contre un inconnu qui se servait de l'Internet pour franchir les frontières des États et tenter ainsi de voler et détourner des données. Le terme de meurtre n'y figurait nulle part.

D'après cette pièce, les agents voulaient avoir accès au site Web et à tous les documents et archives ayant trait à ses origine, fonctionnement et financement.

Carver comprit qu'ils seraient désagréablement surpris par ce qu'ils trouveraient. Il continua de hocher la tête en lisant.

– Eh bien, dit-il enfin, tout ça, on peut vous le procurer. Quel est l'intitulé du compte à Seattle ?

– « Rien ne sert de courir[1] », dit Chavez.

Carver se tourna vers elle comme s'il remarquait sa présence pour la première fois. Elle le sentit.

– M. McGinnis m'a demandé de vérifier, dit-elle. C'est le nom de la société.

Bah, se dit-il, au moins est-elle bonne à quelque chose en dehors de faire faire la visite des installations en l'absence du patron. Il se retourna vers les agents en tournant délibérément le dos à la jeune femme, la coupant ainsi de la discussion.

– Bien, dit-il, on va vous préparer ça.

– Il vous faut combien de temps ? demanda Bantam.

1. « *See Jane Run* » en anglais *(NdT)*.

– Pourquoi n'iriez-vous pas faire un tour à notre merveilleuse cafétéria et y prendre un café ? Je vous retrouve avant qu'il ait suffisamment refroidi pour que vous puissiez le boire.

McGinnis gloussa.

– De fait, il vous dit que nous n'avons pas de cafétéria, seulement des machines qui font bouillir le café.

– Écoutez, dit Bantam, nous apprécions votre offre, mais nous devons assister au déroulement de l'opération prescrite par le mandat.

Carver hocha la tête.

– Dans ce cas, restez avec moi et nous irons chercher les renseignements dont vous avez besoin. Cela dit, il va quand même nous rester un petit problème.

– Lequel ? demanda Bantam.

– Vous voulez avoir tous les renseignements sur ce site Web, mais vous ne voulez pas que le département design et hébergement soit mêlé à l'affaire. Ça ne va pas marcher. Je peux me porter garant pour Danny O'Connor : ce n'est pas un terroriste. Mais si nous voulons être exhaustifs et vous donner tout ce que vous voulez, je pense qu'il va falloir l'inclure dans cette opération.

Bantam hocha la tête et prit la suggestion en considération.

– Chaque chose en son temps, dit-il enfin. Nous ferons venir M. O'Connor quand le besoin s'en fera sentir.

Carver garda le silence en faisant semblant d'attendre autre chose, puis il hocha la tête à son tour.

– Comme vous voudrez, agent Bantam, dit-il.

– Merci.

– On descend au bunker ?

– Absolument.

Les deux agents spéciaux se levèrent, ainsi que Chavez.

– Bonne chance, messieurs ! lança McGinnis. J'espère que vous allez coincer ces truands. Nous n'avons qu'une envie : vous aider de toutes les façons possibles.

– Merci, monsieur, dit l'agent Richmond.

Ils quittaient les bureaux de l'administration lorsque Carver remarqua que Chavez collait le train aux agents. Il tenait la porte ouverte, mais quand ce fut à elle de la franchir, il s'interposa.

– Merci, lui dit-il, on prend la suite.

Et il passa la porte devant elle et la referma derrière lui.

8

Home sweet home

Le samedi matin suivant, je me trouvais dans ma chambre du Kyoto et y lisais l'article où Larry Bernard racontait, en première page, comment Alonzo Winslow avait été libéré de prison lorsqu'une des inspectrices de la division d'Hollywood, une certaine Bynum, m'appela au téléphone. Elle m'informa que ma maison n'était plus considérée comme une scène de crime et qu'on me la rendait.

– Je peux y retourner juste comme ça ? lui demandai-je.

– Voilà. Vous pouvez rentrer chez vous dès maintenant.

– Cela signifie-t-il que l'enquête est terminée ? Enfin, je veux dire... en attendant que le type soit arrêté, bien sûr.

– Non, il y a encore quelques détails inexpliqués que nous essayons de comprendre.

– Des détails inexpliqués ? répétai-je.

– Je n'ai pas le droit de vous en parler.

– Bien, mais... je peux vous poser une question sur Angela ?

– Que voulez-vous savoir ?

– Je me demandais si elle avait été... vous savez, torturée ou...

Il y eut un instant de silence pendant que l'inspectrice décidait ce qu'elle pouvait me dire.

– Je suis navrée de vous répondre que oui. Nous avons la preuve qu'il y a eu viol par corps étranger et que le processus d'étouffement lent est identique à celui des autres meurtres. Nous avons relevé de nombreuses marques de ligature sur son cou. Il n'a pas arrête de l'asphyxier et de la ramener à la vie. Que ç'ait été un moyen de la faire parler de l'article sur lequel vous travailliez alors ou sa manière à lui de jouir n'est pas très clair pour l'instant. Il nous faudra sans doute le demander à l'assassin quand nous le tiendrons.

Je gardai le silence et songeai à l'horreur de ce qu'Angela avait dû affronter.

— Autre chose, Jack ? Nous sommes samedi et j'espérais me garder une demi-journée de liberté avec ma fille.

— Euh, non, je m'excuse.

— Bien, vous pouvez rentrer chez vous. Bonne journée.

Et elle raccrocha. Je restai assis et réfléchis. Parler de « chez-soi » me semblait erroné. Je n'étais pas trop sûr de vouloir reprendre possession de ma maison parce que je n'étais pas trop sûr non plus que ce fût encore mon « chez-moi ». Ces deux dernières nuits, mon sommeil – le peu que j'en avais eu – avait été envahi par le visage d'Angela Cook dans le noir sous mon lit et par les bruits de toux étouffée que son assassin m'avait si expertement implantés dans l'esprit. La seule différence était que, dans mes rêves, tout cela se passait sous l'eau. Angela n'avait pas les poignets attachés et tendait les mains vers moi en coulant. Son dernier appel au secours m'arrivait dans une bulle et quand cette bulle crevait avec le bruit que m'avait imité le Sujinc, je me réveillais.

Vivre et essayer de dormir dans cet endroit maintenant me paraissait impossible. J'écartai les rideaux et regardai dehors par l'unique fenêtre de la chambre. J'avais vue sur le centre administratif. Beau et sans âge, City Hall se dressait devant moi. À côté se trouvait un tribunal des affaires criminelles tout aussi laid que la prison vers laquelle se dirigeaient les trois quarts de ses clients. Les trottoirs et les pelouses étaient vides. On était samedi et personne ne descendait en centre-ville le week-end. Je refermai les rideaux.

Et décidai de garder cette chambre aussi longtemps que le journal me la paierait. Je passerais chez moi, mais dans le seul but d'y prendre des vêtements propres et d'autres effets dont j'aurais besoin. Dans l'après-midi, j'appellerais un agent immobilier et réfléchirais à la manière de me débarrasser de mon « chez-moi ». Si je pouvais. « À Vendre : à Hollywood – joli bungalow bien restauré où a frappé un tueur en série. Faire offres. »

Mon portable sonna et me sortit brutalement de ma rêverie. Mon vrai portable. J'avais fini par le remettre en route avec toutes ses fonctions la veille. L'écran m'informa qu'il s'agissait d'un appel privé et j'avais appris à ne pas les laisser sans réponse.

C'était Rachel.

– Hé, dis-je.

– Tu m'as l'air abattu. Qu'est-ce qui ne va pas ?

Quelle profileuse ! Un seul mot lui avait suffi pour me percer à jour. Je décidai de ne pas lui rapporter ce que l'inspectrice Bynum m'avait dit sur la fin d'Angela dans les pires tortures.

– Rien. Juste que… non rien. Et toi, quoi de neuf ? Tu travailles ?

– Oui.

– Tu veux faire une pause café ? Je suis en centre-ville.

– Non, je ne peux pas.

Je ne l'avais pas revue depuis que les inspecteurs nous avaient séparés après que nous avions retrouvé le corps d'Angela et l'avions signalé. Comme pour tout le reste, cette séparation, même si elle ne durait que depuis quarante-huit heures, ne se passait pas bien pour moi. Je me levai et me mis à faire les cent pas dans l'enceinte réduite de ma chambre.

– Bon mais, quand vais-je pouvoir te voir ? lui demandai-je.

– Je ne sais pas, Jack. Sois patient. C'est comme si j'avais un revolver sur la tempe.

Je me sentis gêné et changeai de sujet.

– À propos de revolver… ça ne serait pas mal que j'aie droit à une escorte armée.

– Pour quoi faire ?

– Les flics viennent de m'informer que je pouvais à nouveau disposer de ma maison. Ils disent que je peux rentrer chez moi, mais je ne pense pas pouvoir y rester. Je veux juste y récupérer des habits, mais m'y retrouver tout seul risque de me foutre la chair de poule.

– Je suis désolée, Jack, mais je ne peux pas t'accompagner. Mais si tu es vraiment inquiet, je peux passer un coup de fil.

Je commençai à voir le tableau. Ça m'était déjà arrivé avec elle. J'allais devoir me résigner au fait que Rachel tenait du chat sauvage. Tout ce qui relevait d'un possible l'intriguant, elle allait au plus près de l'autre, mais finissait toujours par bondir en arrière pour lui échapper. Et quand on la poussait, elle sortait les griffes.

– Pas de problème, Rachel. J'essayais seulement de te faire mettre le nez dehors.

– Je suis vraiment navrée, Jack, mais je ne peux pas.

– Pourquoi m'appelles-tu ?

Il y eut un silence avant qu'elle réponde.

– Pour savoir comment tu vas et te mettre au courant de quelques petites choses. Si tu as envie de les connaître…

– Boulot boulot, dis-je. Bien sûr, vas-**y**.

Je m'assis sur le lit et ouvris un carnet où écrire.

– Hier, nous avons eu confirmation que le site Web trunkmurder.com était effectivement l'élément déclencheur qu'Angela a activé, dit-elle. Mais pour l'instant, c'est l'impasse.

– L'impasse ? Je croyais qu'on pouvait tout remonter sur le Net.

– Physiquement, ce site Web est hébergé par une société de Mesa, en Arizona, la Western Data Consultants. Des agents s'y sont rendus avec un mandat de perquisition et ont réussi à avoir les détails de sa conception et de son fonctionnement. Il a été incorporé par l'intermédiaire d'une société de Seattle, la « Rien ne sert de courir », qui dépose, conçoit et entretient de nombreux sites à la Western Data. Il s'agit d'une espèce de société de transfert. Rien ne sert de courir ne dispose pas de bâtiments physiques où héberger des sites sur des serveurs. Ça, c'est la Western Data qui s'en charge. Rien ne sert de courir crée et entretient des sites pour ses clients et paie des sociétés comme la Western Data pour les héberger. C'est une espèce de mandataire.

— Bon alors, ces agents sont allés à Seattle ?

— Ce sont ceux de l'antenne de Seattle qui s'en occupent.

— Et… ?

— Le site trunkmurder a été posté sur le Net et payé entièrement. Mais personne de Rien ne sert de courir n'a jamais vu le type qui a payé. L'adresse physique donnée il y a deux ans quand les sites ont été installés était une boîte aux lettres sise près de SeaTac et elle n'est plus bonne. On essaye de remonter la piste, mais ça aussi, ça sera une impasse. Ce type est vraiment bon.

— Tu as dit « sites » au pluriel. Il y en avait donc plus qu'un ?

— Tu l'as remarqué. Oui, il y en avait deux. Trunkmurder était le premier et le second s'intitule Denslow Data. C'est le nom dont il s'est servi pour les monter. Bill Denslow. Les frais d'installation de ces deux sites étaient payables en cinq ans, mais il a tout réglé à l'avance. En se servant d'un mandat poste… pas moyen de remonter ça, hormis jusqu'à l'endroit où il l'a acheté. Encore une impasse.

Il me fallut quelques instants pour prendre mes notes.

— Bien, dis-je enfin. Denslow est donc le Sujinc ?

— L'homme qui se fait passer pour ce Denslow est bien le Sujinc, mais nous ne sommes pas cons au point de penser qu'il irait jusqu'à afficher son vrai nom sur un site Web.

— Ce qui veut dire quoi ? D-E-N-slow. On ne dirait pas une moitié d'acronyme[1] ?

— C'est possible. On travaille la question. Pour l'instant, on n'a pas établi le lien. On travaille sur l'acronyme éventuel

---

1. *Den* signifie repaire en anglais *(NdT)*.

et sur le nom. Mais nous n'avons pas trouvé de Bill Denslow avec un casier de ce genre.

— C'est peut-être le nom d'un type que le Sujinc détestait quand il était petit. Un voisin ou un prof.

— Possible.

— Bon, mais pourquoi deux sites Web ?

— Le premier était un site piège et le second le SO.

— Le… « SO » ?

— Le site d'observation.

— Je ne te suis plus.

— Bon alors… le site trunkmurder a été monté pour recueillir l'IP… l'adresse de l'ordinateur de tout individu visitant le site. C'est ce qui est arrivé à Angela. Tu comprends ?

— D'accord. Elle a lancé une recherche et c'est cette recherche qui l'a amenée sur ce site.

— Voilà. Et ce site récoltait les IP, mais était conçu de telle sorte que ces adresses soient automatiquement transférées sur un autre site point com, le Denslow Data. C'est assez commun. Tu visites un site, ton identité est capturée, puis envoyée ailleurs à des fins de marketing. En gros, c'est l'origine du spam.

— OK. Et donc, cette Denslow Data a l'identité d'Angela. Qu'est-ce qui se passe ensuite ?

— Rien. Elle ne bouge pas du site.

— Mais alors comme se fait-il que…

— Écoute, c'est là que réside l'astuce. La fonction du site Denslow Data est de faire tout le contraire du site trunkmurder. Il ne collecte aucune des données de celui ou de celle qui le visite. Tu vois où je veux en venir ?

— Euh… non.

— Bien. Mets-toi à la place du Sujinc. Il a monté le site trunkmurder.com pour capturer l'IP de tout individu qui pourrait se douter de quelque chose et le pister. Le seul problème est que si lui visitait son site pour vérifier ce qui s'y trouve, son identité serait aussitôt capturée. Et bon, il pourrait bien sûr se servir de l'ordinateur de quelqu'un d'autre pour effectuer cette vérification, mais ça aiderait quand même à sa localisation. On pourrait remonter la piste grâce à son propre site.

Je hochai la tête en comprenant enfin ce montage.

– Je vois, dis-je. Il capture donc l'adresse IP qui a été envoyée sur un autre site où il n'y a pas de mécanisme de capture, ce qui lui permet de la voir sans courir le risque qu'on remonte jusqu'à lui.

– Exactement.

– Et donc, après le clic d'Angela sur trunkmurder.com, il est allé voir sur le site Denslow et a pris connaissance de son IP. Après quoi il a remonté la piste jusqu'au *L.A. Times* et s'est dit que dans tout ça il y avait peut-être plus que de la curiosité morbide pour les meurtres au coffre. Il entre donc dans le système informatique du *Times* et cela le conduit à Angela, à moi et à nos articles. Il lit mes e-mails et comprend que nous avons flairé quelque chose. Que moi, j'ai flairé une piste et me dirige vers Las Vegas.

– Voilà. Et c'est comme ça qu'il a bâti son plan pour vous liquider tous les deux dans une opération meurtre-suicide.

Je gardai le silence un instant en retournant une fois de plus tout cela dans ma tête. Ça collait, même si je n'aimais guère le résultat final.

– Ce sont mes mails qui ont tué Angela, dis-je.

– Non, Jack. Il ne faut pas voir les choses de cette façon. S'il y a quelque chose de vrai là-dedans, c'est bien que son destin a été scellé dès qu'elle est allée voir du côté de trunk-murder.com. Tu ne peux pas t'accuser de sa mort parce que tu as envoyé un mail à un rédacteur en chef.

Je gardai le silence et tentai de mettre un instant de côté la question de ma culpabilité pour me concentrer sur le Sujinc.

– Hé, Jack, t'es toujours là ?

– Oui, je réfléchissais... Bref, il n'y a aucun moyen de remonter à la source de tout ça.

– Comme ça, non. Une fois que nous aurons coincé ce type et que nous disposerons de son ordinateur, nous pourrons tout mettre à plat et vérifier ses clics sur Denslow. Et ça, ça nous donnera des preuves concrètes.

– À condition qu'il se soit servi de son ordinateur personnel, s'entend.

– Oui.

– Ce qui me semble peu probable vu le degré de compétence dont il a déjà fait preuve.

– Peut-être. Tout dépendra de la fréquence de ses clics sur son site piège. Il semblerait qu'il ait retrouvé la trace d'Angela moins de vingt-quatre heures après qu'elle eut cliqué sur le site trunkmurder. Cela pourrait signifier qu'il s'agit d'une manœuvre de routine, qu'il va vérifier son piège tous les jours et qu'il se sert de son ordinateur personnel ou d'un ordinateur qu'il a près de lui.

Je réfléchis un instant à tout cela et me radossai à mon oreiller en fermant les yeux. Ce que je savais du monde était bien déprimant.

– J'ai encore autre chose à te dire, reprit-elle.

– Quoi ? demandai-je en rouvrant les yeux.

– On a compris comment il s'y est pris pour attirer Angela chez toi.

– Ah oui ? Comment ?

– Par toi.

– Qu'est-ce que tu racontes ? J'étais…

– Je sais, je sais. Tout ce que je te dis, c'est que le but de la manœuvre était de le faire croire. Nous avons retrouvé l'ordinateur portable d'Angela chez elle. Et dans sa boîte de réception il y avait un mail de toi. Envoyé mardi soir. Tu lui disais avoir trouvé quelque chose d'intéressant dans l'affaire Winslow. Le Sujinc, qui se faisait passer pour toi à ses yeux, ajoutait alors que c'était très important et l'invitait à passer pour le lui montrer.

– Nom de Dieu !

– Elle lui a aussitôt répondu qu'elle arrivait. Elle est allée chez toi, où il l'attendait. Tu étais déjà parti pour Las Vegas.

– Il surveillait ma maison et m'aura vu partir.

– Tu t'en vas, il entre chez toi et se sert de ton ordinateur pour lui envoyer ce message. Puis il l'attend. Et quand il en a fini avec elle, il te suit à Las Vegas pour achever le montage en te tuant et faisant passer ça pour un suicide.

– Mais... et mon arme ? Il entre chez moi et la trouve sans trop de difficultés. Il peut alors l'emporter en voiture jusqu'à Las Vegas pour me suivre. Mais cela n'explique toujours pas comment moi, je serais censé être en sa possession à Vegas. J'ai pris l'avion et je n'ai pas enregistré de bagages Ça fait un gros trou dans cette théorie, non ?

– Lui aussi, on pense l'avoir bouché.

Je fermai à nouveau les yeux, fort.

– Dis-moi.

– Après avoir attiré Angela, il s'est servi de ton ordinateur pour remplir un formulaire d'expédition GO.

– « GO » ? Je n'ai jamais entendu parler de ce truc.

– C'est un petit concurrent de FedEx et des autres. « G », « O » avec un point d'exclamation. Soit *Guaranteed Overnight*[1]. C'est un service de livraison interaéroports qui se développe beaucoup depuis que les compagnies aériennes limitent les bagages et font payer le surplus. On peut télécharger ces formulaires sur le Net, et c'est exactement ce qui a été fait sur ton ordinateur. Envoi d'un colis sous vingt-quatre heures à ton nom. Maintenu à disposition au service livraison du fret de l'aéroport international McCarran. Aucune signature exigée. Il suffit de montrer la copie du formulaire d'expédition. On peut déposer des colis à l'aéroport de Los Angeles jusqu'à onze heures du soir.

Je ne pus que hocher la tête.

– À notre avis, c'est comme ça qu'il a procédé, conclut Rachel. Il appâte Angela et travaille aussitôt le côté expédition.

---

1 Soit « Livraison garantie sous vingt-quatre heures » *(NdT)*.

Angela se pointe, il lui fait subir ses trucs. Puis il la laisse… si elle est vivante ou morte à ce moment-là, nous ne le savons pas. Il se rend à l'aéroport et y dépose son colis avec l'arme. GO ! ne passe pas les envois sur vols domestiques aux rayons X. Après, il gagne Las Vegas en voiture ou en avion, peut-être par le même vol que toi ! Toujours est-il que, avion ou voiture, dès qu'il est à Vegas il prend livraison de son paquet et se retrouve alors en possession de ton arme. Et te suit jusqu'à Ely pour achever le boulot.

— Ça me paraît bien ric-rac. Tu crois vraiment qu'il a pu réussir tout ça ?

— C'est très serré et non, nous n'en sommes pas sûrs, mais c'est un scénario qui se tient.

— Et Schifino ?

— On l'a briefé, mais il ne se sent pas en danger… s'il l'a jamais été. Il a refusé notre protection, mais on le surveille quand même.

Je me demandai si l'avocat de Vegas comprendrait jamais à quel point il avait failli faire la plus lamentable des victimes

— J'imagine que tu m'aurais appelée s'il y avait eu d'autres contacts avec le Sujinc, reprit Rachel.

— Aucun contact, non. En plus, c'est toi qui as le portable. Il a essayé de le rappeler ?

— Non.

— Et côté traçabilité ?

— On a remonté l'appel qu'il t'a passé jusqu'à une tour de McCarran. Terminal d'US Airways. Mais dans les deux heures qui ont suivi l'appel qu'il t'a passé, il y a eu des vols à destination de vingt-quatre villes américaines. Il aurait donc pu aller à peu près n'importe où et prendre un vol en correspondance.

— Seattle ?

— Ce n'était pas un vol direct, mais il aurait pu gagner une ville avec correspondance et partir de là. On est déjà en train d'exécuter un mandat qui nous donnera les listes de passagers de tous ces vols. Nous les passerons à l'ordinateur central et nous verrons ce que ça nous donne. C'est sa première erreur et nous espérons bien la lui faire payer.

– Parce qu'il aurait commis une erreur ? Comment ça ?

– Il n'aurait jamais dû t'appeler. Il n'aurait jamais dû entrer en contact avec toi. De fait, ça nous a donné des informations et un lieu. Ça ne ressemble pas vraiment à ce qu'il nous a donné à voir jusqu'ici.

– Mais ce n'est pas toi qui voulais me parier qu'il chercherait le contact ? En quoi est-ce si choquant ? Tu avais raison.

– Oui, mais je t'ai dit ça avant de savoir tout ce que je sais aujourd'hui. Pour moi, vu ce qu'on a maintenant sur son genre de profil, t'appeler comme il l'a fait ne lui ressemble pas.

Je réfléchis à tout cela quelques instants avant de lui poser la question suivante.

– Le Bureau fait d'autres trucs ?

– On est en train de dresser le profil de Babbit et d'Oglevy. Nous savons déjà qu'elles collent bien dans son protocole, mais nous avons besoin de comprendre où il y a intersection et à quel endroit il est tombé sur elles. Et nous cherchons toujours sa signature.

Je me redressai, inscrivis le mot « signature » dans mon carnet et le soulignai.

– La signature et le protocole étant deux choses différentes, dis-je.

– Oui, Jack. Le protocole est ce qu'il fait avec ses victimes. La signature est quelque chose qu'il laisse derrière lui pour marquer son territoire. C'est la différence qu'il y a entre un tableau et la signature de l'artiste qui identifie son œuvre comme étant bien de lui. On peut reconnaître un Van Gogh rien qu'en le regardant. Cela dit, ce tableau, Van Gogh l'a aussi signé. Sauf que la signature de ces tueurs n'est pas aussi évidente. Les trois quarts du temps, on ne la découvre qu'après les faits. Mais si on arrivait à la déchiffrer maintenant, cela pourrait nous aider à le retrouver.

— C'est ça qu'on te demande de faire ? C'est ton boulot ?

— Oui, dit-elle.

Mais elle avait hésité avant de répondre.

— En te servant des notes que tu as prises sur mes dossiers ?

— Voilà.

Ce fut à mon tour d'hésiter, mais pas trop longtemps.

— Tu mens, Rachel. Qu'est-ce qui se passe ?

— Qu'est-ce que tu racontes ?

— Tes notes, je les ai ici. Quand ils ont enfin consenti à me lâcher jeudi, j'ai exigé qu'ils me rendent toutes mes notes et tous mes dossiers. Et ils m'ont donné tes notes à toi en pensant qu'il s'agissait des miennes. Celles que tu as prises dans ton bloc-notes grand format. C'est moi qui les ai, Rachel. Alors pourquoi me mens-tu ?

— Je ne te mens pas, Jack. Parce que tu crois que si c'est toi qui as mes notes, je ne serais pas capable…

— Où es-tu, Rachel ? Là, maintenant ? Où es-tu exactement ? Dis-moi la vérité.

Elle hésita.

— À Washington.

— Merde ! Tu bosses sur Rien ne sert de courir, c'est ça ? Je te retrouve.

— Pas dans l'État de Washington, Jack.

Cela me laissa complètement interdit jusqu'au moment où mon petit ordinateur interne me cracha un autre scénario. Elle avait négocié la découverte du Sujinc contre la possibilité de retrouver le boulot qu'elle voulait et où elle était la meilleure.

— Tu bosses pour les Sciences du comportement ?

— J'aimerais bien. Non, je suis au QG de Washington pour une audition OPR lundi matin.

Je savais que l'OPR était l'Office of Professional Responsibility, soit la version FBI des Affaires internes[1].

1. Équivalent américain de notre IGS *(NdT)*.

– Tu leur as parlé de nous ? C'est pour ça qu'ils te pour-
suivent ?

– Non, Jack, je ne leur ai rien dit là-dessus. Ça concerne
l'avion que j'ai pris pour Nellis mercredi. Après ton appel.

Je sautai du lit et me remis à faire les cent pas.

– Tu rigoles ! Qu'est-ce qu'ils vont faire ?

– Je ne sais pas.

– Ça ne leur fait rien que tu aies sauvé au moins une vie…
la mienne… et qu'en le faisant tu aies attiré l'attention des
autorités sur ce tueur ? Ils ne savent donc pas qu'un gamin
de seize ans faussement accusé de meurtre a été grâce à toi
libéré de prison hier ? Ils ne savent donc pas qu'après avoir
passé un an dans une prison du Nevada un innocent va
bientôt retrouver la liberté ? C'est une médaille qu'ils
devraient te donner, pas une audition !

Il y eut un silence, puis elle parla.

– Et toi, ils devraient te filer une augmentation au lieu de
te licencier, Jack. Écoute, j'apprécie ce que tu dis, mais la
réalité est que j'ai fait des erreurs de jugement et ça, et
l'argent que ça a coûté, a l'air de les intéresser beaucoup plus
que tout le reste.

– Putain, Rachel ! Si jamais ils te font quoi que ce soit, ça
va s'étaler en première page ! Je…

– Jack, Jack. Je suis tout à fait capable de gérer. Et toi,
c'est de toi qu'il faut t'inquiéter, et tout de suite, d'accord ?

– Non, pas d'accord. À quelle heure doit commencer
l'audition de lundi ?

– À neuf heures.

J'allais alerter mon ex, Keisha. Je savais bien qu'on ne la
laisserait pas assister à une audition à huis clos, mais s'ils
savaient que de l'autre côté de la porte il y avait une journaliste du *Times* qui attendait, peut-être réfléchiraient-ils à
deux fois à ce qu'ils allaient faire dans la salle.

– Écoute, Jack, je sais à quoi tu penses. Mais je veux que
tu te calmes et que tu me laisses m'en occuper. C'est mon
boulot et mon audition… à moi. Tu m'entends ?

— Je ne sais pas. C'est quand même dur de rester assis sur son cul pendant qu'on fait chier quelqu'un… quelqu'un qui m'importe.

— Merci, Jack, mais si c'est vraiment ce que tu éprouves pour moi, j'ai vraiment besoin que tu t'écrases sur ce coup-là. Je te tiens au courant dès que je sais quelque chose.

— Promis ?

— Promis.

Je rouvris le rideau d'un coup sec, la lumière du soleil explosa dans la pièce.

— Bon, d'accord, dis-je.

— Merci. Tu rentres chez toi ? Si tu le veux vraiment, je peux t'envoyer quelqu'un pour t'y retrouver.

— Non, ça ira. J'essayais juste de te séduire. Je veux te voir, Rachel. Mais si tu n'es pas à L.A… Quand es-tu arrivée là-bas ?

— Ce matin. Par le dernier vol d'hier soir. J'ai essayé de repousser au maximum pour pouvoir continuer à travailler sur l'affaire. Mais ce n'est pas comme ça que fonctionne le Bureau.

— Ouais.

— Toujours est-il que je suis ici et que je vais rencontrer mon conseil pour revoir tout ça. De fait même, il va débarquer d'un instant à l'autre et j'ai besoin de mettre de l'ordre dans certaines choses.

— Bien. Je te laisse. Où vas-tu loger ?

— À l'hôtel Monaco, dans F Street.

Nous mîmes fin à la conversation. Je restai debout à la fenêtre et regardai dehors sans rien voir. Je pensai à Rachel en train de se battre pour son boulot et la seule chose qui semblait l'ancrer dans ce monde.

Et compris qu'elle n'était pas très différente de moi.

9

Les ténèbres du rêve

Dans l'obscurité de l'habitacle de sa voiture, Carver observait la maison de Scottsdale. Il était trop tôt pour jouer le coup. Il allait attendre et surveiller jusqu'à ce qu'il soit sûr qu'il n'y avait pas de danger. Ça ne le gênait pas. Il aimait bien être seul dans le noir. Il y était chez lui. Il avait la musique de l'iPod dans les oreilles et c'était depuis toujours que le Lizard King lui tenait compagnie.

« *I am a changeling, see me change. I am a changeling, see me change*[1]. »

Depuis toujours c'était son hymne, la chanson sur laquelle régler sa vie. Il monta le volume et ferma les yeux. Tendit la main vers le bas de son siège et appuya sur le bouton. Le dossier de son fauteuil s'abaissa encore.

Et la musique le ramena en arrière. Par-delà tous ses souvenirs et cauchemars. À la loge d'Alma. Elle était censée le surveiller, mais elle avait les mains prises par le fil et l'aiguille. Elle ne pouvait pas le surveiller tout le temps et il n'était pas juste de l'espérer. Il y avait des règles maison pour les mères et les enfants. Cela dit en fin de compte, c'était la mère qui était responsable, même lorsqu'elle était en scène.

C'est alors que le jeune Wesley s'était lancé, qu'aussi silencieux qu'une petite souris il avait filé entre les perles du

---

1. « Je suis un changelin, regardez-moi changer. Je suis un changelin, regardez-moi changer. » Célèbre chanson des Doors *(NdT)*.

rideau. Il était si petit que seuls cinq ou six rangs de ces dernières avaient bougé. Il avait descendu le couloir, dépassé les toilettes à l'odeur nauséabonde et gagné l'endroit d'où venaient les lumières qui clignotaient.

Il avait tourné le coin et, là, était tombé sur M. Grable. En smoking, celui-ci s'était assis sur un tabouret et tenait le microphone en attendant que la chanson prenne fin.

La musique était très forte à ce bout du couloir, mais pas assez pour que Wesley n'entende pas les applaudissements... et quelques sifflets. Il s'était glissé derrière M. Grable et avait regardé entre les pieds du tabouret. La lumière blanche qui baignait la scène était violente. C'est alors qu'il l'avait vue. Nue devant tous les hommes. La musique lui fouettait les sangs.

« Girl, you gotta love your man...[1] *»*

Elle se déplaçait parfaitement sur la musique. Comme si on l'avait écrite et enregistrée rien que pour elle. Plus il regardait et plus il était transporté. Il ne voulait pas que la musique s'arrête. C'était parfait. Elle était parfaite et...

Et soudain quelqu'un l'avait attrapé par le col de son T-shirt et traîné tout le long du couloir. Il avait réussi à lever la tête et avait vu que c'était Alma.

— Tu es un très vilain petit garçon ! avait crié celle-ci.

— Non ! Je veux voir ma...

— Pas maintenant, oh que non !

Elle l'avait tiré à travers les rangées de perles du rideau et ramené dans la loge. L'avait poussé sur un tas de boas et de foulards de soie.

— Tu sais que tu vas avoir de gros ennuis ? Mais hé... c'est quoi, ça ? lui avait-elle demandé en pointant son doigt sur lui.

Là, en bas, à l'endroit où il commençait à éprouver des sensations étranges.

1. « Fillette, faut aimer ton homme... » (*Ndt*).

– Non, je suis un gentil garçon, lui avait-il renvoyé.

– Ah non ! Pas avec… ça ! Voyons voir ce que nous avons là !

Elle avait tendu la main et la lui avait glissée sous la ceinture. Et avait commencé à lui baisser son pantalon.

– Espèce de petit pervers, avait-elle repris. Je vais te montrer ce qu'on fait aux pervers, moi, dans cette maison !

Il s'était figé de terreur. Ce mot qu'elle avait utilisé… Il ne savait pas ce qu'il voulait dire. Il ne savait pas quoi faire.

Le bruit sec d'un métal qu'on cogne sur du verre transperça la musique et brisa son rêve. Il sursauta sur son siège. Un instant désorienté, il regarda autour de lui, comprit où il se trouvait et sortit les écouteurs de ses oreilles.

Puis il regarda par la vitre et là se tenait McGinnis, debout dans la rue. Il tenait une laisse qui descendait jusqu'au collier d'un chien de rien du tout. Carver aperçut l'énorme bague de l'université de Notre Dame au doigt de son patron. C'était avec elle que celui-ci avait dû taper à la fenêtre pour attirer son attention.

Carver abaissa sa vitre. Puis, avec son pied, il s'assura que l'arme qu'il avait posée sur le plancher de la voiture n'était pas visible.

– Wesley, qu'est-ce que vous fabriquez ici ? lui lança McGinnis.

Le chien commençant à japper avant que Carver ait le temps de lui répondre, McGinnis le fit taire.

– Je voulais vous dire quelque chose, répondit Carver.

– Pourquoi n'êtes-vous pas monté à la maison ?

– Parce qu'il faut aussi que je vous montre quelque chose.

– De quoi parlez-vous ?

– Montez, je vous emmène.

– Où ça ? Il est presque minuit. Je ne comprends…

– Ça concerne la visite des types du FBI l'autre jour. Je crois savoir qui ils cherchent.

McGinnis s'avança pour regarder Carver de plus près.

– Wesley, dit-il, qu'est-ce qui se passe ? Que voulez-vous dire par « qui » ils cherchent ?

– Montez, je vous expliquerai en route.

– Et le… ?

– Le clebs ? Vous pouvez le prendre. Ça ne sera pas long.

McGinnis hocha la tête comme si rien de tout cela ne lui plaisait, mais fit le tour de la voiture pour y monter. Carver se pencha en avant, ramassa vite l'arme sur le plancher et la glissa dans sa ceinture, au creux de son dos. Il allait devoir faire avec ce désagrément.

McGinnis déposa le chien sur la banquette arrière et monta devant.

– C'est une dame, dit-il.

– Pardon ?

– Le « clebs »… c'est une chienne.

– Comme vous voudrez. Elle ne va pas pisser dans ma bagnole, hein ?

– Ne vous inquiétez pas. Elle vient juste de faire.

– Bien, dit Carver en commençant à sortir du quartier. Vous avez fermé chez vous ?

– Oui, je ferme toujours à clé quand on va se promener. On ne sait jamais avec les gamins du coin. Ils savent tous que je vis seul.

– Astucieux.

– Où allons-nous ?

– Chez Freddy Stone.

– Bon, mais maintenant vous me dites ce qui se passe et le rapport avec le FBI.

– Je vous l'ai déjà dit : il faut que je vous montre.

– Alors vous me dites ce que vous allez me montrer. Vous avez parlé avec Stone ? Vous lui avez demandé où diable il était passé ?

Carver hocha la tête.

– Non, dit-il, je ne lui ai pas parlé. C'est pour ça que je suis passé chez lui ce soir… pour essayer de le coincer. Il n'y était pas, mais j'ai trouvé quelque chose. Le site Web qui intéressait le FBI. C'est lui qui est derrière.

– Et donc, dès qu'il apprend que le FBI est venu avec un mandat de perquise, il se barre ?

– Ça m'en a tout l'air.

– Il faut appeler les types du FBI. On ne peut pas leur donner l'impression de protéger ce monsieur… quoi qu'il ait fait.

– Sauf que ça pourrait nous bousiller notre affaire si jamais la nouvelle explosait partout dans les médias. Ça pourrait nous mettre à genoux.

McGinnis hocha la tête.

– Il faudra juste qu'on avale la pilule, dit-il énergiquement. Couvrir ce truc ne marchera jamais.

– Bon, d'accord. On commence par aller chez lui et après, on appelle le FBI. Vous vous rappelez le nom de ces deux agents ?

– J'ai leurs cartes de visite au bureau. Il y en avait un qui s'appelait Bantam. Je m'en souviens parce que c'était une vraie bête, alors qu'en boxe, les *bantam weights*, c'est les poids coq, et que les poids coq, c'est les tout petits.

– C'est juste. Ça me revient à moi aussi.

Des deux côtés de l'autoroute, les lumières des grands immeubles du centre-ville de Pho25enix s'étendaient devant eux. Carver cessa de parler, McGinnis l'imitant aussitôt. La chienne dormait sur la banquette arrière.

Carver retrouva le souvenir que la musique avait suscité en lui un peu plus tôt et se demanda ce qui l'avait poussé à prendre le couloir pour aller voir. Il savait que la réponse à cette question se trouvait au plus profond de ses ténèbres personnelles.

Là où personne ne peut aller.

10

Le direct de 5 heures

À aucun moment, ce samedi-là, je ne quittai ma chambre d'hôtel, même lorsque des journalistes de service de week-end m'appelèrent pour m'inviter à boire un coup au Red Wind après le boulot. Ils fêtaient un autre article en première page du journal. On y racontait le premier jour de liberté d'Alonzo Winslow et on y donnait les dernières nouvelles de la traque de plus en plus importante lancée contre celui qu'on suspectait d'avoir commis ce meurtre au coffre. Je n'avais guère envie de fêter la parution d'un papier qu'on m'avait retiré. Il y avait aussi que le Red Wind, je n'y allais plus. Dans les toilettes hommes, on y mettait jadis les premières pages du cahier A – soit les Sports et les nouvelles Métro –, au-dessus des urinoirs. Maintenant on y trouvait des écrans plats de télés plasma branchées sur Fox, CNN et Bloomberg, chacun de ces écrans ajoutant l'affront à la blessure et nous rappelant que la presse écrite était en train de mourir.

Au lieu de cela, je restai dans ma chambre et commençai à me frayer un chemin dans mes dossiers en me servant des notes de Rachel comme d'un schéma directeur. Avec elle à Washington et débarquée de l'affaire, je n'aimais guère l'idée de laisser le profilage à des agents sans nom ni visage du détachement spécial ou des services de Quantico. Cette affaire était à moi et j'allais tous les devancer.

Je travaillai jusque tard dans la nuit, à rassembler les moindres détails de la vie des deux victimes et à chercher ce que Rachel était sûre de leur trouver en commun.

Originaires de villes différentes, elles avaient déménagé dans deux villes et États différents. Pour autant que je sache, leurs chemins ne s'étaient jamais croisés, à moins, mais c'était peu probable, que Denise Babbit ne se soit rendue à Las Vegas et y ait assisté au spectacle *Femmes fatales* du casino Cleopatra.

Était-ce vraiment cela le lien entre ces deux meurtres ? Ça me paraissait tiré par les cheveux.

Je finis par renoncer à explorer cette piste et décidai d'envisager le problème sous un angle totalement différent. Celui du tueur. Sur une page vierge du bloc-notes de Rachel, j'entrepris de dresser la liste de tout ce dont le Sujinc avait dû avoir besoin pour exécuter ses meurtres, cela en termes de méthode, de chronométrage et de lieux. Cette tâche s'avérant passablement éprouvante, je tombai de fatigue vers minuit. Et m'endormis tout habillé sur mon lit, avec tous mes dossiers et toutes mes notes autour de moi.

L'appel que je reçus à quatre heures du matin m'ébranla violemment, mais me sortit de mes cauchemars récurrents sur Angela.

– Allô ? lançai-je d'une voix enrouée.

– Monsieur McEvoy ? Votre limousine vous attend.

– Ma limousine ?

– Ce monsieur dit être de CNN.

J'avais complètement oublié. L'affaire avait été organisée dans la journée de vendredi par le service des Relations avec les médias du *Times*. J'étais censé passer en direct sur le réseau national, dans une émission diffusée tous les dimanches matin entre huit et dix heures. Le problème était qu'on parlait heures de la côte Est, et que cela nous donnait entre cinq et sept du matin sur la côte Ouest. Et que le producteur de l'émission n'avait pas été très clair sur l'heure exacte de ma prestation. Bref, je devais être prêt à cinq heures.

– Dites-lui que je descends dans dix minutes.

De fait, il m'en fallut quinze pour me traîner sous la douche et enfiler ma dernière chemise non froissée. Apparemment peu inquiet, le chauffeur prit la direction d'Holly-wood sans se presser. Il n'y avait pas de circulation, nous filâmes bon train.

La voiture n'était pas vraiment une limousine, mais une berline Lincoln Town Car. L'année précédente, j'avais écrit une série d'articles sur un avocat qui travaillait à l'arrière de sa Lincoln – c'était un de ses clients qui la pilotait et le bala-dait partout pour lui régler ses arriérés d'honoraires[1]. Assis moi aussi sur la banquette arrière de cette voiture qui m'emmenait à CNN, je commençai à apprécier. C'était une bonne façon de voir L.A.

L'immeuble de CNN se trouvait dans Sunset Boule-vard, non loin du commissariat d'Hollywood. Après avoir franchi un contrôle de sécurité à l'entrée, je montai au studio où je devais être interviewé par quelqu'un du bureau d'Atlanta pour l'édition week-end d'une émission intitulée « CNN Newsroom ». Une jeune personne me conduisit au foyer des artistes, où je tombai sur Wanda Ses-sums et Alonzo Winslow qui étaient déjà arrivés. Dieu sait pourquoi, je trouvai choquant qu'ils aient pu se lever si tôt et m'aient coiffé sur le poteau – moi, le journaliste professionnel.

Wanda me regarda comme si j'étais un inconnu. Alonzo, lui, avait les yeux à peine ouverts.

– Wanda, vous vous souvenez de moi ? lançai-je. Je suis Jack McEvoy... le journaliste ? Je suis venu vous voir lundi dernier.

Elle fit oui de la tête, son dentier mal ajusté cliquetant alors dans sa bouche. Elle ne le portait pas quand j'étais allé la voir chez elle.

– Ouais, ouais, dit-elle. Z'êtes le type qu'a foutu tous ces mensonges sur mon Zo dans le journal.

Alonzo dressa l'oreille.

– Eh bien mais... il est libre maintenant, non ? m'empressai-je de lui répliquer.

1. Cf. *La Défense Lincoln* publié dans cette même collection (*NdT*)

Je m'approchai de son petit-fils et lui tendis la main. Il me la prit avec une hésitation, nous nous saluâmes, mais il me fit l'impression de ne pas trop savoir qui j'étais.

— Heureux de faire enfin votre connaissance et de voir que vous êtes libre, Alonzo, lui dis-je. Je me présente : Jack McEvoy. Je suis le journaliste qui a parlé à votre grand-mère et a lancé l'enquête qui a abouti à votre libération.

— Ma grand-mère ? Qu'est-ce tu racontes, s'pèce d'enculé ?

— Y sait pas c'qu'il dit ! s'écria aussitôt Wanda.

Je compris soudain mon erreur. Wanda était bien sa grand-mère, mais avait joué le rôle de sa mère – « M'man » –, parce que sa vraie mère faisait le trottoir. Il devait croire que celle-ci était sa propre sœur... si même il la connaissait.

— Désolé, dis-je, je me suis trompé. Mais bon, je crois qu'on va être interviewés ensemble.

— Et pourquoi que tu le seras, enculé de ta mère ? C'est moi qu'ai fait d'la prison, bordel !

— Oui, mais c'est moi qui vous ai fait sortir de taule.

— Ben ça, c'est marrant parce que m'sieur Meyer, y dit que c'est lui qui m'a fait sortir.

— Ouais, c'est not' avocat qui l'a fait sortir, renchérit Wanda.

— Alors comment se fait-il qu'il ne soit pas ici et ne passe pas à CNN ?

— Il va arriver.

Je hochai la tête. Première nouvelle. Lorsque j'avais quitté le journal vendredi, seuls Alonzo et moi devions passer à l'émission. Et maintenant nous avions M'man et Meyer à bord. Je songeai que ça risquait de ne pas trop bien marcher dans un direct. Trop de monde et au moins une personne avec laquelle les censeurs avaient des chances d'avoir des problèmes. Je gagnai la table où était posée la cafetière électrique et me versai un café. Bien noir. Puis je tendis la main vers la boîte de Krispy Creme et me choisis un Original Glazed[1]. J'essayai ensuite de faire bande à part et de regarder

1. Variété particulièrement sucrée de doughnuts *(NdT)*.

la télévision montée en hauteur – branchée sur CNN, la station qui diffuserait bientôt l'émission du magazine d'informations où nous devions passer. Au bout d'un moment, un technicien du son vint nous attacher un micro au col de la chemise, nous glisser un écouteur de rappel dans l'oreille et cacher tous les fils sous nos vêtements.

– Est-ce que je pourrais parler à un producteur ? lui demandai-je tout bas. Seul à seul ?

– Bien sûr. Je l'avertis.

Je me rassis pour attendre et quatre minutes plus tard entendis une voix d'homme m'appeler par mon nom.

– Monsieur McEvoy ?

Je regardai autour de moi, puis compris que la voix m'arrivait par l'écouteur.

– Oui, dis-je.

– Christian Duchateau, de la station d'Atlanta. C'est moi qui produis l'émission d'aujourd'hui et je tiens à vous remercier de vous être levé si tôt pour en être. Nous allons voir tout ça ensemble dans quelques minutes quand nous vous amènerons au studio. Mais... vous vouliez me parler avant ?

– Oui, juste une seconde. (Je sortis du foyer, passai dans le couloir et refermai la porte derrière moi.) Je voulais seulement m'assurer que vous avez quelqu'un de bon au bruiteur, dis-je à voix basse.

– Je ne comprends pas, me renvoya Duchateau. Qu'entendez-vous par « bruiteur » ?

– Je ne sais pas trop comment ça s'appelle, mais je tiens à vous dire qu'Alonzo Winslow n'a peut-être que seize ans, mais qu'il se sert de l'expression « enculé de ta mère » à peu près aussi souvent que vous du mot « le ».

Il y eut un instant de silence, mais il ne dura pas.

– Je comprends, dit-il. Merci de m'avoir averti. Nous essayons toujours d'interviewer nos invités avant les émissions, mais parfois nous n'avons pas le temps. Son avocat est-il arrivé ?

— Non.

— On dirait qu'il n'y a pas moyen de le localiser et il ne décroche pas son portable. J'espérais qu'il puisse euh... contrôler son client.

— Écoutez, pour le moment il n'est pas là. Et il faut que vous compreniez bien quelque chose, Christian : ce gamin n'a pas commis ce meurtre, mais ça ne fait pas de lui un innocent, si vous voyez ce que je veux dire. Il fait partie d'un gang. C'est un Crip. Même qu'il est en train de nous mettre du bleu tout partout dans le foyer. Il porte des blue-jeans, une chemise à carreaux bleus et un serre-tête bleu lui aussi.

Cette fois, il n'y eut aucune hésitation.

— OK, je m'en occupe, dit-il. Vous seriez prêt à passer seul si jamais on se fâchait ? Ça doit durer dix minutes avec un reportage vidéo sur l'affaire au milieu. Ça et les présentations en moins, ça vous donnerait entre quatre et cinq minutes avec notre présentateur d'Atlanta. Je ne pense pas qu'on vous pose des questions qu'on ne vous a pas déjà posées sur cette affaire.

— Tout ce que vous voudrez. Je suis prêt.

— Parfait. Je vous rappelle.

Il coupa la communication et je regagnai le foyer des artistes. Je m'assis sur un canapé adossé au mur, en face d'Alonzo et de sa mère/grand-mère. Je ne cherchai pas à entamer la conversation avec lui, ce fut lui qui finit par le faire.

— Tu dis que c'est toi qu'as démarré tout c'bazar ?

J'acquiesçai d'un signe de tête.

— Oui, dis-je. Après que votre... quand Wanda m'a appelé pour me dire que ce n'était pas vous.

— Comment ça s'fait ? Y a jamais eu un Blanc qui s'est cassé l'cul pour moi avant.

Je haussai les épaules.

— Ça faisait partie de mon boulot, c'est tout. Wanda m'a dit que la police se trompait, alors j'ai cherché à savoir. J'ai découvert une affaire qui ressemblait à la vôtre et j'ai bâti un dossier.

Il hocha la tête d'un air pensif.

— Tu vas t'faire un million d'dollars ?

— Quoi ?

— Y t'paient pour venir ici ? Parce que moi, y m'paient que dalle. Je leur ai demandé des ronds pour m'payer mon temps, mais y m'ont pas donné un centime, ces enculés !

— Bah, c'est les infos. En général, ils ne paient rien.

— Y s'font du fric sur son dos, renchérit Wanda. Pourquoi qu'ils le paient pas, le gamin ?

Je haussai à nouveau les épaules.

— Vous pourriez peut-être le leur demander.

— J'pense que j'vais le leur demander quand c'est qu'on sera à l'antenne. Et qu'est-ce qu'il dira, c'te enculé d'sa mère, hein ?

Je me contentai de hocher la tête. Pour moi, Alonzo ne se rendait pas compte que son micro était branché et que quelqu'un l'écoutait dans le couloir ou dans les studios d'Atlanta. Il n'avait pas fini de détailler son plan lorsque la porte s'ouvrit sur un technicien qui vint me chercher. Nous sortions de la pièce quand Alonzo nous appela.

— Hé ! Où c'est que vous allez ? Quand c'est que je passe à la télé ?

Le technicien ne lui répondit pas. Je le regardai tandis que nous descendions le couloir. Il avait l'air inquiet.

— C'est vous qui devez lui annoncer qu'il ne passera pas ?

Il fit oui de la tête.

— Tout ce que je peux dire, c'est que je suis content qu'ils l'aient passé au détecteur de métaux à l'entrée... et ne vous inquiétez pas, j'ai vérifié.

Je souris et lui souhaitai bonne chance.

11

Dure et froide, la Terre

Le soleil se levait presque. Carver vit la ligne brisée de la lumière commencer à graver comme à l'eau-forte les contours de la chaîne de montagnes. C'était beau. Assis sur un gros rocher, il regardait le spectacle tandis que Stone peinait devant lui. Son jeune acolyte travaillait dur avec la pelle, déjà avait atteint la terre dure et froide sous le sable et la couche arable.

– Freddy, lui lança calmement Carver, je veux que tu me le redises.

– Mais je l'ai déjà fait !

– Alors tu recommences. J'ai besoin de savoir, et très exactement, ce qui s'est dit parce que je veux savoir, et très exactement, l'étendue des dégâts.

– Il n'y a pas de dégâts ! Absolument aucun !

– Répète.

– Mais putain ! s'exclama Freddy en poussant violemment le tranchant de la pelle dans le trou, l'impact sur la roche déclenchant un bruit aigu dont l'écho traversa le paysage entièrement vide.

Carver regarda de nouveau autour de lui pour s'assurer qu'ils étaient bien seuls. Loin à l'ouest, les lumières de Mesa et de Scottsdale faisaient comme un feu de brousse qui se déchaîne. Il passa la main dans son dos et la serra sur son arme. Réfléchit, et décida d'attendre. Freddy pouvait encore être utile. Cette fois, il se contenterait de lui donner une petite leçon.

– Redis-le, répéta-t-il.

– Je lui ai juste dit qu'il avait de la chance, d'accord ? C'est tout. Et j'ai essayé de savoir qui était la salope qui l'attendait dans sa chambre. Celle qu'a fait tout merder.

– Quoi d'autre ?

– Rien. Je lui ai dit qu'un de ces jours, j'y rendrais son flingue, personnellement.

Carver hocha la tête. Pour l'instant, Stone n'avait pas varié dans sa façon de lui rapporter la conversation qu'il avait eue avec McEvoy.

– Bon, et qu'est-ce qu'il t'a dit, lui ?

– Je te l'ai déjà dit : il a pas dit grand-chose. Je crois qu'il avait une trouille à chier.

– Je ne te crois pas, Freddy.

– Eh ben mais, c'est la vé… ah si, y a un truc qu'il a dit.

Carver essaya de garder son calme.

– Quel truc ?

– Pour les fers. Ce truc-là.

Carver essaya de ne pas trop insister.

– Comment le sait-il ? Tu le lui as dit ?

– Non, j'y ai rien dit. Il savait. Dieu sait comment, il savait.

– Qu'est-ce qu'il savait ?

– Il a dit que le nom qu'il allait nous filer serait…

– « Nous » ? Il a dit « nous » ? Il sait qu'on est deux ?

– Non, non, c'est pas ça que je voulais dire. Ça, il le sait pas. Il a dit que le nom qu'il allait me donner dans le journal, non, parce que pour lui, il n'y avait que moi dans le coup, ce serait « la Vierge de fer ». Voilà, c'est comme ça qu'on allait nous appeler, non, pas nous… moi. Je crois qu'il essayait juste de me foutre en rogne.

Carver réfléchit un instant. McEvoy savait plus de choses qu'il n'aurait fallu. Il avait dû avoir de l'aide. Ça ne se réduisait pas à une histoire d'accès à l'information. Ce type devinait et savait des choses. Carver songea à la femme qui l'attendait dans la chambre – celle qui lui avait sauvé la vie. Il se dit qu'il savait peut-être qui c'était.

– Alors, demanda Stone, c'est assez profond ?

Carver mit ses pensées de côté et se leva. S'approcha de la tombe et braqua sa lampe torche sur le fond.

– Oui, Freddy, dit-il. Ça ira. T'y mets d'abord le clebs.

Carver tourna le dos pendant que Stone se penchait pour ramasser le cadavre de la petite chienne.

– Doucement, Freddy.

Il avait détesté devoir la tuer. L'animal ne lui avait rien fait. Du dommage collatéral et rien d'autre.

– OK.

Carver se retourna. La chienne était dans le trou.

– Lui, maintenant.

Le corps de McGinnis était allongé par terre, à l'extrémité de la tombe. Stone se pencha en avant, prit le cadavre par les chevilles et se mit en devoir de reculer pour le traîner dans le trou. Il avait posé la pelle contre la paroi opposée de l'excavation. Carver la prit par le manche et la sortit tandis que Stone continuait de reculer.

Stone tira le corps dans la tombe. Les épaules et la tête de McGinnis s'écrasèrent un mètre plus bas avec un bruit sourd. Stone était toujours penché en avant pour tenir les chevilles du mort lorsque Carver tourna la pelle et en frappa le jeune homme entre les omoplates.

L'air se vidant de ses poumons, Stone tomba en avant dans la tombe et se retrouva nez à nez avec McGinnis. Carver enjamba aussitôt le trou et enfonça le tranchant de la pelle dans la nuque de Stone.

– Regarde bien, Freddy ! lui lança-t-il. Ce trou-là, je t'ai obligé à le creuser plus profond pour pouvoir t'y mettre par-dessus McGinnis.

– S'il te plaît…

– Tu as enfreint les règles. Je ne t'avais pas dit d'appeler McEvoy. Je ne t'avais pas demandé d'engager la conversation avec lui. Je t'avais ordonné de suivre mes instructions.

— Je sais, je sais, je m'excuse. Ça ne se reproduira pas, jamais. Je t'en prie.

— Je pourrais m'en assurer tout de suite.

— Non ! S'il te plaît ! Je me rachèterai. Je ne...

— La ferme !

— D'accord, mais je...

— Je t'ai dit de la fermer. Et maintenant, tu m'écoutes !

— D'accord.

— Tu m'écoutes ?

Le visage à quelques centimètres à peine des yeux sans vie de Declan McGinnis, Stone fit oui de la tête.

— Te souviens-tu de ce que tu étais quand je t'ai trouvé ?

Stone hocha consciencieusement la tête.

— Tu fonçais au trou noir pour y affronter une éternité de tourments. Mais je t'ai sauvé. Je t'ai donné un nouveau nom. Une nouvelle vie. Je t'ai donné la possibilité d'échapper à tout ça et d'embrasser avec moi tous les désirs que nous partageons. Je t'ai enseigné la manière de s'y prendre et ne t'ai demandé qu'une chose en échange. Tu te rappelles quoi ?

— Tu m'as dit que nous étions partenaires, mais pas égaux. J'étais l'étudiant et toi le maître. Je devais faire ce que tu m'ordonnais.

Carver lui enfonça un peu plus le tranchant de la pelle dans le cou.

— Et pourtant, voilà où nous en sommes. Encore une fois tu m'as déçu.

— Je ne permettrai pas que ça se reproduise. Je t'en prie.

Carver leva les yeux et regarda la crête des montagnes. Les lignes brisées s'y découpaient encore plus nettement maintenant que le ciel s'embrasait d'orange. Il allait falloir en finir rapidement.

— Freddy, encore une fois tu te trompes, reprit-il. C'est moi qui ne le permettrai pas.

— Laisse-moi faire quelque chose. Laisse-moi me rattraper

– Tu en auras l'occasion, dit Carver, et il tira la pelle en arrière et s'éloigna de la tombe. Et maintenant, tu les enterres.

Stone se retourna et, la peur encore dans les yeux, leva timidement la tête. Carver lui tendit la pelle. Stone se releva et la prit.

Carver repassa la main dans son dos et s'empara de son arme. Puis, ravi, il regarda les yeux de Stone s'agrandir. Mais sortit son mouchoir de sa poche de devant et se mit en devoir d'effacer toutes les empreintes sur son flingue. Cela fait, il jeta l'arme dans la tombe, entre les pieds de McGinnis. Que Stone se jette dessus pour s'en saisir ne l'inquiétait pas vraiment. Celui-ci était maintenant totalement sous sa coupe.

– Désolé, Freddy, enchaîna-t-il, mais quoi qu'on fasse pour régler le problème McEvoy, nous ne lui rendrons pas son arme. Ce serait trop risqué de la garder.

– Comme tu voudras.

Exactement, se dit Carver.

– Allez, grouille, reprit-il. La nuit s'en va.

Stone commença aussitôt à jeter des pelletées de terre et de sable dans le trou.

12

De la côte Ouest à la côte Est

Comme j'aurais dû m'y attendre, je ne passai pas à l'antenne avant la deuxième heure. Quarante-cinq minutes durant, je restai assis dans un petit studio bien sombre et attendis en regardant la première partie de l'émission à l'écran de contrôle. Il y eut un sujet sur Eric Clapton et les Crossroads, le centre de soins pour personnes dépendantes qu'il avait créé aux Caraïbes. Cette partie-là du programme s'acheva sur les images d'un concert de Clapton donnant une interprétation très soul et bluesy d'un *Somewhere over the Rainbow* merveilleusement émouvant et plein d'espoir mais coupé net pour un message publicitaire.

C'est pendant cette interruption d'une minute qu'on m'avertit de me tenir prêt, puis je me retrouvai en direct de la côte Ouest à la côte Est, et au-delà. Le présentateur d'Atlanta me posa des questions sans difficulté, questions auxquelles je répondis avec un enthousiasme qui laissait faussement entendre que c'était la première fois qu'on me les posait et que ça ne faisait pas déjà trois jours que l'affaire était l'objet d'articles dans le *Times*. Lorsque j'en eus terminé et que le présentateur passa à autre chose, j'entendis Christian Duchateau me dire à l'oreillette que j'étais libre de partir et qu'il me devait une fière chandelle de lui avoir évité le quasi-désastre qu'aurait été un Alonzo Winslow passant en direct. Il ajouta que la limousine m'emmènerait donc où bon me semblait.

– Christian, lui demandai-je, ça vous embêterait que je demande au chauffeur de faire un arrêt en chemin ? Ça ne prendra pas longtemps.

– Pas le moins du monde. Comme j'ai quelqu'un d'autre pour ramener Alonzo chez lui, vous pouvez disposer de la voiture toute la matinée si vous en avez besoin. Je vous l'ai déjà dit : je vous dois une fière chandelle.

Ça me convenait. Je fis un saut au foyer des artistes et m'aperçus qu'Alonzo et Wanda y étaient encore. Ils avaient l'air d'attendre qu'on les conduise au studio pour s'y faire interviewer. On ne leur avait toujours pas dit qu'ils ne passeraient pas et, trop naïfs, ils ne semblaient pas l'avoir compris.

Je décidai de ne pas être celui qui leur apprendrait la mauvaise nouvelle. Je leur dis au revoir et leur tendis à chacun une carte de visite avec mon numéro de portable dessus.

– Hé, mec, j't'ai vu à la télé, me lança Alonzo en me montrant l'écran plat d'un signe de tête. T'es cool, toi, comme enculé. Maintenant, ça va être à moi.

– Merci, Alonzo, lui renvoyai-je. Prenez bien soin de vous.

– C'est c'que j'vais faire dès qu'on m'filera un million !

Je hochai la tête, pris un deuxième doughnut pour faire descendre mon café et sortis de la pièce en y laissant Alonzo attendre en vain son million de dollars.

Une fois dans la voiture, j'informai le chauffeur de l'arrêt que je devais faire – il me répondit qu'on l'avait déjà averti de m'emmener où je voulais. Nous entrâmes dans mon allée cochère à sept heures vingt. Je restai assis dans la voiture et regardai ma maison presque une minute avant d'avoir le courage de descendre et d'y aller.

Je déverrouillai la porte de devant, entrai et marchai sur trois jours de courrier que le facteur avait glissé dans la fente de ma boîte aux lettres. Pluie, neige ou ruban jaune de scène de crime, rien n'empêchait le facteur de faire sa tournée. Je jetai vite un coup d'œil aux enveloppes et m'aperçus que j'avais reçu deux nouvelles cartes de crédit. Je glissai ces enveloppes dans ma poche revolver et laissai les autres par terre.

Il y avait des restes d'analyse de scène de crime dans toute la maison. De la poudre noire à empreintes donnait l'impression d'avoir envahi toutes les surfaces. Il y avait aussi des rouleaux de Scotch vides et des gants en caoutchouc dans tous les coins. Les enquêteurs et les techniciens ne semblaient pas avoir eu la moindre considération pour les gens qui reviendraient dans cette maison après leur départ.

Je n'hésitai qu'un bref instant avant de descendre le couloir et d'entrer dans ma chambre. L'odeur de renfermé qui y régnait me troubla : elle paraissait plus forte que le jour où nous avions découvert le cadavre d'Angela. Le sommier, le matelas et les montants du lit ayant disparu, je me dis qu'on avait dû les prendre pour analyse et les garder comme pièces à conviction.

Je marquai un temps d'arrêt et regardai de près l'endroit où le lit s'était trouvé. J'aimerais pouvoir dire qu'à ce moment-là mon cœur se remplit de tristesse pour Angela Cook. Mais non : d'une manière ou d'une autre j'avais déjà dépassé ce stade, ou alors c'était que mon esprit se protégeait et m'interdisait de m'étendre sur ce genre de choses. Si je pensai à quoi que ce soit, ce fut au mal que j'aurais à vendre la maison. Et si j'éprouvai quoi que ce soit, ce fut le besoin d'en partir aussi vite que possible.

Je gagnai rapidement la penderie en me rappelant un article que j'avais un jour écrit pour le *Times* et où je décrivais une société qui offrait un service de nettoyage pour les maisons où s'étaient produits des meurtres ou des suicides. L'affaire prospérait. Je décidai de ressortir ce papier des archives et de passer un coup de fil à la boîte. Peut-être qu'on me ferait une réduction.

Je descendis ma grande valise de l'étagère de la penderie. Je la posai par terre, une bouffée d'air rance en sortant quand je l'ouvris d'un coup sec. Je ne m'en étais pas servi depuis que j'avais emménagé plus de dix ans auparavant. Je me dépêchai de la remplir de vêtements que j'utilisais régulièrement. Lorsqu'elle fut pleine à ras bord, je descendis le sac de marin dont je me servais plus souvent et le bourrai de chaussures, de ceintures et de cravates – alors même que je n'en aurais plus besoin. Enfin je me rendis à la salle de bain, où je vidai tout ce qu'il y avait sur le lavabo et dans l'armoire à pharmacie dans le sac en plastique de la poubelle.

– Besoin d'un coup de main ?

Je sursautai si fort que je faillis passer au travers du rideau de douche. Je me retournai et vis que c'était le chauffeur que j'avais quitté dix minutes plus tôt en lui disant qu'il ne m'en faudrait pas plus de cinq.

– Vous m'avez foutu une sacrée trouille, mec !

– Je voulais juste savoir si vous aviez besoin de... Mais qu'est-ce qui s'est passé ici ? demanda-t-il en regardant fixement les gants en caoutchouc jetés par terre et le grand vide où il y avait eu un lit.

– C'est une longue histoire, lui répondis-je. Si vous voulez bien me porter cette grosse valise à la voiture, je me chargerai du reste. Il faut que je vérifie quelque chose dans mon ordinateur avant que nous repartions.

Je pris ma raquette de racquetball accrochée à la porte de la chambre et le suivis en portant mon sac de marin et le sac en plastique. Je jetai tout ça dans le coffre, à côté de la grosse valise, et repris le chemin de la maison. Je remarquai alors que ma voisine d'en face s'était postée au bout de son allée et m'observait. Elle tenait à la main le *Times* qu'on lui livrait à domicile. Je lui fis un petit signe, mais elle ne me renvoya pas la politesse et je compris qu'elle ne serait plus jamais aimable avec moi. J'avais apporté les ténèbres et la mort dans notre beau quartier.

De nouveau à l'intérieur, je gagnai directement mon bureau. J'entrai, et m'aperçus immédiatement que mon ordinateur avait disparu. Parti. La police ou le FBI avait dû l'emporter. Savoir qu'un tas d'inconnus fouillaient dans mon travail et mes dossiers personnels, jusques et y compris dans mon roman bien mal parti, me donna le sentiment d'être exposé à tous les regards d'une manière entièrement nouvelle. Ce n'était pas moi l'assassin en cavale, mais le FBI ne m'en avait pas moins pris mon ordinateur. Dès que Rachel rentrerait de Washington, je lui demanderais de faire en sorte qu'on me le rende.

Mes épaules s'affaissèrent un rien et je sentis que les grands airs de dur que j'avais pris pour survivre à ces retrouvailles avec ma maison commençaient à fondre. Il fallait que je m'en aille, sinon l'horreur de ce qui était arrivé à Angela risquait de s'immiscer à nouveau dans mes pensées et de me paralyser.

Mon dernier arrêt fut pour la cuisine. Je jetai un coup d'œil au frigo, en sortis tout ce qui avait dépassé la date de péremption ou n'allait pas tarder à le faire et le flanquai à la poubelle. Et me débarrassai encore des bananes dans la coupe de fruits et d'un demi-pain rangé dans un placard. Puis je sortis par la porte de derrière et déposai le sac en plastique dans la grande poubelle à côté du garage. Et revins à la maison, la fermai à clé, sortis par la porte de devant et retrouvai la voiture qui m'attendait.

– On retourne au Kyoto, lançai-je au chauffeur.

J'avais encore une journée entière ou pas loin devant moi et l'heure était venue de se mettre au travail.

En repartant je vis que ma voisine avait réintégré son domicile bien à l'abri. J'eus envie de me retourner et de regarder ma maison par la lunette arrière. C'était le seul endroit que j'avais jamais possédé et je n'avais jamais envisagé de ne pas y vivre. Je me rendis alors compte que c'était un assassin qui m'en avait fait cadeau et un autre qui me la reprenait.

Nous tournâmes dans Sunset Boulevard et elle disparut à ma vue.

13
À nouveau réunis

Carver creusait son intuition à l'ordinateur pendant que Stone rassemblait tout ce qu'il voulait emporter avec lui. Entre deux recherches, Carver passait à la déchiqueteuse tous les dossiers que Stone avait déposés dans sa corbeille de recyclage. Il voulait laisser quelque chose pour occuper les agents du FBI.

Il arrêta tout lorsque la photo et l'article s'affichèrent à l'écran. Il les scanna rapidement, puis il jeta un coup d'œil à Stone à l'autre bout de l'entrepôt. Celui-ci était en train de jeter des vêtements dans un sac-poubelle noir. Il n'avait pas de valise. Carver vit qu'il bougeait avec précaution et avait encore assez mal.

– J'avais raison, dit-il Elle est à L.A.

Stone laissa tomber le sac qu'il remplissait et traversa la salle au sol en béton. Puis il regarda l'écran du milieu par-dessus l'épaule de Carver.

– C'est elle ? demanda celui-ci en faisant un double clic sur la photo afin de l'agrandir.

– Je te l'ai déjà dit : je n'ai pu que lui jeter un bref coup d'œil en passant devant la porte. Je n'ai pas vraiment vu sa tête. Elle était assise dans un fauteuil, légèrement de côté. Je n'étais pas dans le bon angle pour voir sa figure. Ça pourrait être elle, mais peut-être aussi que non.

– Moi, je crois que c'est elle. Elle était avec Jack. Rachel et Jack, de nouveau réunis.

– Minute, minute. Rachel ?

– Oui, l'agent spécial Rachel Walling.

– Je crois… je crois qu'il a dit ce nom-là.

– Qui ça ?

– McEvoy. Quand il a ouvert la porte pour entrer dans la chambre. J'arrivais juste derrière lui. Et je l'ai entendue, elle. Elle a dit : « Bonjour, Jack. » Et là, il a dit quelque chose et je crois que c'était son nom. Il a dit quelque chose du genre : « Rachel, qu'est-ce que tu fais ? »

– T'en es sûr ? Tu ne m'as jamais parlé de noms avant.

– Je sais, mais quand tu as dit ça, ça me l'a rappelé. Je suis sûr qu'il a dit ce nom-là.

Carver fut tout excité à l'idée d'avoir McEvoy et Walling à ses trousses. Avoir deux adversaires de ce calibre faisait monter les enchères de façon considérable.

– Ça parle de quoi, cet article ? reprit Stone.

– Ça raconte comment elle et un flic de Los Angeles ont coincé le type qu'on appelait le Bagman. Il découpait des bonnes femmes et les emballait dans des sacs-poubelles. Cette photo a été prise à la conférence de presse qu'ils ont donnée. Il y a deux ans et demi de ça, à Los Angeles. Le Bagman a fini par être tué.

Carver entendit Stone respirer par la bouche.

– Finis de rassembler tes affaires, Freddy.

– Qu'est-ce qu'on va faire ? On s'attaque à elle ? Tout de suite ?

– Non, je ne pense pas. Je pense qu'on se calme et qu'on attend.

– Qu'on attend quoi ?

– Qu'on l'attend, elle. C'est elle qui viendra à nous et quand elle le fera, ce sera une prise de choix.

Il attendit de voir si Stone allait dire quelque chose, s'il allait lui objecter quoi que ce soit ou lui donner son avis. Mais Stone garda le silence, montrant ainsi qu'il semblait avoir retenu quelque chose de la leçon du matin.

– Comment va le dos ? enchaîna Carver.

– Ça fait mal, mais ça va.

– Tu es sûr ?

– Ça va, oui.

– Bien.

Carver coupa la connexion Internet et se leva. Se pencha derrière la tour et détacha le câble du clavier. Il savait que le FBI était capable de recueillir de l'ADN à partir des minuscules bouts de peau qui tombent entre les lettres d'un clavier. Pas question de laisser le sien derrière lui.

– On se dépêche et on finit ça tout de suite, dit-il. Après, on va te faire faire un massage et on s'occupe de ton dos.

– J'ai pas besoin d'un massage. Ça va.

– Je n'ai pas envie que tu aies mal. Je vais avoir besoin de toi, et dans toute ta force, quand l'agent Walling se pointera.

– T'inquiète pas. Je serai prêt.

14

Un faux mouvement

Ce lundi matin-là, je me mis à l'heure de la côte Est. Je voulais être prêt à réagir lorsque Rachel m'appellerait de Washington. Je me levai tôt et débarquai dans la salle de rédaction du journal à six heures afin de continuer à travailler mes dossiers.

Tout était mort : pas un journaliste, pas un rédacteur en chef en vue, j'eus un sinistre pressentiment de ce que l'avenir nous réservait. À une époque, la salle de rédaction avait été le meilleur endroit du monde où travailler. Activité débordante, camaraderie, concurrence, commérages, humour et cynisme, rien ne manquait à ce carrefour des idées et du débat. C'était de là que sortaient des articles et des pages pleines d'intelligence et de vitalité, des mots qui fixaient ce qu'on discuterait et trouverait important dans une ville aussi excitante et diverse que Los Angeles. Maintenant, c'était des milliers de pages d'éditoriaux qu'on sabrait chaque année – bientôt le journal serait comme cette salle : une espèce de ville intellectuelle fantôme. De plus d'une manière je fus soulagé de savoir que je ne serais pas là pour voir ça.

Je m'assis dans mon box et commençai par vérifier mes e-mails. Les techniciens m'avaient rouvert un compte avec un nouveau mot de passe le vendredi précédent. Pendant le week-end j'avais accumulé presque quarante messages, la plupart d'inconnus qui réagissaient aux articles parus sur les meurtres au coffre. Je les lus et les effaçai tous – je n'avais pas envie de prendre le temps d'y répondre. Deux émanaient de personnes qui disaient être elles aussi des tueurs en série et m'avoir mis sur la liste de leurs prochaines victimes. Je les gardai pour les montrer à Rachel, mais sans que cela m'inquiète vraiment. L'un de ces individus ayant écrit « *cereal killer* » au lieu de « *serial killer* », je me dis que j'avais affaire à un plaisantin ou à un type sans grande intelligence.

J'avais aussi reçu un mail plein de colère du photographe Sonny Lester : pour lui, je l'avais trahi en ne l'incluant pas dans l'article comme convenu. Je lui expédiai un mail tout aussi rageur en lui demandant de quel article il parlait, vu qu'aucun de ceux qui avaient paru ne portait ma signature. Je l'informai en outre qu'on m'avait trahi encore plus que lui et l'invitai à faire part de tous ses griefs à la rédactrice en chef du cahier Métro, Dorothy Fowler.

Après quoi je sortis mes dossiers et mon ordinateur portable de mon sac à dos et me mis au travail. La veille au soir, j'avais beaucoup avancé. J'avais terminé l'examen des pièces se rapportant au meurtre de Denise Babbit et avais établi un profil du meurtre et dressé une liste exhaustive de tout ce que l'assassin avait dû savoir pour pouvoir commettre son crime de la manière qui avait été la sienne. J'avais accompli la moitié du boulot pour l'assassinat de Sharon Oglevy et en étais encore à rassembler le même genre de renseignements.

Je me mis au travail et ne fus pas dérangé lorsque la salle commença lentement à prendre vie, à mesure que les journalistes et les rédacteurs en chef y entraient en traînant les pieds et, une tasse de café à la main, se préparaient à entamer une nouvelle semaine de travail. À huit heures je m'interrompis pour aller me payer un café et un doughnut, puis je passai une série de coups de fil dans le service des Affaires de flics pour voir s'ils avaient quelque chose d'intéressant dans leurs notes, quelque chose qui pourrait me distraire de la tâche à laquelle je m'étais attelé.

Satisfait de constater que tout était calme pour l'instant, je retournai à mes dossiers et terminais mon profil de l'affaire Oglevy lorsque mon ordinateur me signala bruyamment l'arrivée de mon premier e-mail de la journée. Je levai la tête. L'e-mail émanait de l'exécuteur des basses œuvres, le tueur à la hache Richard Kramer. Si côté contenu le message était bref, côté intrigue, ça valait son pesant.

De : Richard Kramer <RichardKramer@LATimes.com>
Re : aujourd'hui
À : JackMcEvoy@LATimes.com

Jack, passe donc dès que tu auras un moment.

RK

Je jetai un œil par-dessus la paroi de mon box et regardai l'alignement des bureaux de verre. Je ne vis pas Kramer dans le sien, mais de là où je me trouvais je ne pouvais pas voir son bureau. Il y était probablement, à attendre de me dire qui allait prendre la place d'Angela Cook à la rubrique flics. Une fois encore j'allais devoir escorter un jeune remplaçant à Parker Center et le présenter aux mêmes types qu'Angela à peine une semaine plus tôt.

Je décidai d'en finir au plus vite. Je me levai et me dirigeai vers le mur de verre. Kramer était bien dans son bureau, à taper un e-mail qu'il allait envoyer à un autre malheureux récipiendaire. La porte était ouverte, mais je frappai. Il se détourna de son écran et me fit signe d'entrer.

– Jack, assieds-toi donc, me lança-t-il. Comment nous portons-nous ce matin ?

Je pris un des deux fauteuils posés devant son bureau et m'y assis.

– Je ne sais pas pour toi, mais moi, ça va, enfin... vu la situation...

Il hocha la tête d'un air pensif.

– Ça ! Étonnants, non, les dix jours qui se sont écoulés depuis que tu t'es assis dans ce fauteuil ?

De fait, c'était dans l'autre que je m'étais assis lorsqu'il m'avait réduit l'effectif, mais ça ne valait pas la peine de le reprendre sur ce point. Je gardai le silence et attendis ce qu'il allait me, ou « nous » dire s'il continuait à se référer à nos deux personnes.

– J'ai de bonnes nouvelles pour toi, reprit-il.

Il sourit et fit passer un gros document du bord de son bureau à son centre, devant lui. Puis il se remit à parler en le regardant.

– Jack, dit-il, nous sommes d'avis que cette affaire de meurtre au coffre va nous mener loin, tu vois ? Qu'on attrape ce mec vite ou pas, c'est un sujet que nous allons suivre pendant pas mal de temps. Et donc, nous pensons que nous allons avoir besoin de toi, Jack. En termes simples, on aimerait bien que tu restes.

Je le regardai d'un œil vide.

– Tu veux dire que je ne suis pas licencié ?

Il enchaîna comme si je ne lui avais pas posé une question, comme s'il ne m'avait pas entendu faire le moindre bruit.

– Bref, on t'offre une prolongation de contrat de six mois à partir de la date de signature, précisa-t-il.

– Ce qui veut dire que je suis toujours viré, mais pas avant six mois.

Il fit pivoter le document et me le glissa en travers du bureau pour que je puisse le lire.

– C'est une prolongation de contrat standard à laquelle nous allons avoir beaucoup recours ici, Jack.

– Sauf que je n'ai pas de contrat. Et que je ne vois pas comment on pourrait prolonger un contrat que je n'ai pas.

– On appelle ça comme ça parce que de fait tu es toujours employé par le journal et qu'il y a contrat implicite. Voilà pourquoi tout changement de statut faisant l'objet d'un accord contracturel est qualifié de « prolongation ». C'est juste du jargon juridique.

Je ne lui fis pas remarquer que le mot « contracturel » n'existait pas. J'étais en train de me taper la première page du document en lecture accélérée lorsque je me ramassai sur un ralentisseur.

– On me paierait donc trente mille dollars pour six mois ? dis-je.

– Oui, c'est le tarif extension standard.

Je fis vite un calcul grossier.

– Voyons, dis-je. Ça nous donnerait donc dix-huit mille dollars de moins que ce que je gagne en six mois aujourd'hui. Et donc, tu veux que je gagne moins pour vous aider à rester en pointe sur ce sujet. Et laisse-moi deviner... (Je m'emparai du document et me mis à le feuilleter)... je parie que ce contrat ne me donne plus droit à la sécu, aux soins dentaires et à la retraite. C'est bien ça ?

Je n'y trouvai effectivement rien de semblable et songeai que s'il n'y avait aucune clause « avantages sociaux », c'était tout bêtement parce qu'il n'y en avait pas.

– Jack, me lança-t-il d'un ton apaisant, je peux te négocier un petit quelque chose financier, mais les avantages sociaux, c'est toi qui devras les prendre à ton compte. C'est comme ça qu'on procède maintenant dans ce genre de situation. C'est tout simplement la tendance générale pour demain.

Je laissai retomber le contrat sur son bureau et levai la tête pour le regarder.

– Attends donc un peu que ce soit ton tour, lui dis-je.

– Pardon ?

– Parce que tu crois que ça va s'arrêter à nous ? À nous les journalistes et correcteurs ? Tu crois donc qu'à jouer les bons petits soldats et leur obéir, tu seras à l'abri ?

– Jack, je ne pense pas que ma situation personnelle soit l'objet de cette discus...

– Que ça le soit ou pas, je m'en fous ! Je ne signe pas ce truc. Je préfère risquer le chômage. Et c'est même ce que je vais faire. Mais un jour, c'est à toi qu'on demandera de signer un de ces bazars et là, tu seras obligé de te demander comment tu feras pour payer les frais médicaux, dentaires et scolaires de tes enfants... et le reste. Et moi, j'espère seulement que tu trouveras ça super parce que ça sera la « tendance générale pour demain ».

– Jack, des enfants, tu n'en as même pas. Et me menacer parce que moi, j'en ai, c'est...

– Je ne te menace pas et là n'est pas la question. Ce que j'essaie de te dire, c'est que... (Je le regardai fixement un bon moment.) Ah et puis... t'occupe.

Je me levai, sortis de son bureau et regagnai directement mon box. Chemin faisant, je consultai ma montre et sortis mon portable pour voir si par hasard je n'aurais pas raté un appel. Je n'en avais loupé aucun. Il n'était pas loin de treize heures à Washington D.C. et je n'avais toujours pas de nouvelles de Rachel.

De retour à mon box je vérifiai mes e-mails et mes appels téléphoniques et non, là non plus, je n'avais pas de messages.

J'avais gardé le silence et évité de m'immiscer dans ses affaires jusqu'alors, mais j'avais besoin de savoir ce qui se passait. Je l'appelai sur son portable et dans l'instant, sans même que ça sonne, j'eus droit à sa boîte vocale. Je lui demandai de me rappeler dès que possible et coupai la communication. Pour m'assurer – hypothèse improbable – que son portable n'avait pas expiré ou qu'elle n'aurait pas oublié de le rallumer après l'audition, j'appelai l'hôtel Monaco et demandai qu'on me passe sa chambre. On m'informa qu'elle l'avait quittée le matin même.

Mon fixe sonna dès que je raccrochai. C'était Larry Bernard qui m'appelait, à deux box de là.

– Qu'est-ce qu'il voulait, le Kramer ? Réembaucher la pauvre cloche que tu es ?

– Ouais.

– Quoi ?! Vraiment ?

– Pour moins de fric, naturellement. Je lui ai dit de se foutre son contrat là où j'pense.

– Tu plaisantes ? Ils te tiennent par les couilles, mec. Où veux-tu aller d'autre ?

– Écoute, et d'un, je ne vais pas travailler ici pour un salaire moindre et sans aucun avantage social. C'est ce que je lui ai dit. Et faut que j'y aille. T'as vérifié l'article d'aujourd'hui ?

– Oui, je suis en plein dedans.

– Y a du neuf ?

– Pas qu'on m'ait dit. Mais il est encore trop tôt. Hé… je t'ai zyeuté sur CNN hier. T'as été bon. Mais je croyais qu'ils devaient faire passer Winslow. C'est pour ça que je voulais regarder l'émission. C'est lui qu'ils essayaient de vendre à tout le monde au début et il est pas passé à l'antenne.

– Il s'est pointé, mais ils ont décidé de l'annuler.

– Pourquoi ?

– Parce qu'il a tendance à utiliser l'expression « enculé de ta mère » tous les trois mots.

– Ah oui ! Je l'avais remarqué quand on lui a parlé vendredi.

– Pas facile de rater ça. Bon, je te rappelle plus tard.

– Attends. Où vas-tu ?

– À la chasse.

– Quoi ?

Je raccrochai sans répondre à sa question, enfournai mon ordinateur portable et mes dossiers dans mon sac à dos et me dirigeai vers la sortie escaliers. La salle de rédaction avait peut-être été à une époque un des meilleurs endroits au monde où travailler, ce n'était plus le cas maintenant. C'était des gens comme l'exécuteur des basses œuvres et les forces obscures qu'il avait derrière lui qui l'avaient rendue inhospitalière et propre à engendrer la claustrophobie. Il fallait absolument que je m'en éloigne. J'avais l'impression d'être quelqu'un qui n'a plus ni maison ni bureau où aller. Mais j'avais encore une voiture, et à Los Angeles la voiture est reine.

Je pris vers l'ouest et fonçai sur la 10, direction la plage. Je roulais à contresens de la circulation et me rapprochai sans mal de l'air pur de l'océan. Je ne savais pas trop où j'allais et conduisais comme dans un but inconscient, comme si mes mains sur le volant et mon pied sur la pédale de l'accélérateur savaient, eux, ce que mon cerveau ignorait.

Arrivé à Santa Monica, je sortis à la hauteur de la 4e Rue, descendis Pico Boulevard jusqu'à la plage et me garai sur le parking où Alonzo Winslow avait laissé la voiture de Denise Babbit. Celui-ci était presque vide, je me rangeai dans la même allée, voire à l'endroit même où Denise avait été abandonnée.

Le soleil n'avait pas encore brûlé les brumes du matin et le ciel était couvert. La grande roue de la jetée disparaissait dans le brouillard.

Bon et maintenant quoi ? me demandai-je. Je vérifiai encore une fois mon téléphone. Toujours pas de messages. Je regardai un groupe de surfeurs qui venaient de terminer leur séance du matin. Ils gagnèrent leurs voitures et leurs camionnettes, se débarrassèrent de leurs combinaisons, se renversèrent des tonnes d'eau sur la tête, s'enroulèrent des serviettes autour du corps, ôtèrent leurs shorts de *longboard* et enfilèrent des vêtements secs. Tel est le vénérable cérémonial du surfeur qui s'apprête à partir au boulot. L'un d'eux avait mis sur le pare-chocs de sa Subaru un autocollant qui me fit sourire : « On ne pourrait pas tous avoir un *long-board* ? »

J'ouvris mon sac à dos et en sortis le bloc-notes grand format de Rachel. J'en avais rempli plusieurs pages avec les notes que j'avais prises en parcourant mes dossiers. Je l'ouvris à la dernière et relus ce que j'y avais inscrit.

CE QU'IL DEVAIT SAVOIR

Affaire Denise Babbit
Détails de sa première arrestation
Voiture – volume du coffre
Lieu de travail
Emploi du temps – enlevée après le travail
Visuel – type de corps : girafe, longues jambes

Affaire Sharon Oglevy
Menace du mari
Voiture du mari – volume du coffre
Lieu de travail
Emploi du temps – enlevée après le travail
Visuel – type de corps : girafe, longues jambes
Lieu de résidence du mari

Ces deux listes étant courtes et pratiquement identiques, j'étais sûr qu'elles renfermaient le lien entre ces deux femmes et leur assassin. Pour le tueur, il me semblait y avoir là tout ce qu'il aurait pu avoir besoin de savoir avant de passer à l'acte.

J'abaissai les vitres de la voiture pour laisser entrer l'air humide de l'océan. Je pensai au Sujinc et songeai à la manière dont il en était venu à choisir ces deux femmes originaires de deux endroits différents.

La réponse simple était qu'il les avait vues. L'une et l'autre montraient leur corps en public. Si c'était bien un jeu d'attributs physiques particuliers qu'il recherchait, il pouvait très bien avoir vu Denise Babbit et Sharon Oglevy sur scène.

Ou sur un site. La veille au soir, en dressant mes listes, j'avais vérifié et découvert qu'aussi bien la revue exotique des *Femmes fatales* que le club du Snake Pit avaient des sites Web où l'on montrait des photos des danseuses. Il y en avait beaucoup de l'une et de l'autre, dont certaines de leurs jambes et de leurs pieds. Sur le site www.femmesfatalesat-thecleo.com, on voyait ainsi des girls lever haut la jambe pour le photographe. Si, comme le suggérait Rachel, la paraphilie du Sujinc allait jusqu'aux attelles et exigeait que la victime soit du type girafe, ce site lui aurait permis de bien examiner sa proie.

Cette dernière ainsi choisie, il avait dû travailler à l'identifier et trouver réponse aux autres questions de la liste. Tout cela aurait pu se faire de cette façon, mais j'avais dans l'idée que ce n'était pas le cas. J'étais sûr qu'il y avait un autre élément en jeu et que les victimes avaient un autre lien entre elles.

Je me concentrai sur la première question des deux listes. Il me semblait clair qu'à un moment ou à un autre l'assassin s'était intéressé au passé juridique de chacune de ces deux femmes.

Pour Denise Babbit, il avait dû être au courant de son arrestation de l'année précédente pour achat de drogue et savoir que cette arrestation s'était déroulée à l'extérieur de la cité des Rodia Gardens. C'était ce renseignement qui lui avait donné l'idée de laisser le corps de la jeune femme dans le coffre de sa voiture garée non loin de là – il savait que le véhicule avait toutes les chances d'être volé et déplacé, mais que pour finir c'était bien à cet endroit qu'on reviendrait pour le trouver. L'explication la plus évidente serait que la fille était revenue pour acheter de la drogue. Ce serait là une jolie façon de dévier l'attention de ce qui s'était vraiment passé.

Pour Sharon Oglevy, l'assassin avait dû connaître les détails de son divorce. Il avait en particulier dû savoir que son mari avait censément menacé de la tuer et de l'enterrer dans le désert. C'était sans doute parce qu'il l'avait su que l'idée lui était venue de déposer son cadavre dans le coffre de sa voiture.

Dans les deux cas, ces détails juridiques, l'assassin avait pu les obtenir parce qu'ils figuraient dans des pièces auxquelles le public avait accès au greffe des tribunaux. Dans aucun de mes dossiers il n'était indiqué que les documents ayant trait au divorce d'Oglevy auraient été mis sous scellés. Et dans le cas de Denise, les poursuites au criminel étaient consignées dans des archives accessibles à tous.

C'est là qu'enfin cela me frappa. La chose même que j'avais loupée. Denise Babbit avait été arrêtée un an avant sa mort, mais à la date de son assassinat ces poursuites étaient toujours en cours. Elle avait alors le statut de « on pisse et on voit », comme disent les avocats de la défense. Son conseil avait en effet réussi à lui faire intégrer un programme d'intervention avant procès. Partie essentielle des soins ambulatoires qu'elle recevait pour se désintoxiquer, son urine était soumise à analyse une fois par mois, le but de l'opération étant de voir si elle se droguait encore, les tribunaux attendant, eux, de savoir si elle s'amendait ou pas. Si c'était le cas, les charges pesant contre elle seraient abandonnées. Et s'il était bon, son avocat pourrait même faire disparaître son arrestation de son casier.

Tout cela n'était que détails juridiques, mais j'y vis soudain quelque chose que j'avais laissé passer jusqu'alors. Si elle était toujours en cours, son affaire ne pouvait pas avoir déjà fait l'objet d'un dossier conservé aux archives publiques. Et si ce dossier n'existait pas encore et n'était par conséquent pas accessible à tout citoyen se rendant au greffe du tribunal ou faisant une recherche sur le Net, comment le Sujinc avait-il donc fait pour obtenir ces détails dont il avait besoin pour préparer son crime ?

Je réfléchis un instant à la façon de répondre à cette question et décidai que la seule manière d'y arriver aurait été d'obtenir ce renseignement de Denise Babbit en personne, ou de quelqu'un ayant un lien avec son affaire – soit le procureur ou l'avocat de la défense. Je feuilletai les pièces du dossier Babbit jusqu'à ce que je trouve le nom de son avocat, puis je passai l'appel.

– Cabinet Daly & Mills. Newanna à l'appareil. Vous désirez ?

– Pourrais-je parler à Tom Fox ?

– Me Fox est au tribunal ce matin. Voulez-vous que je lui transmette un message ?

– Sera-t-il de retour pour le déjeuner ?

Je jetai un coup d'œil à ma montre. Il était presque onze heures. Ce qui fit encore monter mon angoisse : je n'avais toujours pas de nouvelles de Rachel.

– En général il revient ici pour le déjeuner, mais je ne peux pas vous le garantir.

Je lui donnai mon nom et mon numéro de portable, l'informai que j'étais journaliste au *L.A. Times* et lui demandai de dire à Fox que mon appel était important.

Après avoir fermé mon téléphone, j'initialisai mon ordinateur portable et insérai la clé 3G. J'avais décidé de tester ma théorie et de voir s'il y avait moyen d'accéder au dossier de l'affaire Denise Babbit en ligne.

J'y passai vingt minutes, mais ne récoltai que de rares renseignements sur son arrestation et l'action judiciaire entamée contre elle en consultant les données rendues publiques par les services juridiques de l'État et en lançant une recherche privée sur le moteur auquel était abonné le *Times*. Je trouvai néanmoins une référence à l'adresse e-mail de son avocat et envoyai vite un message à ce dernier en espérant qu'il le reçoive sur son portable et veuille bien me retourner ma demande d'appel plutôt rapidement.

De : Jack McEvoy <JackMcEvoy@LATimes.com>
Re : Denise Babbit
Date : 18 mai 2009, 10 h 57, heure du Pacifique

À : TFox@dalyandmills.com

Maître Fox,
Je suis reporter au *Los Angeles Times* et travaille sur l'affaire Denise Babbit. Il se peut que vous ayez déjà parlé à un de mes collègues, mais j'aurais besoin de m'entretenir avec vous le plus rapidement possible de la nouvelle piste que je suis.
Merci d'avance.

Jack McEvoy

J'envoyai le message et sus qu'il n'y avait plus qu'à attendre. Je regardai l'heure affichée dans un coin de mon écran d'ordinateur et me rendis compte qu'il était maintenant deux heures de l'après-midi passées à Washington D.C. Il me semblait impossible que l'audition de Rachel ait duré aussi longtemps.

Mon ordinateur se mettant à sonner, je baissai les yeux et découvris que Fox avait déjà répondu à mon e-mail.

De : Tom Fox <TFox@daly&mills.com>
Re : Denise Babbit
Date : 18 mai 2009, 11 : 01, heure du Pacifique

Bonjour,
Étant au tribunal cette semaine, je ne pourrai pas répondre à votre e-mail en temps voulu. Mon assistante, Madison, ou moi vous ferons signe dès que possible.
Merci.

Tom Fox
Cabinet d'Avocats Daly&Mills
www.daly&mills.com

Il s'agissait d'une réponse automatique – Fox n'avait donc pas lu mon message. J'eus le sentiment qu'il ne me rappellerait pas avant l'heure du déjeuner – et encore, si j'avais de la chance.

Je remarquai l'intitulé du site Web du cabinet à la fin du message et cliquai sur le lien. Cela m'amena sur un site où l'on claironnait fièrement les services que cette firme offrait à ses clients potentiels. On y trouvait des spécialistes du droit civil et du droit pénal, et une petite fenêtre « Quel est votre problème ? » permettant à tout visiteur de soumettre les détails de son affaire à l'un des experts du cabinet pour examen et opinion gratuits.

Au bas de la page tous les associés de la firme étaient répertoriés dans une liste nominative. J'allais cliquer sur Tom Fox pour voir s'il n'y aurait pas moyen de consulter sa bio lorsque je découvris les intitulé et lien suivants tout en bas de la page :

Design et optimisation du Site par la Western Data Consultants.

J'eus l'impression de voir des atomes s'écraser les uns dans les autres pour donner forme à une substance inestimable. Et compris dans l'instant que je tenais enfin la solution : le site Web du cabinet était hébergé au même endroit que les sites pièges du Sujinc. La coïncidence était trop forte pour que c'en soit vraiment une. Tout s'ouvrant grand en moi, l'adrénaline se déversa à flots dans mon sang. Je cliquai vite sur le lien et me retrouvai sur la page d'accueil de la Western Data Consultants.

On y offrait une visite guidée d'installations qui, sises à Mesa, Arizona, offraient une sécurité et des services dernier cri dans les domaines du stockage des données, de la gestion d'hébergement et autres solutions sur réseau à base Web… comprenne qui voulait.

Je cliquai sur une icône intitulé « Le bunker » et tombai sur une page remplie de photos et de descriptions d'une ferme de serveurs souterraine. Il s'agissait d'un centre de colocation où des données de corporations et d'entreprises étaient stockées et accessibles au client vingt-quatre heures sur vingt-quatre grâce à des connexions fibre optique à grande vitesse et à toute une ossature de fournisseurs d'accès Internet. On y voyait quarante tours de serveurs impeccablement alignées. La salle était entièrement tapissée de béton, sous surveillance infrarouge et hermétiquement scellée. Tout cela six mètres sous terre.

Ce site Web insistait beaucoup sur la sécurité. « Ce qui entre ici n'en sort pas, à moins que vous ne le demandiez. » La société offrait aux entreprises grandes et petites un moyen économique de stocker et de sécuriser leurs données grâce à des systèmes de *backup* instantané ou en arrière-plan. Toute frappe sur un clavier d'ordinateur de cabinet d'avocats à Los Angeles pouvait être immédiatement enregistrée et stockée à Mesa.

Je repris mes dossiers et en sortis les pièces que William Schifino m'avait confiées à Las Vegas – dont les documents ayant trait au divorce d'Oglevy. J'entrai le nom de l'avocat qui avait défendu Brian Oglevy dans mon moteur de recherches et trouvai une adresse et un numéro où le contacter, mais pas de site Web. J'entrai ensuite celui de l'avocat de Sharon Oglevy dans la fenêtre de recherches et cette fois je trouvai une adresse, un numéro de téléphone et un site Web.

J'allai sur le site Web du cabinet Allmand, Bradshaw et Ward et fis défiler la page d'accueil. Et là, tout en bas, ça y était aussi :

Design et optimisation du site par la Western Data Consultants.

J'avais certes confirmation du lien, mais les détails m'échappaient. Les deux cabinets d'avocats avaient bien recours aux services de la Western Data Consultants pour concevoir et héberger leurs sites Web. Mais j'avais besoin de savoir s'ils stockaient leurs dossiers sur les serveurs de cette société. Je réfléchis quelques instants à un plan et rouvris mon portable pour appeler la firme.

– Cabinet Allmand, Bradshaw et Ward. Qu'y a-t-il à votre service ?

– Je voudrais parler au directeur de gestion.

– Je vous passe son bureau.

J'attendis en répétant mon baratin et espérant que ça marche.

– Bureau de Me Kenney. Vous désirez ?

– Je m'appelle Jack McEvoy et travaille avec le cabinet William Schifino et Associés, pour lequel j'aimerais monter un site Web et un système de stockage de données. Je me suis renseigné auprès de la Western Data afin de connaître les services qu'elle offre et l'on m'a informé que votre cabinet était un de ses clients à Las Vegas. Je me demandais si je ne pourrais pas parler à Me Kenney pour savoir s'il est content de cette société.

– Me Kenney est absent aujourd'hui.

– Hmmm. Savez-vous s'il y a quelqu'un d'autre à qui je pourrais parler ? Nous pensons démarrer aujourd'hui.

– M. Kenney est responsable de notre présence sur le Web et de la colocation de nos données. C'est à lui que vous devez vous adresser.

– Vous avez donc bien recours aux services de la Western Data pour la colocation ? Je ne savais pas trop si c'était seulement pour le site Web.

– Oui, c'est bien ça, mais c'est à M. Kenney que vous allez devoir vous adresser pour cette question.

– Merci. Je rappellerai dans la matinée.

Je refermai mon portable. J'avais obtenu ce dont j'avais besoin du cabinet Allmand, Bradshaw et Ward. Je rappelai ensuite le cabinet Daly&Mills et usai de la même ruse – et eus droit à la même confirmation détournée d'une assistante du directeur de gestion.

J'eus le sentiment d'avoir enfin mis le doigt sur le lien. Les deux cabinets d'avocats représentant les intérêts des deux victimes du Sujinc stockaient leurs dossiers sur un serveur de la Western Data Consultants de Mesa. C'était là que les destins de Denise Babbit et de Sharon Oglevy avaient dû se croiser. C'était là que le Sujinc les avait trouvées et choisies.

Je renfournai tous mes dossiers dans mon sac à dos et démarrai la voiture.

Sur le chemin de l'aéroport, j'appelai la Southwest Airlines et achetai un billet aller-retour Los Angeles-Phoenix, avec départ à treize heures et arrivée une heure plus tard. Puis je louai une voiture et songeais à l'appel que j'allais devoir passer pour emporter le morceau lorsque mon portable se mit à bourdonner.

L'écran affichant « appel privé », je sus que c'était Rachel qui me rappelait enfin.

– Allô ?

– Jack, c'est moi.

– Rachel ! C'est pas trop tôt. Où es-tu :

– À l'aéroport. Je rentre.

– Change de vol. Retrouve-moi à Phoenix.

– Quoi ?

– J'ai trouvé le lien. C'est la Western Data. J'y pars tout de suite.

– Qu'est-ce que tu racontes, Jack ?

– Je te dirai quand je te verrai. Tu vas venir ?

L'attente fut longue.

– Rachel, tu vas venir ? répétai-je.

– Oui, Jack, je vais venir.

– Bien. J'ai loué une voiture. Effectue ton transfert et rappelle-moi avec ton heure d'arrivée. Je passerai te prendre à Sky Harbor.

– D'accord.

– Comment s'est passée ton audition ? J'ai l'impression que ç'a été vraiment long.

Encore une fois elle hésita. J'entendis une annonce au haut-parleur en arrière-plan.

– Rachel ?

– J'ai démissionné, Jack. Je ne suis plus agent spécial.

À sa sortie du terminal de l'aéroport international de Sky Harbor, elle tirait un sac à roulettes d'une main et tenait une sacoche d'ordinateur portable dans l'autre. J'étais, moi, au milieu de tous les chauffeurs de limousines qui brandissaient des panneaux avec le nom de leurs passagers, et je la vis avant qu'elle me voie. Elle me cherchait partout et ne prêtait aucune attention à ce qu'elle avait droit devant elle.

Je me mis sur son chemin, tout juste si elle ne me rentra pas dedans. Puis elle s'arrêta et détendit un rien les bras sans lâcher ses bagages. L'invitation était claire. Je m'approchai d'elle et la serrai fort contre moi. Je ne l'embrassai pas, je la serrai fort contre moi, rien de plus. Elle posa la tête dans le creux de mon épaule et nous gardâmes le silence quasiment une minute entière.

– Coucou, lui dis-je enfin.

– Coucou, me renvoya-t-elle.

– La journée a été longue, non ?

– Très longue, oui.

– Ça va ?

– Ça ira.

Je tendis la main et pris la poignée de son sac à roulettes.

– Par là, lui dis-je ensuite en la tournant vers la sortie parking. J'ai déjà la voiture et l'hôtel.

– Génial.

Je gardai le bras autour de sa taille tandis que nous avancions en silence. Elle ne m'avait pas dit grand-chose au téléphone — seulement qu'elle avait été obligée de renoncer à son travail afin d'éviter des poursuites pour utilisation abusive de fonds gouvernementaux : le jet du FBI qu'elle avait pris jusqu'à Nellis pour me sauver la vie. Je n'allais pas la presser de m'en dire plus, mais je me réservai le droit d'avoir plus tard tous les détails sur cette affaire. Avec les noms. Le résultat de tout cela était qu'elle avait perdu son travail en volant à mon secours. La seule façon dont j'allais pouvoir le supporter serait d'essayer de remettre les choses en place. Et la seule façon que je connaissais d'y parvenir serait d'écrire ce qui s'était passé.

— L'hôtel n'est pas mal du tout, repris-je. Mais je n'ai réservé qu'une chambre. Je ne savais pas si tu...

— Une chambre, c'est parfait. Je n'ai plus à me soucier de ce genre de choses maintenant.

Je hochai la tête et me dis que pour elle cela signifiait qu'elle n'avait plus à s'inquiéter de coucher avec quelqu'un qui faisait partie de l'enquête. Il semblait bien que, quoi que je dise ou demande, elle penserait au travail et à la carrière qu'elle venait de perdre. J'essayai un autre angle.

— Bon alors, tu as faim ? Tu veux qu'on aille manger quelque part ou qu'on rentre à l'hôtel ?

— Et la Western Data ?

— J'ai appelé et obtenu un rendez-vous. Ils m'ont dit que ça devrait attendre demain parce que le PDG n'est pas là aujourd'hui.

Je consultai ma montre et m'aperçus qu'il était presque six heures.

— De toute façon, c'est probablement fermé maintenant. Bref, nous y allons demain à dix heures. Il faudra demander un certain McGinnis. Apparemment, c'est lui qui dirige la boîte.

— Et ils ont gobé la petite comédie que tu m'avais dit vouloir leur servir ?

– Il n'y a pas de comédie là-dedans. J'ai la lettre de Schifino et ça rend tout ça parfaitement légitime.

– Te convaincre de n'importe quoi ne te pose pas de problèmes, pas vrai ? Ton journal n'a pas une espèce de code de déontologie qui interdit de se faire passer pour quelqu'un qu'on n'est pas ?

– Si, on en a un, mais il y a toujours des zones grises. Si je suis en plongée, c'est parce que c'est le seul moyen que j'ai d'obtenir certains renseignements.

Je haussai les épaules comme pour dire « la belle affaire », puis nous gagnâmes ma voiture de location et je rangeai son sac dans le coffre.

– Jack, reprit-elle alors que nous montions dans la voiture, je veux y aller tout de suite.

– Où ça ?

– À la Western Data.

– On ne peut pas y entrer sans rendez-vous et le nôtre est pour demain.

– Parfait, on n'entre pas. Mais on peut quand même voir à quoi ça ressemble. Je veux seulement y jeter un œil.

– Pourquoi ?

– Parce que j'ai besoin de quelque chose qui me fasse oublier ce qui s'est passé à Washington aujourd'hui. D'accord ?

– Pigé. On y va.

Je cherchai l'adresse de la Western Data dans mon carnet de notes et l'entrai dans le GPS de la voiture. Bientôt nous roulâmes sur l'autoroute, direction est. La circulation était fluide et nous fûmes à Mesa après deux changements d'autoroute et vingt minutes de trajet.

La Western Data Consultants se profila à l'horizon. Elle se trouvait dans McKellips Road, à l'est de Mesa. Peu développé, le quartier était plein d'entrepôts et de petites entreprises entourés de chênes arbustifs et de cactus de Sonora. Couleur sable, le bâtiment était tout en rez-de-chaussée et, fait de blocs de béton assemblés, ne comportait que deux fenêtres de chaque côté. Le numéro avait été peint en hauteur, dans le coin droit de l'édifice entouré d'une grille, mais en dehors de cela il n'y avait rien sur la façade ou ailleurs.

– Tu es sûr que c'est ça ? me demanda Rachel alors que je passais devant pour la première fois.

– Oui, la fille avec qui j'ai pris rendez-vous m'a dit qu'il n'y avait aucun panneau sur le bâtiment. Ça fait partie de la sécurité… on ne signale pas ce qu'on fabrique.

– C'est plus petit que ce que je pensais.

– N'oublie pas que l'essentiel de l'affaire est en sous-sol.

– Ah oui, c'est vrai.

À quelques rues de là il y avait une cafète, la Hightower Grounds. J'entrai dans l'allée pour faire demi-tour et nous repassâmes devant la Western Data. Cette fois, le bâtiment se trouvait du côté de Rachel, qui se retourna complètement sur son siège pour le voir en entier.

– Ils ont mis des caméras partout, dit-elle. J'en compte déjà une, deux, trois… six à l'extérieur

– Des caméras, il y en a à l'extérieur et à l'intérieur, d'après ce que dit le site Web, lui renvoyai-je. C'est ce qu'ils vendent : la sécurité.

– La vraie ou son apparence.

Je la regardai.

– Qu'est-ce que tu veux dire par là ?

Elle haussa les épaules.

– Rien, en fait. C'est juste que toutes ces caméras en jettent. Et que s'il n'y a personne à l'autre bout pour surveiller, qu'est-ce qu'on a en fin de compte, hein ?

J'acquiesçai d'un signe de tête.

– Tu veux que je fasse demi-tour pour qu'on repasse devant ?

– Non, j'en ai assez vu. Maintenant j'ai faim, Jack.

– D'accord. Où veux-tu aller ? On a longé un restau barbecue en quittant l'autoroute. Autrement, la cafète là-bas derrière, c'est le seul…

– Je veux aller à l'hôtel. On demande le service en chambre et on dévalise le minibar.

Je la regardai à nouveau et crus déceler un sourire sur son visage.

– Bonne idée.

J'avais déjà entré l'adresse de la Mesa Verde Inn dans le GPS, il ne nous fallut que dix minutes pour y arriver. Je rangeai la voiture dans le garage derrière l'hôtel et nous entrâmes.

Dès que nous fûmes dans la chambre, nous balançâmes tous les deux nos chaussures et, adossés côte à côte aux nombreux oreillers du lit, nous commençâmes à boire du rhum Pyrat dans des verres à eau.

Pour finir, Rachel poussa un grand soupir et sembla y mettre nombre de ses frustrations de la journée. Puis elle tint son verre quasiment vide en l'air.

– C'est bon, ce truc, dit-elle.

J'acquiesçai d'un signe de tête.

– J'en ai déjà bu avant, enchaîna-t-elle. Ça vient de l'île d'Anguilla dans les Antilles britanniques. J'y suis allée pour mon voyage de noces... au cap Juluca. Il y avait une bouteille de ce truc dans la chambre. Une bouteille ! Et pleine ! Pas un de ces dés à coudre de minibar. On se l'est descendue entièrement en une soirée. Pur, juste comme ça.

– Je n'ai pas envie d'entendre parler de ton voyage de noces, tu sais ?

– Désolée. Et d'ailleurs, ça tenait plus du congé. Ça s'est passé plus d'un an après notre mariage.

Cela flingua la conversation un petit moment, puis je regardai Rachel dans la glace accrochée au mur en face du lit. Au bout de quelques minutes, la tristesse s'emparant d'elle, elle hocha la tête.

– Tu veux que je te dise, Rachel ? Qu'ils aillent se faire foutre ! C'est dans la nature de toutes les bureaucraties d'éliminer tous ceux qui pensent et agissent librement, les gens mêmes dont elles auraient le plus besoin.

— Je me fous pas mal de la nature de toutes les bureaucraties, Jack. J'étais agent du FBI, moi ! Qu'est-ce que je vais devenir maintenant ? Qu'est-ce qu'on va faire, nous ?

Ce « nous » qu'elle avait jeté à la fin de sa phrase me fit plaisir.

— On trouvera quelque chose, lui dis-je. Qui sait ! Peut-être même pourrait-on réunir nos talents et devenir détectives privés. Je nous y vois déjà : Agence Walling et McEvoy, Enquêtes en toute discrétion.

Elle hocha de nouveau la tête, mais cette fois elle finit par sourire.

— Bon ben, merci d'avoir mis mon nom en premier sur la porte, dit-elle.

— Oh, ne t'inquiète pas ! Le PDG, ce sera toi. Et on mettra ta photo sur les panneaux publicitaires. Ça nous ramènera un paquet d'affaires.

Ce coup-là elle alla jusqu'à rire. Je ne sais pas si c'était le rhum ou ce que je venais de lui dire, mais quelque chose l'avait réconfortée. Je posai mon verre sur le lit et me tournai vers elle. Nos yeux se touchaient presque.

— Rachel, lui dis-je, je te mettrai toujours en premier. Toujours.

Cette fois elle posa la main sur ma nuque et m'attira à elle pour m'embrasser.

Après l'amour, elle me parut revigorée alors que je me sentais complètement épuisé. Elle sauta du lit toute nue et rejoignit son sac à roulettes. L'ouvrit et se mit à fouiller dans ses affaires.

— Ne t'habille pas, lui lançai-je. On ne pourrait pas rester encore un petit moment au lit ?

— Je ne m'habille pas. Je t'ai acheté un cadeau et je sais qu'il est quelque part là-dedans, mais… ah, le voilà !

Elle revint vers le lit et me tendit un petit sac en feutre noir qui, je le savais, venait d'une bijouterie. Je l'ouvris et découvris un collier en argent avec un pendentif : une balle en plaqué argent.

– Une balle en argent ? Quoi ? On va traquer le loup-garou ?

– Non, pas une balle en argent, une balle et une seule. Tu te rappelles ce que je t'ai dit sur la théorie de la balle unique ?

– Ah… oui.

Je me sentis bien gêné de m'être essayé à l'humour d'une manière aussi déplacée. Pour elle ce cadeau était important et j'avais bousillé ce moment avec mon petit truc idiot sur le loup-garou.

– Où as-tu trouvé ça ? lui demandai-je.

– J'ai eu beaucoup de temps à tuer, hier, dit-elle. Je me suis donc baladée dans tout le district de Washington et suis entrée dans une bijouterie proche du QG du FBI. Il faut croire qu'ils connaissent la clientèle du quartier parce qu'ils vendaient des balles en argent.

Je hochai la tête en retournant le projectile entre mes doigts.

– Il n'y a pas de nom dessus, lui fis-je remarquer. Et tu m'as dit que ta théorie était que tout le monde avait une balle qui traînait quelque part dans la nature, mais avec le nom de quelqu'un dessus.

Elle haussa les épaules.

– C'était dimanche et il faut croire que le graveur était de sortie. On m'a dit que je devrais revenir aujourd'hui si je voulais qu'on écrive quelque chose dessus. Je n'en ai évidemment pas eu l'occasion.

J'ouvris le fermoir et tendis le bras pour lui passer la chaîne autour du cou.

Elle leva la main pour m'arrêter.

– Non, dit-elle, c'est à toi. C'est pour toi que je l'ai achetée.

– Je sais. Mais pourquoi tu ne me la donnerais pas quand il y aura ton nom à toi écrit dessus ?

Elle réfléchit un instant, puis elle laissa retomber sa main. Je lui passai et attachai la chaîne autour du cou. Elle me regarda avec un sourire.

– Tu sais quoi ? dit-elle.

– Non, quoi ?

– J'ai vraiment faim maintenant.

Je faillis rire devant ce changement brutal de sujet.

– D'accord. On passe la commande au service en chambre.

– Je veux un steak. Et encore du rhum.

Nous commandâmes et eûmes tous les deux le temps de prendre une douche avant que la nourriture arrive. Nous mangeâmes dans nos peignoirs de bain, assis de part et d'autre de la table que le garçon d'étage avait fait entrer dans la chambre. Je voyais la chaîne en argent autour du cou de Rachel, mais elle avait glissé la balle à l'intérieur de son épais peignoir blanc. Avec ses cheveux mouillés et complètement dépeignés, elle avait l'air bonne à croquer pour le dessert.

– Ce type qui t'a parlé de cette théorie de la balle unique, c'était un agent spécial ou un flic, non ?

– Un flic.

– Je le connais ?

– Le connaître, lui ? Je ne suis pas certaine que quiconque le connaisse vraiment, y compris moi. Mais j'ai déjà lu son nom dans quelques-uns de tes articles de ces deux dernières années. Pourquoi cela t'intéresse-t-il ?

J'ignorai sa question et lui en renvoyai une bien à moi.

– Bon alors, c'est toi qui lui as montré la sortie ou c'est l'inverse ?

– Je crois que c'est moi. Je savais que ça ne marcherait pas.

– Génial ! Et donc, ce type que tu as jeté se balade dans la nature avec un flingue et maintenant, tu es avec moi ?

Elle sourit et hocha la tête.

– Tu ne peux pas savoir à quel point ce n'est pas un problème ! On pourrait pas changer de sujet ?

– Bien. De quoi veux-tu qu'on parle ? Et si tu me disais enfin ce qui s'est passé à Washington D.C. aujourd'hui ?

Elle avala une bouchée de son steak avant de me répondre.

– Il n'y a vraiment rien à en dire, me répondit-elle. Ils me tenaient. J'avais trompé mon superviseur sur l'interrogatoire d'Ely et il avait autorisé le vol. Ils ont mené leur petite enquête, fait leurs calculs et m'ont informée que j'avais grillé environ quatorze mille dollars de carburant de jet et que cela constituait un détournement de fonds gouvernementaux, et assez important pour être un crime. Il y avait un procureur dans le couloir et il était prêt à foncer si jamais je voulais insister. Ils m'auraient bouclée dans l'instant.

— Incroyable.

— Le problème, c'est que l'interrogatoire d'Ely, j'avais bien l'intention de le faire et que tout aurait été parfait. Mais la situation a changé quand tu m'as dit qu'Angela manquait à l'appel. Ely, je n'y suis jamais arrivée.

— Pour moi, c'est le comble de la bureaucratie. Il faut absolument que je l'écrive.

— Ce n'est pas possible, Jack. Ça faisait partie du deal. J'ai signé un accord de confidentialité, que j'ai déjà violé en te disant ça. Mais si jamais c'est imprimé, il est probable qu'ils me poursuivront de toute façon.

— Pas si ça les met tellement dans l'embarras que la seule façon d'en sortir sera de tout oublier et de te rendre ton statut d'agent.

Elle reversa du rhum dans un des verres ballon que le garçon d'étage avait apportés avec la bouteille. Puis avec les doigts elle transféra un seul et unique glaçon de son verre à eau dans le verre ballon et fit tourner plusieurs fois ce dernier dans sa main avant de boire.

— Facile à toi de dire ça. Qu'ils finissent par comprendre au lieu d'essayer de trouver le moyen de me coller en prison, c'est un pari que tu n'as pas à faire.

Je hochai la tête.

— Rachel, il est clair que même illégal ou malavisé, ce que tu as fait m'a sauvé la vie, et celle d'un tas d'autres personnes, c'est probable. Comme celle de Schifino et de toutes les victimes que le Sujinc ne pourra jamais atteindre maintenant qu'il est connu des autorités. Ça ne peut pas compter pour du beurre !

– Jack, tu ne comprends donc pas ? On ne m'aimait pas au FBI. Et depuis longtemps. Ils croyaient m'avoir expédiée loin des yeux loin du cœur, mais je les ai obligés à me sortir du Dakota du Sud. J'ai eu un levier et je m'en suis servie, mais ça ne leur a pas plu et ils ne l'ont pas oublié. C'est comme tout le reste dans la vie : un faux mouvement et ça y est, on est vulnérable. Ils ont attendu que je fasse la faute qui m'a rendue vulnérable et ils se sont rués. Le nombre de gens que j'ai peut-être sauvés n'a aucune importance. On n'a de preuve solide de rien. Mais la note de carburant ? Ça, c'est du solide.

Je renonçai. Il n'y aurait pas moyen de la consoler. Je la regardai descendre tout son ballon de rhum et recracher le glaçon au fond du verre. Et s'en reverser un autre.

– Tu ferais bien d'en prendre un peu avant que je boive toute la bouteille, me dit-elle.

Je lui tendis mon verre par-dessus la table, elle y versa une bonne quantité de rhum. Je trinquai avec elle et en avalai une belle goulée. Qui descendit comme du miel.

– Vaudrait mieux faire gaffe, lui dis-je. Ça doit pas être bien difficile de se cuiter avec ça.

– Mais c'est ce que je veux ! Me cuiter !

– Oui, bon, mais va falloir partir d'ici à neuf heures et demie demain matin si on veut arriver à l'heure au rendez-vous.

Elle posa lourdement, d'un geste d'ivrogne, son verre sur la table.

– Ah oui, et c'est quoi, ça ? Qu'est-ce qu'on va faire demain matin, au juste ? Tu sais que je n'ai plus mon badge. Je n'ai même plus d'arme et tu voudrais que je me pointe là-bas comme ça ?

– Je veux voir l'endroit. Je veux juste comprendre s'il est à l'intérieur du bâtiment. Après, on peut appeler le Bureau, la police, qui on voudra. Mais c'est moi qui commande et je veux être le premier à entrer.

– Pour le raconter dans le journal après.

— Peut-être, si on m'en donne la permission. Cela dit, d'une façon ou d'une autre, tout ce truc, je vais l'écrire. Et c'est pour ça que je veux être le premier sur place.

— Fais bien attention à changer mon nom dans ton livre, juste ça, histoire de protéger les coupables.

— Pas de problème. Comment veux-tu que je t'appelle ?

Elle pencha la tête de côté et serra les lèvres en réfléchissant. Puis elle leva de nouveau son verre, but une petite gorgée et répondit :

— On dit agent Misty Monroe ?

— Ça fait un peu star porno.

— Parfait.

Elle reposa son verre et son visage se fit sérieux.

— Bon... assez de bêtises. On entre et quoi ? On leur demande juste qui est le tueur en série ?

— Non, on entre et on se comporte comme des clients potentiels. On visite l'installation et on rencontre le plus de gens possible. On pose des questions sur la sécurité, on demande qui a accès aux dossiers sensibles que notre firme stockera chez eux. Ce genre de trucs.

— Et... ?

— Et on espère que quelqu'un se trahisse ou tiens... peut-être qu'on verra le type aux favoris d'Ely.

— Parce que tu le reconnaîtrais sans son déguisement ?

— Non, probablement pas, mais lui ne le sait pas. Il se pourrait qu'il se sauve en me voyant et là... victoire ! On le tient ! m'écriai-je en levant les mains paumes en l'air tel le magicien qui vient de réussir un tour difficile.

— Je ne vois pas de plan là-dedans, Jack. J'ai plutôt l'impression que tu inventes au fur et à mesure.

— Peut-être bien, et c'est peut-être bien aussi pour ça que j'ai besoin de t'avoir avec moi.

— Je ne vois vraiment pas ce que tu veux dire par là.

Je me levai, passai de son côté du lit et m'agenouillai.

Elle allait lever son verre pour en redemander un autre lorsque je posai ma main sur son bras.

– Écoute, Rachel, lui dis-je. Ce n'est pas de ton arme ou de ton badge que j'ai besoin. Si je veux que tu viennes avec moi, c'est parce que si quelqu'un fait un faux mouvement, même infime, toi, tu sauras le voir et c'est à ce moment-là que nous tiendrons notre bonhomme.

Elle repoussa ma main.

– Tu exagères, dit-elle. Si tu me prends pour une espèce de devin capable de lire dans les pensées et de…

– Lire dans les pensées, non, Rachel, mais tu sens les choses. Ce travail, tu le fais comme Magic Johnson jouait au basket. En connaissant et sentant tout ce qui se passe sur le terrain. Il ne t'a fallu que cinq minutes de conversation téléphonique avec moi pour piquer un avion du FBI et filer au Nevada parce que tu savais. Tu avais compris, Rachel. Et ça m'a sauvé la vie. Ça s'appelle sentir les choses, Rachel, et c'est pour ça que je veux t'avoir avec moi demain.

Elle me regarda longuement et hocha si légèrement la tête que je faillis ne pas le voir.

– D'accord, Jack, dit-elle. Je pars avec toi.

Le rhum ne nous fit pas de cadeaux le lendemain matin. Rachel et moi nous ébrouâmes plutôt lentement, mais nous réussîmes quand même à quitter l'hôtel en ayant plus que le temps d'arriver à l'heure à notre rendez-vous. Nous commençâmes par nous arrêter au Hightower Grounds pour avoir un peu de caféine dans les veines, puis nous fîmes demi-tour pour gagner la Western Data.

Le portail de devant étant ouvert, je me garai sur le parking le plus proche de l'entrée. Et avant d'arrêter le moteur, j'avalai une dernière gorgée de mon café et posai une question à Rachel :

— Les agents fédéraux de l'antenne de Phoenix leur ont-ils dit de quoi il s'agissait lorsqu'ils sont passés ici la semaine dernière ?

— Non, ils leur ont dit le moins de choses possible sur l'enquête.

— Procédure standard, donc. Et le mandat de perquisition ? Tout y était spécifié ?

Elle hocha la tête.

— Il a été émis par un grand jury qui a pour mandat général d'enquêter sur les fraudes par Internet. L'usage du site trunkmurder entre dans ses compétences. Ça nous a permis de nous camoufler.

— Bien.

— Nous avons fait notre part du boulot, Jack. Vous autres, non.

– Qu'est-ce que tu racontes ? lui répliquai-je en remarquant ce « nous ».

– Ce que tu veux savoir, c'est si le Sujinc, qui se trouve peut-être, ou peut-être pas, dans ce bâtiment, est conscient que la Western Data fait l'objet d'une enquête plus vaste. La réponse est oui, mais pas à cause de ce qu'aurait fait le FBI. C'est ton journal qui, dans son article sur la mort d'Angela Cook, a mentionné que les enquêteurs cherchaient le lien possible avec un site Web qu'elle avait visité. Le nom du site n'apparaît pas, mais ça, ça ne laisse dans le noir que vos lecteurs et vos concurrents. Le Sujinc, lui, sait sûrement de quel site il s'agit et il sait aussi que si nous sommes au courant, que nous comprenions et nous revenions ici n'est peut-être plus qu'une question de temps.

– « Nous » ?

– Eux. Le FBI.

J'acquiesçai d'un signe de tête. Elle avait raison. L'article du *Times* avait tout éventé.

– Bon alors, vaudrait peut-être mieux que nous y allions avant qu'« eux » se pointent.

Nous descendîmes de voiture, j'attrapai ma veste de sport sur le siège arrière et l'enfilai en gagnant la porte d'entrée. J'avais mis la chemise neuve que j'avais achetée la veille dans une boutique de l'aéroport en attendant que Rachel atterrisse. Et je portais la même cravate depuis deux jours. Rachel, elle, avait revêtu son uniforme habituel d'agent spécial (costume tailleur bleu marine et chemisier foncé) et était impressionnante, même si de fait, agent spécial, elle ne l'était plus.

Nous dûmes appuyer sur un bouton et nous identifier par haut-parleur avant qu'on nous laisse passer. Nous tombâmes sur une petite entrée avec une réceptionniste assise derrière un comptoir. Je me dis que ce devait être la personne qui venait de nous parler par haut-parleur.

– Nous sommes un peu en avance, lui dis-je. Nous avons rendez-vous avec M. McGinnis à deux heures.

– Oui, Mlle Chavez va vous faire visiter, dit-elle gaiement. Voyons voir si elle est prête à y aller avec quelques minutes d'avance.

Je hochai la tête.

– Non, nous avons rendez-vous avec M. McGinnis, le PDG de la société. Nous avons fait le trajet de Las Vegas pour le voir, lui.

– Je suis désolée, mais ça ne va pas être possible. M. McGinnis a été retenu inopinément. Il n'est pas ici pour l'instant.

– Bon mais… où est-il ? Je croyais que votre société voulait nous avoir comme clients et nous voulions lui préciser nos besoins.

– Permettez que je voie si je peux joindre Mlle Chavez. Je suis sûre qu'elle saura répondre à vos besoins.

Elle décrocha son téléphone et y entra trois chiffres. Je regardai Rachel, qui haussa un sourcil. Elle avait la même impression que moi. Il y avait quelque chose de pas net dans cette histoire.

La réceptionniste parla bas et vite dans l'appareil, puis elle raccrocha. Releva la tête et nous sourit.

– Mlle Chavez arrive tout de suite, dit-elle.

Ce « tout de suite » dura dix minutes. Enfin une porte s'ouvrit derrière le comptoir de la réception et une jeune femme aux cheveux bruns et aux traits marqués en sortit. Elle fit le tour du comptoir et me tendit la main.

– Yolanda Chavez, monsieur McEvoy, dit-elle. Je suis l'assistante de direction de M. McGinnis. J'espère que vous ne m'en voudrez pas de vous faire visiter les lieux.

Je lui serrai la main et lui présentai Rachel.

– Nous avions rendez-vous avec Declan McGinnis, dit Rachel. On nous avait laissé entendre qu'une firme de notre importance et de notre chiffre d'affaires retiendrait l'attention de votre PDG.

– Je puis vous assurer que nous avons très envie de vous avoir comme clients. Mais aujourd'hui, M. McGinnis est malade et a dû rester chez lui. J'espère que vous comprendrez.

Je jetai un coup d'œil à Rachel et haussai les épaules.

– Bah, dis-je, si on pouvait quand même faire cette visite, cela nous permettrait de nous entretenir avec M McGinnis quand il se sentira mieux.

– Bien sûr ! s'écria Chavez. Je puis vous assurer que cette visite, je l'ai dirigée bien des fois. Si vous voulez bien me donner dix minutes, je vous fais faire le tour du propriétaire.

- Parfait.

Chavez hocha la tête, puis elle se pencha par-dessus le comptoir de la réception pour prendre deux écritoires à pince. Qu'elle nous tendit.

– Première chose, il faut que nous ayons le feu vert de la sécurité, reprit-elle. Si vous pouviez donc signer tous les deux cette décharge pendant que je photocopie vos permis de conduire… et la lettre d'introduction que vous nous avez dit avoir…

– Vous avez vraiment besoin de nos permis de conduire ? demandai-je en protestant mollement.

Je craignais que nos permis de Californie déclenchent une alerte sécurité, étant donné que nous avions dit venir de Las Vegas[1].

– Je crains que notre protocole sécurité ne l'exige, me répondit-elle. C'est exigé de tout client potentiel qui veut faire le tour des lieux. Sans exception.

– Ça fait plaisir à entendre. Je voulais juste m'en assurer, dis-je en souriant.

Elle ne me renvoya pas mon sourire. Rachel et moi lui tendîmes nos permis, Chavez les examinant aussitôt pour y déceler la moindre trace de falsification.

– Vous êtes tous les deux de Californie ? Je croyais que vous…

1. Ces deux villes ne se trouvent pas dans le même État, et c'est l'État de résidence qui délivre les permis de conduire *(NdT)*

– Nous sommes tous les deux de nouvelles recrues. J'effectue essentiellement du travail d'enquête, Rachel, elle, devant être chargée de l'IT pour la firme… dès que nous l'aurons reconfigurée.

Et je souris à nouveau. Chavez me regarda, ajusta ses lunettes à montures en corne et me demanda la lettre de mon nouvel employeur. Je la sortis de la poche intérieure de ma veste et la lui tendis. Chavez nous informa qu'elle reviendrait nous prendre dans dix minutes.

Rachel et moi nous assîmes sur le canapé posé sous une des fenêtres et lûmes le formulaire de décharge attaché à nos écritoires. Assez direct et simple, il comportait des cases à cocher où le signataire devait jurer ne pas être employé par une firme concurrente ; il devait en outre ne pas prendre de photos pendant la visite des installations, ne répéter ou noter aucune des pratiques commerciales de la maison, ni non plus le moindre des secrets et procédures qui lui seraient révélés pendant la visite.

– C'est plutôt sérieux, dis-je.

– Il y a pas mal de concurrence dans cette branche, me répondit Rachel.

Je griffonnai ma signature sur la ligne appropriée et datai le document, Rachel en faisant autant.

– Qu'est-ce que t'en penses ? lui chuchotai-je, les yeux fixés sur la réceptionniste.

– De quoi ?

– De l'absence de McGinnis et du fait qu'on ne nous en donne aucune explication solide. Il commence par être « retenu inopinément » et après, il est malade et a « dû rester chez lui » ? Non mais ! Il faut choisir !

La réceptionniste leva les yeux de dessus son écran et me regarda fixement. Je ne savais pas si elle m'avait entendu. Je lui souris, elle s'empressa de regarder à nouveau son écran.

– Je crois qu'il va falloir en reparler plus tard, chuchota Rachel.

– Reçu cinq sur cinq, lui chuchotai-je en retour.

Nous gardâmes le silence jusqu'à ce que Chavez revienne à la réception. Elle nous rendit nos permis de conduire et nous lui tendîmes nos écritoires. Elle examina les signatures apposées au bas des deux décharges.

– J'ai parlé à Me Schifino, dit-elle d'un ton neutre.

– Vraiment ? lui répondis-je d'un ton qui, lui, ne l'était pas vraiment.

– Oui, histoire de tout vérifier. Il aimerait que vous le rappeliez dès que possible.

Je hochai vigoureusement la tête. Schifino avait dû tomber des nues, mais s'en était manifestement bien sorti.

– Nous le ferons dès que nous aurons terminé la visite, lui dis-je.

– Oh, il est juste pressé de prendre une décision et de foncer, ajouta Rachel.

– Bon, si vous voulez bien me suivre, nous allons commencer et je suis sûre que vous prendrez la décision qui s'impose, dit Chavez.

Elle se servit d'une clé magnétique pour ouvrir la porte qui permettait de passer de la réception au reste de l'installation. Je remarquai que son passe comportait sa photo. Nous descendions le couloir lorsqu'elle se retourna pour nous regarder en face.

– Avant d'entrer dans les laboratoires de design et d'hébergement, permettez-moi de vous dire d'où nous venons et ce que nous faisons ici, dit-elle.

Je sortis un carnet de reporter de ma poche revolver et me préparai à prendre des notes. Mauvaise décision. Elle me montra aussitôt mon carnet.

– Monsieur McEvoy, dit-elle, n'oubliez pas le document que vous venez de signer. Les notes générales ne posent pas de problème, mais vous ne pouvez en aucune façon noter par écrit des détails précis ou ayant trait à la propriété intellectuelle.

– Désolé. J'ai oublié.

Je rangeai mon carnet et fis signe à notre hôte de continuer sa présentation.

– Nous avons ouvert il y a tout juste quatre ans. C'est en misant sur la demande croissante de stockage et de gestion de grandes quantités de données en toute sécurité que Declan McGinnis, le fondateur et PDG de notre société, a lancé la Western Data. Il a rassemblé certains des individus les plus doués de l'industrie pour concevoir cette installation dernier cri. Nous avons presque mille clients, et cela va du petit cabinet d'avocats aux corporations de première importance. Grâce à nos installations, nous pouvons répondre aux besoins de n'importe quelle société et ce, dans le monde entier et quelle que soit sa taille.

« Il vous intéressera peut-être de savoir que c'est le cabinet d'avocats américains typique qui compte maintenant parmi nos clients les plus courants. De par nos stratégies, nous sommes à même de fournir toute une gamme de services dont le but spécifique est de satisfaire les besoins de tous les cabinets d'avocats, où qu'ils se trouvent. De l'hébergement à la colocation, nous sommes la firme où l'on peut tout faire. »

Les bras ouverts, elle fit un tour entier sur elle-même, comme pour embrasser l'ensemble du bâtiment, alors que nous ne nous tenions encore que dans un couloir.

« Après avoir reçu des fonds de diverses sociétés d'investissement, reprit-elle, M. McGinnis a retenu Mesa comme devant être le lieu où construire les installations de la Western Data, les recherches menées pendant un an ayant déterminé que c'était cette région qui répondait le mieux aux exigences critiques du choix du lieu. Il cherchait en effet un endroit où les risques de catastrophes naturelles et d'attaques terroristes étaient les plus faibles et où les ressources énergétiques étaient suffisantes pour permettre à notre firme de garantir ses services vingt-quatre heures sur vingt-quatre et sept jours sur sept. De plus, et c'était tout aussi important, il cherchait un lieu ayant un accès direct à de grands réseaux avec des volumes énormes de largeur de bande et de fibre noire fiables.

– De fibre noire ? demandai-je en regrettant aussitôt de révéler ainsi que j'ignorais quelque chose que j'aurais peut-être dû savoir au poste que j'étais censé occuper.

Mais Rachel entra tout de suite en action et me sauva.

– Les fibres optiques non utilisées, dit-elle. Présentes dans les réseaux existants, mais non sollicitées et donc disponibles.

– Exactement, dit Chavez en franchissant les doubles portes. En plus des exigences spécifiques au site, M. McGinnis devait concevoir et construire des installations dotées du plus haut degré de sécurité, ceci afin de respecter les critères d'héberge-ment HIPPA, SOCKS et SAS 70.

J'avais compris ma leçon – cette fois, je me contentai de hocher la tête comme si je savais très exactement ce dont elle parlait.

– Juste quelques détails sur l'intégrité et la sécurité de nos installations, enchaîna-t-elle. Nos opérations se déroulent dans une structure renforcée capable de résister à des trem-blements de terre de magnitude 7. Aucun signe extérieur ne donne à penser que le bâtiment aurait à voir avec un quel-conque stockage de données. Pour entrer, tous les visiteurs doivent avoir reçu l'autorisation de nos services de sécurité et sont filmés et enregistrés pendant toute la durée de leur visite et ce sept jours sur sept et vingt-quatre heures sur vingt-quatre, ces enregistrements étant ensuite conservés aux Archives pendant quarante-cinq jours.

Elle nous montra la caméra de surveillance style globe de casino fixée au plafond au-dessus de nous. Je levai la tête, souris et agitai la main. D'un seul coup d'œil, Rachel m'intima l'ordre d'arrêter de me conduire comme un gamin. Chavez ne s'en aperçut même pas. Elle était bien trop occupée à nous faire l'article.

– Toutes les zones de sécurité du bâtiment sont protégées par des cartes clés et des scanners de main biométriques. Le suivi de sécurité est effectué à partir du centre opérationnel du réseau, qui se trouve dans le bunker souterrain adjacent au centre de colocation – « la ferme », ainsi que nous aimons l'appeler.

Elle poursuivit ensuite sa description des systèmes énergétiques et des installations de refroidissement et de réseaux avec leurs sous-systèmes de *backup* et de redondance, mais ça commençait à ne plus m'intéresser. Nous étions entrés dans un grand laboratoire, où plus d'une douzaine de techniciens créaient et faisaient fonctionner des sites Web pour l'énorme base de clients de la Western Data. Au fur et à mesure que nous avancions, je découvrais des écrans sur divers bureaux et, balances de la justice et marteaux de juges, remarquai les logos juridiques indiquant les sites de tel ou tel cabinet.

Chavez nous présenta alors à Danny O'Connor, un graphiste qui, superviseur du laboratoire, nous baratina cinq minutes durant sur le service personnalisé vingt-quatre heures sur vingt-quatre et sept jours sur sept auquel nous aurions droit si nous signions avec la Western Data. Il fut prompt à nous dire que, selon des études récentes, de plus en plus de consommateurs se tournaient vers l'Internet pour tous leurs besoins, y compris celui d'identifier et de contacter des cabinets d'avocats capables de les représenter dans tous les domaines. Je le regardai de près pendant qu'il parlait afin de découvrir le moindre signe indiquant qu'il était stressé ou préoccupé par autre chose que les clients potentiels qu'il avait devant lui. Mais non, il avait l'air normal et complètement absorbé par son baratin de vendeur. Je décidai aussi qu'il était trop trapu pour être M. Favoris. Réduire sa masse physique est en effet quelque chose qu'il est impossible de faire quand on porte un déguisement.

Puis, par-dessus son épaule, je regardai les nombreux techniciens qui travaillaient dans leurs box ; j'espérais que l'un d'entre nous observe d'un drôle d'œil ou alors se cache brusquement derrière son écran d'ordinateur. La moitié de ces techniciens étaient des femmes et donc, faciles à éliminer. Côté hommes, je ne vis personne qui aurait pu être l'individu qui s'était rendu à Ely pour m'assassiner.

– Autrefois, reprit Danny, ce qu'on voulait, c'était passer une annonce au dos des Pages jaunes. Aujourd'hui, on décroche plus d'affaires par l'intermédiaire d'un site Web auquel le client potentiel peut se connecter pour prendre contact.

J'acquiesçai d'un hochement de tête et regrettai de ne pouvoir lui dire que j'étais plus qu'au courant de la manière dont l'Internet avait changé le monde. Je comptais au nombre des individus qu'il avait écrasés.

– C'est bien pour cela que nous sommes ici, lui dis-je à la place.

Pendant que Chavez donnait un coup de fil avec son portable, nous passâmes encore dix minutes avec O'Connor et regardâmes toutes sortes de sites Web que la société avait conçus et hébergeait pour des cabinets d'avocats. Cela allait de la page d'accueil de base avec tous les contacts nécessaires aux sites multiniveaux avec photos et bios de tous les avocats de la firme, articles et communiqués de presse sur des affaires à grande visibilité, médias interactifs et vidéos d'avocats déclarant qu'ils étaient les meilleurs de tous.

La visite du laboratoire de design terminée, Chavez nous fit franchir une porte avec sa carte-clé et passer dans un autre couloir conduisant à l'ascenseur. Elle eut à nouveau besoin de sa carte-clé pour appeler ce dernier.

– Et maintenant, dit-elle, je vais vous faire descendre dans ce que nous appelons « le bunker ». C'est là que se trouvent le COR, ainsi que les installations principales et la ferme des serveurs dédiée aux services de colocation.

Encore une fois, ce fut plus fort que moi.

– Le « COR » ? demandai-je.

– Oui, le Centre opérationnel du réseau. C'est vraiment le cœur de notre entreprise.

Au moment où nous entrions dans l'ascenseur, Chavez nous expliqua que, structurellement parlant, nous ne descendrions que d'un niveau, mais que cela nous mettrait à quelque six mètres sous terre. L'excavation pratiquée dans le désert avait été très profonde afin de rendre le bunker inattaquable tant par les hommes que par la nature.

L'ascenseur mettant presque trente secondes pour arriver à destination, je me demandai si sa lenteur n'avait pas pour but de faire croire au client potentiel que c'était au centre de la terre qu'il se rendait.

— Il y a un escalier ? demandai-je.

— Oui, il y en a un, me répondit-elle.

Une fois en bas, l'ascenseur s'ouvrit sur un espace que Chavez appela « l'octogone ». Il s'agissait d'une salle d'attente à huit murs percés de quatre portes en plus de celle de l'ascenseur. Chavez désigna chacune d'entre elles.

— Et voici le COR, la salle d'équipements réseaux, les installations et la salle de contrôle de la colocation qui conduit à la ferme aux serveurs. Nous allons jeter un coup d'œil au Centre opérationnel du réseau et à celui de la colocation, mais seuls nos employés avec autorisation pleine et entière de la sécurité ont le droit d'entrer dans le "cœur", comme ils aiment à l'appeler.

— Et pourquoi donc ?

— Parce que l'équipement y est bien trop vital et qu'il est aux trois quarts de design propriétaire. Nous ne le montrons à personne, pas même à nos clients les plus anciens.

Elle glissa sa carte-clé dans le système de verrouillage de la porte du COR et nous entrâmes dans une pièce étroite, tout juste assez grande pour que nous puissions y tenir à trois.

— On ne pénètre dans chaque endroit du bunker que par un sas. En présentant ma carte à la porte extérieure, j'ai déclenché une tonalité à l'intérieur. Les techniciens ont maintenant la possibilité de nous voir et d'enclencher un verrouillage d'urgence s'ils déterminent que nous sommes des intrus.

Elle nous montra une caméra fixée au plafond et inséra sa carte-clé dans la serrure de la porte suivante. Nous entrâmes dans le centre opérationnel, que nous trouvâmes un rien décevant. Je m'attendais à tomber sur un centre de lancement de la NASA, mais ne vis que deux rangées de postes de travail avec chacune trois techniciens occupés à surveiller des écrans multiples où arrivaient des flux tant vidéo que numériques. Chavez nous expliqua que les techniciens surveillaient la température, le débit énergétique, la largeur de bande et tout ce qui était mesurable dans les opérations de la Western Data, en plus des deux cents caméras installées dans tous les coins du bâtiment.

Rien de sinistre là-dedans, rien qui aurait eu un lien avec le Sujinc. Et je ne voyais personne qui aurait pu être M. Favoris. Personne ne sursautait en levant la tête et me voyant. On avait plutôt l'air de se raser en découvrant d'énièmes clients potentiels en train de visiter les lieux.

Je ne posai aucune question et patientai pendant que Chavez continuait son pitch en s'adressant surtout à Rachel, le chef IT de notre cabinet d'avocats. En voyant les techniciens éviter avec application de remarquer notre présence, j'eus l'impression que tout cela était tellement de la routine que ç'en devenait quasiment du théâtre, et que lorsque la carte-clé de Chavez déclencha l'alerte intrus tous effacèrent leurs parties de solitaire de leurs écrans, fermèrent leurs albums de bandes dessinées et se réveillèrent d'un coup avant que nous franchissions la deuxième porte. Et si, quand il n'y avait pas de visiteurs dans le bâtiment, il suffisait de pousser les portes du sas pour les ouvrir ?

— Et maintenant on va à la ferme ? nous demanda enfin Chavez.

— Et comment ! m'écriai-je.

— Je vais vous confier à notre ICT ; c'est lui qui dirige le centre des données. Il faut que j'aille dehors pour passer un autre petit coup de fil, mais après, je reviendrai vous chercher. Vous serez en de bonnes mains avec M. Carver. C'est aussi notre ICM.

Mon visage avait dû trahir ma perplexité et montrer que j'allais poser une question car Rachel répondit « L'ingénieur en chef menaces » avant même que j'aie pu ouvrir la bouche.

– Oui, renchérit Chavez, M. Carver est notre épouvantail.

Nous franchîmes un autre sas et entrâmes dans le centre des données. Nous nous retrouvâmes alors dans une salle qui, peu éclairée, était comme le COR équipée de postes de travail avec des écrans multiples affectés à chaque bureau. Deux hommes jeunes étaient assis à des postes voisins, le troisième box étant vide. À gauche de cette rangée de postes de travail se trouvait une porte ouverte donnant sur un petit bureau privé apparemment vide lui aussi. Les postes de travail faisaient face à deux grandes fenêtres et à une porte en verre ouvrant sur un grand espace où s'étendaient plusieurs rangées de tours de serveurs fortement éclairées par en haut. C'était la salle que j'avais vue sur le site Web. La ferme.

Les deux hommes pivotèrent dans leurs fauteuils pour nous regarder lorsque nous franchîmes la porte, mais se remirent presque aussitôt à leur travail. Pour eux, ce n'était jamais qu'un énième tour de piste pour impressionner les gens. Ils portaient des chemises et des cravates, mais, avec leurs tignasses ébouriffées, je les aurais plutôt vus en T-shirt et jeans.

– Kurt, dit Chavez, je croyais que M. Carver était au centre.

Un des hommes se tourna de nouveau vers nous. Vingt-cinq ans maximum, un visage plein de boutons : on aurait dit un gamin. La barbe qu'il essayait de se faire pousser au menton avait quelque chose de lamentable. Il avait l'air aussi suspect qu'un bouquet de fleurs à une noce.

— Il est allé à la ferme jeter un coup d'œil au serveur 77. On a une alerte qui n'a aucun sens.

Chavez s'approcha du poste de travail inutilisé et releva un micro incorporé au bureau. Puis elle appuya sur un bouton du pied et lança :

— Monsieur Carver, pourriez-vous vous interrompre quelques minutes afin de parler du centre de données à nos hôtes ?

N'obtenant pas de réponse, elle réessaya au bout de quelques secondes.

— Monsieur Carver ? Vous êtes là ?

Du temps s'écoula encore, puis une voix éraillée se fit enfin entendre dans un haut-parleur fixé dans le plafond.

— Oui, j'arrive.

Chavez se tourna vers Rachel et moi et consulta sa montre.

— Bien, dit-elle. C'est lui qui va s'occuper de cette partie-là de la visite et je vous récupère dans une vingtaine de minutes. Alors, la visite sera terminée, à moins que vous n'ayez encore des questions à me poser sur les installations ou le fonctionnement de la Western Data.

Elle se tourna pour partir et je vis ses yeux s'arrêter un instant sur un carton posé sur le fauteuil devant le bureau vide

— C'est les trucs à Fred ? demanda-t-elle sans regarder les deux techniciens.

— Ouais, répondit Kurt. Il a pas eu le temps de tout prendre. On a tout emballé et on pensait lui apporter le carton chez lui. On a oublié de le faire hier.

Chavez fronça un bref instant les sourcils, puis se tourna vers la porte sans rien ajouter. Rachel et moi nous retrouvâmes à attendre. Pour finir je vis par la vitre un homme en blouse blanche de laborantin descendre une des allées créées par les rangées de tours. Grand et mince, il avait au moins quinze ans de plus que M. Favoris. Je savais qu'on peut se vieillir en se déguisant. Mais se rapetisser n'est pas facile. Rachel se retourna et m'adressa néanmoins, et très subtile-

ment, un petit coup d'œil interrogatif. Je hochai subrepticement la tête. Ce n'était pas lui.

– Voila notre épouvantail qui arrive, reprit Kurt.

Je regardai le gamin.

– Pourquoi l'appelez-vous comme ça ? Parce qu'il est
maigre ?

– Parce qu'il est chargé de tenir tous les vilains oiseaux à
l'écart des récoltes, dit-il.

J'allais lui demander ce qu'il entendait par là lorsque, une
fois encore, Rachel remplit les blancs.

– Les hackers, les trolls, les porteurs de virus, dit-elle.
C'est lui qui patronne toute la sécurité de la ferme.

J'acquiesçai d'un signe de tête. L'homme en blouse
blanche arriva à la porte et tendit la main à droite, vers un
mécanisme de verrouillage invisible. J'entendis un claquement métallique et il ouvrit la porte en la faisant coulisser. Il
entra, tira la porte derrière lui et vérifia qu'elle s'était bien
refermée. Je sentis l'air frais de la salle des serveurs me passer
sur tout le corps. Je remarquai que juste à côté de la porte se
trouvait un lecteur de main électronique – il fallait donc
nettement plus qu'une carte-clé pour accéder à la ferme.
Monté au-dessus de ce lecteur, un caisson muni d'une porte
en verre contenait ce qui ressemblait fort à deux masques
à gaz.

– Bonjour, lança l'homme en blouse blanche. Je m'appelle
Wesley Carver et suis l'ingénieur en chef technologie de la
Western Data. Comment allez-vous ?

Il tendit la main à Rachel, qui la lui serra et lui donna son
nom. Puis il se tourna vers moi, et je fis pareil.

– Yolanda vous a donc laissés avec moi ? lança-t-il.

– Elle nous a dit qu'elle repasserait nous prendre dans
vingt minutes, lui répondis-je.

– Bien. Je ferai donc de mon mieux pour que vous ne
vous ennuyiez pas. Avez-vous fait la connaissance de l'équipe ?
Je vous présente Kurt et Mizzou, les ingénieurs qui sont de
service serveurs aujourd'hui. Ce sont eux qui font tourner la

machine pendant que moi, je traîne un peu partout dans la ferme pour traquer tous ceux qui s'imagineraient pouvoir s'attaquer aux murs du palais.

– Les hackers ? demanda Rachel.

– Oui ; c'est que ce genre d'endroit représente un défi pour tous ceux qui n'ont rien de mieux à faire. Nous devons être constamment en alerte et sur nos gardes. Mais jusqu'à présent tout va bien, vous voyez ? Tant que nous serons meilleurs qu'eux...

– Ça fait plaisir à entendre, dis-je.

– Mais ce n'est pas vraiment ça que vous êtes venus entendre. Étant donné que Yolanda m'a passé le commandement des opérations, permettez que je vous dise un peu ce que nous avons ici, d'accord ?

Rachel hocha la tête et d'un geste de la main elle lui fit signe d'y aller.

– Je vous en prie...

Carver se tourna vers les baies vitrées de façon à embrasser toute la salle des serveurs du regard.

– Eh bien, dit-il, vous avez ici le cœur et le cerveau de la bête. Comme je suis sûr que Yolanda vous l'a dit, le stockage des données, la colocation, vous appelez ça comme vous voulez, tel est le service principal que nous offrons ici, à la Western Data. O'Connor et ses gens là-haut, à l'étage design et hébergement, ont peut-être du beau baratin, mais ici, en bas, nous avons ce que n'a personne d'autre.

Je remarquai que Kurt et Mizzou hochaient la tête en cadence et se tapaient dans les poings.

– Aucun autre aspect de l'univers numérique ne croît de manière aussi exponentielle que celui du stockage propre et sécurisé avec accès immédiat aux archives et documents essentiels à l'entreprise, reprit Carver. Sans parler d'une connectivité fiable et de pointe. Et c'est ce que nous offrons. Nous éliminons ainsi le besoin de bâtir cette infrastructure réseau de manière privée. Nous offrons la possibilité avantageuse d'utiliser notre architecture Internet directe, haute vitesse et redondante. Pourquoi la construire dans quelque arrière-salle d'un cabinet d'avocats alors qu'on peut tout avoir ici, avec la même liberté d'accès et sans les frais d'entretien et le stress inhérents au pilotage et à la maintenance de ce genre d'installations ?

– Nous sommes déjà acquis à cette idée, monsieur Carver, lui dit Rachel. C'est pour ça que nous sommes ici, pour ça aussi que nous avons étudié la concurrence. Et donc, pouvez-vous nous parler un peu de votre société et de son personnel ? Parce que c'est sur ce critère-là que nous arrêterons notre décision. Il n'est nul besoin de nous vanter les mérites du produit. Ce sont les individus auxquels nous allons confier nos données qui doivent nous convaincre.

J'aimai bien la façon dont elle lâchait l'aspect technologique pour passer au personnel. Carver leva un doigt en l'air comme s'il voulait nous faire remarquer quelque chose.

– Exactement, dit-il. C'est toujours aux individus qu'il faut en revenir, n'est-ce pas ?

– En général, oui.

– Permettez donc que je vous dise brièvement ce que nous avons ici. Après quoi, nous pourrions peut-être passer dans mon bureau pour discuter des questions de personnel.

Il fit le tour de la rangée de postes de travail de façon à se retrouver directement en face des grandes baies vitrées donnant sur la salle des serveurs. Nous le suivîmes, il poursuivit la visite.

– Bien, reprit-il. J'ai conçu ce centre pour qu'il n'y ait rien de mieux côté technologie et sécurité. Ce que vous avez sous les yeux ? La salle des serveurs. La ferme. Ces grosses tours contiennent et pilotent environ mille serveurs dédiés en accès direct avec nos clients. Ce que ça signifie ? Que si vous signez avec la Western Data, votre société aura son ou ses propres serveurs dans cette salle. Que vos données ne seront pas mélangées à celles d'une autre firme. Que vous aurez votre propre serveur avec une puissance de cent mégabits. Que cela vous donnera un accès immédiat à tout ce que vous y aurez stocké, et ce où que vous vous trouviez Que vous aurez droit à un *backup* immédiat ou en arrière-plan. Et que si besoin est, toute frappe effectuée sur un de vos ordinateurs à... où êtes-vous basé exactement ?

— À Las Vegas, dis-je.

— À Las Vegas donc, dit-il. Et dans quelle branche ?

— Cabinet d'avocats.

— Ah ! Encore un cabinet d'avocats ! Et donc, cela veut dire que si besoin est, toute frappe effectuée sur un ordinateur de votre cabinet pourra être enregistrée et stockée ici dans l'instant. Qu'en d'autres termes, vous ne perdrez jamais rien. Pas un seul mot. Que cet ordinateur de Las Vegas pourra être frappé par la foudre et que le dernier mot que vous y aurez entré sera à l'abri ici.

— Bon mais... espérons qu'il ne nous arrivera rien de tel, dit Rachel en souriant.

— Bien sûr, lui renvoya aussitôt Carver sans le moindre humour. Je vous donne seulement les paramètres du service auquel vous aurez droit ici. Et maintenant, la sécurité. À quoi pourrait-il servir d'avoir tout le *backup* ici si l'endroit n'était pas sûr ?

— Exactement, dit Rachel.

Elle s'approcha de la vitre et, ce faisant, me passa devant. Je compris qu'elle voulait prendre le commandement des opérations avec Carver et je n'avais rien contre. Je reculai d'un pas et les laissai côte à côte devant la baie vitrée.

— Bien, c'est de deux choses différentes que nous devons parler ici, reprit Carver. La sécurité des installations et celle des données. Commençons par l'installation.

Il reprit bien des points que Chavez nous avait déjà exposés, mais Rachel ne l'interrompit pas. Enfin il en vint au centre des données et nous fournit quelques informations supplémentaires.

– Cette salle est totalement imprenable, dit-il. Et d'un, tous les murs, le plancher et le plafond sont en béton d'une épaisseur de soixante centimètres avec double armature et membrane en caoutchouc pour le protéger de tout écoulement de liquides. Ces vitres sont en verre feuilleté à huit épaisseurs de blindage à l'épreuve des balles. À leur tirer dessus avec un fusil à deux canons, vous risqueriez seulement de vous blesser par ricochet. Et cette porte qui est le seul moyen d'entrer dans ce lieu et d'en sortir est contrôlée par un scanner de main biométrique. (Il montra l'appareil sur le côté de la porte en verre.) L'accès à la salle des serveurs est limité aux ingénieurs et à la direction. C'est le scanner biométrique qui contrôle l'ouverture de la porte, et il ne le fait qu'après avoir vérifié trois caractéristiques de la main : l'empreinte de la paume, la forme géométrique de la main et le dessin des veines. Il vérifie aussi le pouls. Ce qui fait que personne ne pourrait me couper la main, s'en servir pour essayer d'entrer dans la ferme et espérer l'emporter en paradis.

Carver sourit, mais pas Rachel – et moi non plus.

– Et en cas d'urgence ? demandai-je. On pourrait se retrouver coincé dans cette salle ?

– Non, bien sûr que non. De l'intérieur il suffit d'appuyer sur un bouton qui ouvre la serrure et de faire coulisser la porte. Le système est conçu pour empêcher les intrus d'entrer, pas pour enfermer le personnel.

Il me regarda pour voir si j'avais compris. Je fis oui de la tête.

Il se pencha en arrière et montra les trois jauges numériques de température installées au-dessus de la grande baie vitrée de la salle des serveurs.

– Nous maintenons la ferme à seize degrés Celsius et disposons de tout ce qu'il nous faut côté énergie et *backup* de refroidissement. Pour ce qui est du risque incendie, nous avons un système de protection trois étapes. Nous avons le VESDA standard avec...

– Le… VESDA ? demandai-je.

– Very Early Smoke Detection Alarm[1] avec détecteurs lasers de fumées. En cas d'incendie, il déclenche toute une série d'alarmes puis fait démarrer le système d'extinction sans eau.

Il nous montra une rangée de réservoirs haute pression alignés sur le mur du fond.

– Là ! Vous voyez les réservoirs de CO_2 ? Ils font partie du système. En cas d'incendie, du gaz carbonique se répand dans la salle et éteint le feu sans endommager l'électronique ou les données clients.

– Et les employés ? demandai-je.

Il se pencha de nouveau en arrière de façon à me voir derrière Rachel.

– Très bonne question, monsieur McEvoy. Le système d'alarme en trois étapes laisse soixante secondes au personnel pour se sauver. De plus, le protocole d'accès à la salle des serveurs exige que toute personne qui y pénètre porte un respirateur avec redondance WCS.

De la poche de sa blouse de laborantin, il sortit un masque semblable aux deux accrochés dans le caisson près de la porte.

– WCS ? demandai-je.

– Worst Case Scenario, dit Rachel. Le scénario catastrophe.

Carver remit le masque dans sa poche.

– Voyons, que pourrais-je vous dire encore ? reprit-il. Nous construisons nos propres racks à serveurs à façon dans un atelier rattaché à la salle d'équipement, ici dans le bunker. Nous avons en stock de multiples serveurs avec toute l'électronique nécessaire et sommes capables de répondre sur-le-champ à tous les besoins de nos clients. Nous pouvons remplacer n'importe quelle pièce de la ferme moins d'une heure après la panne. Ce que vous voyez ici est une

---

1. Ou système de détection de fumée multiponctuel *(NdT)*.

infrastructure réseau absolument fiable et sécurisée. Avez-vous, l'un ou l'autre, des questions à poser sur cet aspect de nos installations ?

Je n'en avais aucune, étant presque complètement largué côté technologie. Mais Rachel, elle, hocha la tête comme si elle comprenait tout ce qu'on venait de lui raconter.

– Et donc, une fois encore, c'est une question de personnes, dit-elle. Quelle que soit la façon dont on construit le piège à souris, c'est toujours aux personnes qui le font fonctionner qu'il faut s'attacher.

Carver porta la main à son menton et acquiesça d'un signe de tête. Il regardait dans la salle des serveurs, mais je voyais le reflet de son visage dans le verre épais.

– Que diriez-vous de passer dans mon bureau pour discuter de cet aspect de la question ?

Nous fîmes le tour des postes de travail pour rejoindre son bureau. Chemin faisant, je jetai un coup d'œil au carton toujours posé sur le fauteuil du box vide. Il donnait l'impression d'être surtout rempli d'affaires personnelles – des magazines, un roman de William Gibson, un paquet de cigarettes American Spirit, un mug Star Trek plein de stylos, de crayons et de briquets jetables. J'aperçus aussi plusieurs clés USB, un jeu de clés et un iPod.

Carver nous ouvrit la porte de son bureau, puis la referma derrière nous. Nous prîmes les deux sièges posés devant la table en verre qui lui servait de bureau. Devant lui se trouvait un écran de surveillance de vingt pouces monté sur un bras pivotant ; il le poussa de côté afin de pouvoir nous voir. Il y avait un deuxième écran plus petit sous le plateau en verre de son bureau. On y voyait l'image vidéo de la salle des serveurs. Je remarquai que Mizzou venait juste d'entrer dans la ferme et qu'il remontait une des allées créées par les rangées de tours.

– Où êtes-vous descendus ? nous demanda Carver en passant derrière son bureau.

– Au Mesa Verde, répondis-je.

– C'est pas mal. Le brunch du dimanche est génial.

Il s'assit.

– Bien, et maintenant vous voulez que nous parlions individus, reprit-il en regardant Rachel droit dans les yeux.

– C'est ça même. Nous avons bien aimé la visite, mais franchement, ce n'est pas pour ça que nous sommes venus. Tout ce que Mme Chavez et vous nous avez montré se trouve sur votre site Web. Nous sommes surtout venus pour nous faire une idée des gens avec qui nous travaillerions... des gens auxquels nous confierions nos données. Nous sommes déçus de ne pas avoir pu rencontrer Declan McGinnis et, franchement, ça nous a passablement défrisés. On ne nous a toujours pas donné une explication crédible au lapin qu'il nous a posé.

Carver leva les mains en l'air comme s'il se rendait.

– Yolanda n'est pas autorisée à parler des problèmes de personnel, dit-il.

– Oui, bon, mais j'espère que vous comprenez notre position. Nous sommes venus ici pour établir des relations avec quelqu'un et la personne qui était censée nous accueillir n'est pas là.

– Je comprends parfaitement, dit-il. Mais en ma qualité de directeur de cette société, je puis vous assurer que le problème Declan n'affecte en rien notre fonctionnement. Il s'est contenté de prendre quelques jours de congé, tout simplement.

– Et c'est ce qui nous trouble : c'est la troisième explication divergente qui nous est donnée. Cela ne nous laisse pas une bonne impression.

Carver hocha la tête et respira bruyamment.

– Si je pouvais vous en dire plus, croyez bien que je le ferais, dit-il. Mais il faut comprendre que c'est la confidentialité et la sécurité que nous vendons ici. Et ça, ça commence avec notre personnel. Si cette explication ne vous satisfait pas, je crains que notre firme ne soit pas ce que vous cherchez.

Il avait tracé la ligne jaune à ne pas franchir. Rachel capitula.

– Très bien, monsieur Carver. Parlez-nous donc des gens qui travaillent pour vous. Les documents que nous sommes susceptibles de stocker dans vos installations sont plus que sensibles. Comment vous y prenez-vous pour assurer l'intégrité des lieux ? Je regarde vos deux... comment les appelez-vous ? vos ingénieurs serveurs ?... je les regarde et je dois dire qu'à mes yeux, c'est très exactement le genre d'individus dont vous devez protéger ces installations.

Il eut un grand sourire et hocha la tête.

– Pour être honnête, Rachel... je peux vous appeler Rachel ?

– C'est comme ça que je m'appelle.

– Pour être honnête donc, lorsque Declan est ici et que je sais que nous allons avoir une visite, en général j'envoie ces deux-là fumer dehors. Cela dit, ces deux jeunes sont en réalité ce qu'il y a de mieux et de plus intelligent pour ce travail. Je vous le dis comme je le pense. Il ne fait aucun doute que certains de nos employés ont fait leur part de piratage et de polissonneries avant de venir travailler ici. Et si tel est le cas, c'est parce que parfois il faut avoir un renard astucieux pour en attraper un autre, à tout le moins pour savoir comment il pense. Cela dit, tendances et casier judiciaire, tous nos employés ont été soumis à examen et approuvés, y compris pour ce qui est de leur caractère et de leur structuration psychologique.

« Si c'est ça qui vous inquiète, nous n'avons encore jamais eu d'employés qui aient enfreint les protocoles de notre société ou se soient introduits dans les données de nos clients sans autorisation. Nous ne nous contentons pas de voir si tel ou tel individu est apte à l'emploi que nous lui proposons ; nous le surveillons de près après validation. On pourrait dire que nous sommes notre meilleur client. Toute frappe effectuée sur un clavier d'ordinateur dans cette maison étant immédiatement enregistrée, nous pouvons voir ce que fait *x* ou *y* en temps réel, et ce qu'il a fait à n'importe quel moment antérieur. Nous faisons régulièrement ce type de contrôles de façon aléatoire.

Rachel et moi acquiesçâmes à l'unisson. Mais nous savions quelque chose que Carver ou bien ignorait ou bien nous cachait habilement. Quelqu'un avait tapé dans les données clients. Un tueur avait traqué sa proie dans les champs numériques de la ferme.

– Qu'est-il arrivé au type qui travaillait là-bas ? demandai-je en indiquant la salle d'un geste brusque du pouce. Je crois qu'ils l'ont appelé Fred. On dirait qu'il est parti et il y a ses affaires dans une caisse. Pourquoi est-il parti sans prendre ses effets personnels ?

Carver hésita avant de répondre. Je vis tout de suite qu'il faisait attention.

– Vous avez raison, monsieur McEvoy. Il n'a pas encore pris ses affaires. Mais il le fera et c'est pour ça que nous les lui avons mises dans un carton.

Je remarquai que pour lui j'étais toujours « monsieur McEvoy » alors qu'il appelait déjà Rachel par son prénom.

– Bon, mais alors… il a été licencié ? Qu'a-t-il fait ?

– Non, il n'a pas été licencié. Il a laissé tomber pour des raisons que nous ignorons. Il ne s'est pas montré vendredi soir et à la place il m'a envoyé un mail pour m'informer qu'il arrêtait pour pouvoir démarrer autre chose. Voilà, c'est tout. Ces gamins sont très demandés. Pour moi, Freddy aura été débauché par un concurrent. Nous payons bien nos employés, mais il y a toujours quelqu'un pour payer mieux.

Je hochai la tête comme si j'en étais entièrement d'accord, mais je songeai au contenu du carton et à d'autres choses. Le FBI qui débarque et pose des questions sur le site trunk-murder vendredi et voilà Freddy qui dégage sans même revenir chercher son iPod ?

Et McGinnis ? J'allais demander si sa disparition pouvait avoir un lien avec le départ soudain de Freddy, mais fus interrompu par le bourdonnement de la serrure du sas.

L'écran sous le bureau en verre de Carver afficha aussitôt l'image du sas et je vis que Yolanda Chavez était en train de revenir nous chercher. Rachel se pencha en avant et, sans le vouloir, adopta un ton précipité pour poser sa question.

– Comment s'appelle Freddy ?

Comme s'ils avaient une zone tampon d'une ampleur bien déterminée entre eux, Carver se renversa en arrière sur une distance égale à celle à laquelle Rachel s'était, elle, penchée en avant. Elle se conduisait toujours en agent spécial : on pose des questions directes et on attend des réponses claires à cause de la puissance du Bureau.

– Pourquoi voulez-vous donc savoir son nom ? Il ne travaille plus ici.

– Je ne sais pas. C'est juste que je…

Elle était coincée. Il n'y avait pas de bonne réponse à la question, à tout le moins pour Carver. À elle seule, cette demande jetait un doute sur nos motivations. Mais, juste à ce moment-là, nous eûmes la chance de voir Chavez passer la tête à la porte.

– Alors, ça marche ? demanda-t-elle.

Carver ne lâchait pas Rachel des yeux.

– Ça marche très bien, dit-il. Avez-vous d'autres questions auxquelles je pourrais répondre ?

Toujours à faire machine arrière, Rachel me regarda et je fis non de la tête.

– Je crois avoir vu tout ce que j'avais besoin de voir, dis-je. J'apprécie beaucoup cette visite et les renseignements qui m'ont été fournis.

– Oui, merci beaucoup, renchérit Rachel. Votre installation est très impressionnante.

– Bon, eh bien je vais vous faire remonter à la surface et vous laisser entre les mains d'un responsable de l'ouverture des comptes si vous le désirez.

Rachel se leva et se tourna vers la porte. Je repoussai ma chaise en arrière et me levai à mon tour. Je remerciai Carver à nouveau et lui tendis la main par-dessus sa table.

– Content d'avoir fait votre connaissance, Jack, me dit-il. J'espère que nous nous reverrons un jour.

J'acquiesçai. J'étais enfin passé sur la liste des gens qu'on appelle par leur prénom.

– Moi aussi, dis-je.

La voiture était brûlante comme un four lorsque nous remontâmes dedans. Je me dépêchai de faire démarrer le moteur, mis la clim à fond et baissai ma vitre jusqu'à ce que l'habitacle commence à refroidir.

– Alors, que t'en semble ? demandai-je à Rachel.

– D'abord, on sort d'ici, me répondit-elle.

– D'accord.

Le volant me brûla les mains. En me servant uniquement du bas de la main gauche, je sortis de l'emplacement en marche arrière. Mais je ne gagnai pas tout de suite la sortie. Au lieu de cela, je me rendis à l'autre bout du parking et fis demi-tour à l'arrière du bâtiment.

– Qu'est-ce que tu fabriques ? me demanda Rachel.

– Je voulais juste voir ce qu'il y avait derrière. On a le droit. On est des clients potentiels, tu te rappelles ?

Alors que je faisais demi-tour et prenais la direction de la sortie, j'aperçus brièvement l'arrière du bâtiment. Il y avait encore des caméras de surveillance. Et une porte avec un banc sous un petit auvent. Avec de chaque côté un cendrier à sable et là, assis sur un banc, l'ingénieur serveurs qui répondait au nom de Mizzou. Il fumait une cigarette.

– Le coin fumeurs, dit Rachel. Satisfait ?

Par ma vitre baissée je fis un petit signe à Mizzou, qui me le renvoya. Nous nous dirigeâmes vers le portail.

– Je croyais qu'il travaillait à la salle des serveurs. Je l'ai vu sur l'écran de Carver.

— Bah, quand on est accro et que...

— Non mais tu imagines avoir à venir ici en plein cœur de l'été rien que pour en griller une ? Tu frirais, oui ! Même avec cet auvent.

— Ça doit être pour ça qu'ils font des crèmes solaires avec ce degré de protection.

Je remontai ma vitre après avoir regagné la route. Lorsque nous fûmes hors de vue de la Western Data, je jugeai qu'il était enfin sans danger de reposer ma question.

— Alors, que t'en semble ? répétai-je.

— J'ai l'impression d'avoir presque tout foutu en l'air. Peut-être même que je l'ai fait.

— Tu veux dire à la fin ? Non, je crois que ça ira. On a été sauvés par Chavez. Il faut juste que tu n'oublies pas que tu n'as plus le badge qui t'ouvrait toutes les portes et grâce auquel tout le monde tremblait et répondait à tes questions.

— Merci, Jack. J'essaierai de m'en souvenir.

Je sentis à quel point j'avais dû lui paraître insensible.

— Je te demande pardon, Rachel. Je ne voulais pas dire que...

— Pas de problème. Je sais très bien ce que tu voulais dire. C'est juste que je suis un peu nerveuse parce que tu as raison et je le sais. Je ne suis plus ce que j'étais il y a vingt-quatre heures. Il va sans doute falloir que je réapprenne à jouer en finesse. L'époque où je pouvais écraser les gens avec toute la force et la puissance du Bureau est révolue.

Elle se détourna vers la fenêtre de façon à ce que je ne puisse pas voir son visage.

— Écoute, pour l'instant, ta finesse n'est pas ce qui me préoccupe. C'est quoi, les vibrations que tu as ressenties là-bas ? Que penses-tu de Carver et des autres ? Qu'est-ce qu'on fait maintenant ?

Elle se retourna vers moi.

— Je m'intéresse plus aux gens que je n'ai pas vus qu'à ceux que j'ai rencontrés.

— Tu veux dire Freddy ?

– Et McGinnis. Pour moi, il va falloir trouver qui est ce Freddy qui a laissé tomber et savoir ce qui s'est passé pour McGinnis.

J'acquiesçai d'un signe de tête. Nous étions sur la même longueur d'ondes.

– Tu penses qu'il y a un lien entre eux ? Entre le fait que Freddy a laissé tomber et que McGinnis ne s'est pas pointé ?

– Nous ne le saurons que lorsque nous pourrons leur parler à tous les deux.

– Oui, et comment va-t-on les trouver ? Nous ne savons même pas le nom de famille de ce Freddy.

Elle hésita avant de répondre.

– Je pourrais essayer de passer quelques coups de fil, histoire de voir s'il y a quelqu'un qui accepterait de me parler. Je suis sûre que les collègues ont eu la liste de tous les employés quand ils sont passés la semaine dernière avec leur mandat. Ç'aurait fait partie de la procédure standard.

Je pensai qu'elle rêvait. Dans les bureaucraties du maintien de l'ordre, dès qu'on n'est plus dedans, on est dehors. Et c'était sans doute encore plus vrai avec le FBI. On y serrait si fort les rangs que même les flics les plus dûment badgés ne pouvaient pas passer au travers. Je me dis que Rachel allait avoir un réveil difficile si elle s'imaginait que ses anciens camarades allaient prendre ses appels, lui chercher des noms et partager des renseignements avec elle. Elle allait vite découvrir qu'elle était dehors et qu'elle regardait dedans à travers une vitre de quinze centimètres d'épaisseur.

– Et si ça ne marche pas ?

– Alors, je ne sais pas, répondit-elle sèchement. J'imagine qu'il va falloir y aller à l'ancienne. On fait demi-tour, on reprend notre place et on attend que les potes à Freddy pointent en partant et rentrent chez eux. Ou bien ils nous conduisent droit à lui ou on leur arrache le renseignement tout en finesse.

Elle avait dit ça avec tout ce qu'il fallait de sarcasme, mais l'idée me plut et je me dis que ça pourrait marcher si on voulait savoir qui était Freddy et où il habitait. Mais je n'étais pas très sûr que nous puissions le retrouver. À mon avis, il avait disparu dans la nature.

— Je pense que c'est une bonne idée, dis-je, mais j'ai comme l'impression qu'il y a longtemps qu'il a filé. Pour moi, il n'a pas simplement démissionné, il a quitté la ville.

— Pourquoi ?

— Tu as regardé ce qu'il y avait dans le carton ?

— Non, j'étais bien trop occupée à occuper Carter. C'est toi qui étais censé le faire.

Première nouvelle, mais je souris. C'était le premier signe indiquant qu'à ses yeux nous faisions équipe pour résoudre l'affaire.

— Vraiment ? C'est ça que tu faisais ?

— Absolument. Qu'est-ce qu'il y avait dans le carton ?

— Des trucs qu'on ne laisse pas derrière soi quand on se contente de lâcher son boulot. Des cigarettes, des clés USB et un iPod. Pour les gamins de cet âge, l'iPod, c'est indispensable. Et il y a le timing. Le FBI se pointe un matin et le soir même il disparaît ? Je n'ai pas l'impression que nous allons le trouver ici, à Mesa, Arizona.

Elle ne répondit pas. Je la regardai et vis qu'elle avait plissé le front.

— Qu'est-ce que t'en penses ?

— Que tu as probablement raison. Et ça me fait penser qu'il va falloir appeler les pros. Comme je te l'ai déjà dit, ils ont probablement son nom et peuvent retrouver très vite sa trace. Nous, nous ne faisons que du surplace. On pédale dans la semoule.

— Pas tout de suite, Rachel. Commençons au moins par essayer de voir ce qu'on pourra trouver aujourd'hui.

— Ça ne me plaît pas. On devrait les appeler.

— Pas encore, répétai-je.

— Écoute, c'est toi qui as fait le lien. Quoi qu'il arrive, ce sera parce que tu as vu clair. Tous les honneurs seront pour toi.

— Ce ne sont pas les honneurs qui m'inquiètent.

– Bien, mais alors pourquoi fais-tu tout ça ? Et ne me raconte pas que c'est toujours pour ton article ? Tu n'as pas encore dépassé ça ?

– Et toi, tu as dépassé le fait que tu n'es plus au FBI ?

Elle ne dit rien et regarda de nouveau dehors.

– Même chose pour moi, repris-je. C'est mon dernier sujet et c'est important. Sans compter que ça pourrait te servir à réintégrer ton poste. Identifie le Sujinc et ils seront bien obligés de te rendre ton badge.

Elle fit non de la tête.

– Jack, dit-elle, tu ne comprends vraiment rien au Bureau. Il n'y a jamais de deuxième acte au FBI. J'ai donné ma démission sous la menace de poursuites judiciaires. Tu ne comprends donc pas ? Même si je découvrais Oussama Ben Laden planqué dans une grotte de Griffith Park, ils ne me reprendraient pas.

– D'accord, d'accord. Excuse-moi.

Nous roulâmes en silence après cet échange, et bientôt je vis un restaurant barbecue, « Chez Rosie », sur ma droite. Il était un peu trop tôt pour déjeuner, mais l'effort que j'avais déployé pour me faire passer pour quelqu'un que je n'étais pas avait été si intense que je mourais de faim. Je me rangeai sur le parking.

– Mangeons quelque chose, dis-je. Après, on passe des coups de fil et on fait demi-tour pour attendre que Kurt et Mizzou sortent de la boîte.

– C'est gagné, collègue, dit-elle.

15

La ferme

Assis dans son bureau, Carver étudiait les vidéos sous tous les angles. Il y avait là plus de cent images du bâtiment et de ses environs. Tout cela à disposition. Pour l'instant, il manipulait la caméra de surveillance installée dans un coin tout en haut de la façade. En haussant et manœuvant la lentille et faisant le point, il pouvait voir tout McKellips Road.

Il ne lui fallut pas longtemps pour les repérer. Il savait qu'ils reviendraient. Il savait comment ils fonctionnaient.

McEvoy et Walling s'étaient rangés à côté du mur, devant le Public Storage Center[1]. Ils surveillaient la Western Data pendant que lui les surveillait. Mais il était plus discret qu'eux.

Il joua avec l'idée de les laisser cuire au soleil. D'attendre plus longtemps avant de leur donner ce qu'ils voulaient. Mais il préféra lancer la machine. Il décrocha son téléphone et y entra trois chiffres.

– Mizzou ? Vous pouvez venir, s'il vous plaît ? Ce n'est pas verrouillé.

Il reposa l'appareil et attendit. Mizzou ouvrit sans frapper et entra.

– Fermez la porte, lui dit Carver.

Le jeune génie de l'ordinateur fit ce qu'on lui demandait, puis s'approcha de la table de travail de Carver.

– Qu'est-ce qu'il y a, patron ? demanda-t-il.

1. Ou Garde-meubles public *(NdT)*.

— J'aimerais que vous preniez le carton d'affaires de Freddy et que vous le lui apportiez.

— Je croyais vous avoir entendu dire qu'il avait quitté la ville.

Carver releva la tête pour le regarder. Et se dit qu'un jour il aimerait bien embaucher quelqu'un qui ne le reprenne pas sur tout ce qu'il disait.

— J'ai dit que c'était probable. Mais là n'est pas la question. Les gens qui sont venus tout à l'heure ont vu le carton posé sur son fauteuil et ont compris ou bien que nous avions viré quelqu'un, ou bien que nous avions un problème de rotation. Dans l'un comme dans l'autre cas, ça ne met pas le client potentiel en confiance.

— Je comprends.

— Bien. Alors prenez-moi ce carton, attachez-le à l'arrière de votre moto et apportez-le à l'entrepôt. Vous savez où c'est, n'est-ce pas ?

— Oui, j'y suis déjà allé.

— Bien, alors allez-y.

— Mais Kurt et moi, on était en train de mettre en pièces la trente-sept pour voir d'où nous vient cette montée en température. On a un signal d'alarme dessus.

— Parfait, je suis sûr que Kurt pourra s'en occuper. Je veux que vous alliez me porter ce truc.

— Et après, je reviens ?

Carver consulta sa montre. Il savait que Mizzou espérait avoir le reste de la journée à lui. Il était loin de deviner que Carver, lui, savait qu'il ne reviendrait pas... pas ce jour-là en tout cas.

— Bon, d'accord, dit-il comme s'il était furieux de s'être fait piéger. Prenez le reste de la journée. Mais filez. Tout de suite. Avant que je change d'avis.

Mizzou quitta le bureau et referma la porte derrière lui en partant. Carver regarda les écrans avec impatience, attendant de pouvoir le suivre dès qu'il arriverait à sa moto chérie garée dans le parking. Il semblait prendre un temps fou pour sortir. Carver se mit à chantonner. Et reprit l'air sur lequel il pouvait toujours compter, la chanson qui envahissait tous les coins et recoins de sa vie du plus loin qu'il se rappelât. Bientôt il chanta doucement ses deux vers préférés et se retrouva à les répéter de plus en plus vite au lieu de passer aux paroles suivantes :

There's a killer on the road ; his brain is squirming
    like a toad
There's a killer on the road ; his brain is squirming
    like a toad
There's a killer on the road ; his brain is squirming
    like a toad
There's a killer on the road ; his brain is squirming
    like a toad...
If you give this man a ride...[1]

Mizzou entra enfin dans le champ de la caméra et se mit en devoir d'attacher le carton au petit porte-bagages fixé derrière le siège de la moto. Il fumait une cigarette et Carver vit qu'il en était pratiquement arrivé au filtre. Cela expliquait son retard. Il avait pris le temps d'aller s'asseoir sur le banc à l'arrière du bâtiment, peut-être même d'aller saluer ses copains fumeurs.

Enfin le carton fut amarré à la moto. Mizzou jeta son mégot d'une chiquenaude et mit son casque. Enfourcha sa moto, la fit démarrer et franchit le portail de devant.

Carver le suivit jusqu'au bout avant de pointer la caméra sur le Public Storage Center, plus bas dans la rue. Il vit alors que McEvoy et Walling avaient vu le carton et mordu à l'hameçon. Déjà McEvoy déboîtait pour suivre la moto.

1. Soit : Il y a un tueur sur la route ; son cerveau gigote comme un crapaud... si tu le prends en stop...
Paroles de la très célèbre chanson *Riders on the Storm* des Doors *(NdT)*.

16

La fibre noire

Nous avions trouvé un coin ombragé, près de la façade d'un Public Storage Center, et venions juste de nous installer pour une attente qui promettait d'être longue, chaude et vaine lorsque nous eûmes de la chance. Un motard sortait de la Western Data et prenait vers l'ouest dans McKellips Road. Impossible de dire de qui il s'agissait, le pilote portant un casque intégral, mais Rachel et moi reconnûmes tous les deux le carton attaché avec des sandows au porte-bagages arrière de sa moto.

– On suit le carton ! lança Rachel.

Je remis la voiture en route et déboîtai vite sur la chaussée. Suivre une moto avec une boîte à sardines de location n'était pas un plan génial à mes yeux, mais nous n'avions pas le choix. J'écrasai l'accélérateur et arrivai vite à une centaine de mètres du carton.

– Pas trop près ! me cria Rachel, tout excitée.

– Je ne suis pas trop près ! J'essaie juste de le rattraper.

Elle se pencha en avant nerveusement et posa les mains sur le tableau de bord.

– Ça ne va pas. Suivre une moto avec quatre voitures qui se relaient est déjà difficile… avec nous et rien que nous, ça va être un cauchemar.

C'était vrai. Les motos peuvent se glisser dans la circulation sans mal, les trois quarts des motards semblant avoir un beau dédain pour tout ce qui est marquage des voies au sol.

— Tu veux que je me gare et tu prends le volant ?

— Non, fais seulement de ton mieux.

Je réussis à ne pas perdre le carton de vue pendant les dix minutes qui suivirent et ce avec tous les arrêts et redémarrages… et nous eûmes encore de la chance. La moto obliqua vers la bretelle d'une autoroute et prit la 202, direction Phoenix. Je n'eus plus de problèmes pour le suivre. La moto roulait très régulièrement quinze kilomètres au dessus de la vitesse limite, je me rabattis sur deux files et restai cent mètres derrière lui. Quinze minutes durant nous le suivîmes dans une circulation fluide tandis qu'il empruntait l'I-40, puis l'I-47 vers le nord, par Phoenix.

Rachel commença à respirer plus facilement et alla même jusqu'à se radosser à son siège. Elle pensait que nous avions si bien déguisé notre filature qu'elle me demanda de remonter un peu sur la moto afin de regarder le pilote de plus près.

— C'est Mizzou, dit-elle. Je reconnais ses habits.

Je jetai un coup d'œil, mais ne pus rien confirmer. Je n'avais pas mémorisé les détails de ce que j'avais vu dans le bunker. Rachel, elle, l'avait fait et c'était là une des choses qui faisaient d'elle une perle dans son travail.

— Si tu le dis… lui lançai-je. Et qu'est-ce qu'il fait, à ton avis ?

Je commençai à ralentir à nouveau de façon à ce que Mizzou ne me repère pas.

— Il rapporte le carton à Freddy.

— Ça, je le sais. Non, ce que je veux dire, c'est .. pourquoi maintenant ?

— C'est peut-être sa pause déjeuner, ou alors il a fini son travail pour la journée. Ce ne sont pas les raisons qui doivent manquer.

Quelque chose dans cette dernière explication me tracassait, mais je n'avais guère le temps de creuser. La moto commença à zigzaguer entre les quatre files de l'autoroute pour se diriger vers la sortie suivante.

J'effectuai les mêmes manœuvres et me retrouvai derrière Mizzou à la bretelle de sortie, avec juste une voiture entre nous deux. Nous eûmes le feu vert et prîmes à l'ouest dans Thomas Road. Et fûmes bientôt dans le quartier des entrepôts, où des petites boîtes et des galeries d'art essayaient de s'installer à demeure dans une zone qui semblait avoir été depuis longtemps désertée par les usines.

Mizzou s'arrêta devant un bâtiment en brique tout en rez-de-chaussée et descendit de sa moto. Je me garai le long du trottoir quelques maisons plus loin. Il y avait peu de circulation et rares étaient les voitures garées dans les environs. Nous étions visibles comme... eh bien comme des flics tout ce qu'il y a de plus manifestement en planque. Mais Mizzou ne chercha pas à savoir s'il était suivi. Il ôta son casque – Rachel ne s'était pas trompée, c'était bien lui – et le posa sur le phare avant. Puis il détacha les sandows et ôta le carton du porte-bagages. Et le porta jusqu'à une porte coulissante sur le côté du bâtiment.

Accrochée à une chaîne se trouvait une rondelle comme celles qu'on peut fixer à un haltère. Mizzou s'en empara et s'en servit pour cogner à la porte en faisant un bruit que j'entendis même avec les vitres remontées. Puis il attendit, et nous aussi, mais personne ne vint lui ouvrir. Il frappa de nouveau et obtint le même résultat. Il gagna alors une grande fenêtre qui était si sale qu'il n'y aurait pas eu besoin d'y mettre des stores à l'intérieur. Avec sa main il enleva un peu de crasse et regarda à l'intérieur. Impossible de dire s'il avait vu quelqu'un ou pas. Il repartit vers la porte et cogna dessus encore un coup. Puis, juste pour voir, il l'attrapa et tenta de l'ouvrir en la faisant coulisser. À sa surprise et à la nôtre, elle glissa sans problème sur ses poulies. Elle n'était pas fermée à clé.

Il hésita et, pour la première fois, regarda autour de lui. Son regard ne s'arrêta pas sur ma voiture et revint rapidement vers la porte. J'eus l'impression qu'il appelait, puis, au bout de quelques secondes, il entra et referma la porte derrière lui.

– Qu'est-ce que tu en penses ? demandai-je à Rachel.

– J'en pense qu'on devrait entrer, me répondit-elle. Freddy n'est manifestement pas là et qui sait si Mizzou ne va pas fermer la baraque ou décider de piquer quelque chose d'important pour l'enquête. La situation échappe à tout contrôle et nous devrions y aller.

J'enclenchai la vitesse et gagnai l'entrepôt. Rachel descendit de la voiture et se dirigea vers la porte coulissante avant même que j'aie le temps de passer en position parking. Je bondis hors du véhicule et la rejoignis.

Elle ouvrit la porte juste assez grand pour que nous puissions nous faufiler à l'intérieur. Il faisait sombre et il me fallut quelques instants pour accommoder. Lorsque ce fut fait, je vis que Rachel était cinq-six mètres devant moi et avançait vers le milieu de l'entrepôt. Des étais en acier pour soutenir le toit partaient du sol tous les cinq mètres. Des cloisons en placoplatre avaient été montées pour faire une salle de séjour, une de travail et une de sports. Je vis le râtelier à haltères et le banc d'exercices d'où venait le heurtoir. Il y avait aussi un panier de basket et un espace d'au moins une moitié de terrain où l'on pouvait jouer. Plus loin se trouvaient une commode et un lit défait. Contre une des cloisons on avait installé un réfrigérateur et une table avec un four à micro-ondes, mais il n'y avait ni évier ni cuisinière, de fait rien qui ressemble à une cuisine. Je vis le carton que Mizzou avait apporté posé sur la table, à côté du four à micro-ondes, mais pas de Mizzou.

Je rattrapai Rachel au moment où nous dépassions une cloison et découvris un poste de travail contre le mur. Il y avait là trois écrans sur des étagères montées au-dessus d'un bureau équipé d'un PC. Mais le clavier manquait à l'appel. Les étagères étaient bourrées de livres de codes, de coffrets de logiciels et d'équipement électronique. Mais toujours pas de Mizzou.

– Où est-il passé ? demandai-je en murmurant.

Rachel leva la main en l'air pour me faire taire et se dirigea vers le poste de travail. Elle donnait l'impression d'examiner l'endroit où le clavier aurait dû se trouver.

– Il a emporté le clavier, murmura-t-elle. Il sait que nous pouvons...

Elle s'arrêta en entendant le bruit d'une chasse d'eau qu'on tirait. Cela venait du coin le plus éloigné de l'entrepôt et fut suivi par le bruit d'une autre porte qu'on ouvrait en la faisant coulisser. Rachel tendit la main vers une des étagères, y saisit un lien pour attacher des câbles d'ordinateur ensemble, puis elle me prit par le coude et me tira jusqu'à l'espace chambre. Nous nous collâmes contre le mur et attendîmes que Mizzou soit devant nous. J'entendis ses pas approcher sur le sol en ciment. Rachel me passa devant pour gagner le bord de la cloison. Juste au moment où Mizzou allait passer devant, elle bondit, l'attrapa par le cou et le poignet et le cloua sur le lit avant qu'il ait pu comprendre ce qui lui arrivait. Puis elle lui enfouit violemment la tête dans le matelas et lui sauta sur le dos en un mouvement parfaitement coulé.

– On ne bouge pas ! cria-t-elle.

– Attendez ! Qu'est-ce...

– Arrête de te débattre ! Je t'ai dit de ne pas bouger !

Elle lui tira les mains dans le dos et se servit de son lien pour les lui attacher sans attendre.

– Qu'est-ce qui se passe ? Qu'est-ce que j'ai fait ?

– Qu'est-ce que tu fabriques ici ?

Il essaya de lever la tête, mais Rachel lui renfonça la figure dans le matelas.

– Je t'ai demandé ce que tu faisais ici.

– Je suis venu déposer les merdes à Freddy et j'ai décidé d'utiliser ses chiottes.

– Entrer par effraction est un crime.

– Je suis pas entré par effraction et j'ai rien piqué. Freddy s'en fout. Vous pouvez y demander.

– Où est-il ?

— Je ne sais pas. Et d'abord, qui vous êtes, vous ?

— T'occupe. Qui est Freddy ?

— Quoi ?... Il habite ici.

— Qui est-ce ?

— Je ne sais pas. Il s'appelle Freddy Stone. Je travaille avec lui. Enfin, je travaillais... Hé mais... vous ! Vous êtes la fille qu'est venue faire la visite aujourd'hui ! Qu'est-ce que vous fabriquez ?

Rachel descendit de son dos — lui cacher son identité n'avait plus d'importance. Mizzou se retourna sur le lit et se redressa. Les yeux écarquillés, il passa de Rachel à moi, puis regarda de nouveau Rachel.

— Où est Freddy ? répéta celle-ci.

- Je ne sais pas. Personne ne l'a vu.

- Depuis quand ?

— À votre avis ? Depuis qu'il a arrêté de bosser. Qu'est-ce qui se passe ? D'abord le FBI et maintenant vous deux ? Qui êtes-vous, hein ?

— T'occupe. Où Freddy pourrait-il aller ?

— Je sais pas. Comment voulez-vous que je le sache ?

Soudain il se leva comme s'il allait tout simplement partir et filer avec les mains attachées dans le dos. Rachel le réexpédia sur le lit sans ménagement.

— Vous avez pas le droit de faire ça ! Je sais même pas si vous êtes des flics. Je veux un avocat.

Rachel s'approcha du lit d'un air menaçant et lui parla calmement à voix basse.

— Si nous ne sommes pas des flics, lui dit-elle, qu'est-ce qui te fait croire qu'on pourrait te chercher un avocat ?

Les yeux de Mizzou se remplirent de crainte lorsqu'il comprit qu'il venait de tomber dans un truc dont il ne pourrait peut-être pas sortir.

— Écoutez, dit-il, je vais vous dire tout ce que je sais. Mais vous, vous me laissez partir.

J'étais toujours adossé à la cloison, à essayer de me conduire comme si c'était une journée de plus au bureau et que parfois il y a des gens qui finissent par devenir des dommages collatéraux quand on veut terminer un boulot.

– Où je vais trouver Freddy ? demanda Rachel.

– Je vous l'ai déjà dit ! glapit Mizzou. Je ne sais pas. Si je savais, je vous le dirais, mais je ne sais pas !

– Freddy est un hacker ? reprit-elle en montrant le mur, de l'autre côté duquel se trouvait le poste de travail.

– Ça serait plutôt un troller. Il aime faire chier les gens, leur jouer des tours et autres conneries de ce genre.

– Et toi ? Tu as fait ces trucs avec lui ? Et on ne ment pas.

– Une fois, oui. Mais j'ai pas aimé faire chier les gens comme ça, sans raison…

– Comment t'appelles-tu ?

– Matthew Mardsen.

– D'accord, Matthew Mardsen, et Declan McGinnis ?

– Quoi « Declan McGinnis » ?

– Où est-il ?

– Je ne sais pas. J'ai entendu dire qu'il avait envoyé un mail pour dire qu'il était malade et qu'il restait chez lui.

– Tu y crois ?

Il haussa les épaules.

– Je ne sais pas. Peut-être.

– Quelqu'un lui a-t-il parlé ?

– Je ne sais pas. Ce genre de trucs, c'est très au-dessus de ce pourquoi on me paie.

– Et c'est tout ?

– C'est tout ce que je sais !

– Alors debout.

– Quoi ?

– Mets-toi debout et tourne-toi.

– Qu'est-ce que vous allez faire ?

– Je t'ai dit de te mettre debout et de te retourner. T'occupe pas de ce que je vais faire.

Il s'exécuta à contrecœur. S'il avait pu tourner la tête à cent quatre-vingts degrés pour surveiller Rachel, il l'aurait fait. Mais il ne devait pouvoir la tourner qu'à cent vingt.

– Je vous ai dit tout ce que je sais, dit-il d'un ton désespéré.

Rachel se colla dans son dos et lui parla directement dans l'oreille.

– Si jamais je découvre que tu m'as menti, je reviendrai te chercher, lui dit-elle.

Puis, en le tenant par l'attache, elle le tira dans le poste de travail, prit une paire de ciseaux sur l'étagère et coupa le lien qui lui retenait les poignets.

– Tire-toi d'ici et ne dis à personne ce qui s'est passé, ajouta-t-elle. Si tu le fais, nous le saurons.

– Je le ferai pas ! Je vous promets que je le ferai pas !

– Allez, file !

Il faillit déraper sur le béton ciré lorsqu'il pivota pour gagner la porte. Celle-ci n'était pas tout près et son orgueil le lâcha lorsqu'il arriva à trois mètres de la liberté. Ses derniers pas, il les fit en courant, puis il poussa la porte et la claqua derrière lui. Cinq secondes plus tard, nous entendions démarrer sa moto.

– J'ai beaucoup aimé le moment où tu l'as jeté sur le lit, lançai-je à Rachel. Je crois avoir déjà vu ça quelque part.

Elle me renvoya l'ombre d'un sourire, puis revint aux choses sérieuses.

– Je ne sais pas s'il va courir droit chez les flics ou pas, dit-elle, mais ne restons pas ici trop longtemps.

– On peut se tailler tout de suite.

– Non, pas tout de suite. Tu regardes partout pour voir ce que tu peux trouver sur ce type. Dix minutes, après on se tire. Ne laisse pas tes empreintes.

– Génial. Et je fais comment ?

– Tu es journaliste. Tu as sûrement un stylo qui ne te quitte jamais.

– Bien sûr.

– Sers-t'en. Dix minutes.

Mais nous n'en eûmes pas besoin. Il devint vite clair que l'endroit avait été vidé de tout objet même vaguement personnel appartenant à Freddy Stone. Je me servis bien de mon stylo pour ouvrir des meubles et des tiroirs, mais je les trouvai tous vides, ou ne contenant que de la nourriture en conserve et des ustensiles de cuisine de base. Le réfrigérateur était, lui, presque vide. La partie congélateur était occupée par deux pizzas surgelées et un bac à glaçons sans rien dedans. Je jetai ensuite un coup d'œil dans et sous la commode, mais non : rien. Vide. Je regardai sous le lit et entre le matelas et le sommier. Rien non plus. Jusqu'aux poubelles qui étaient vides.

– On s'en va, dit Rachel.

Je relevai la tête de sous le lit et vis qu'elle était déjà à la porte. Elle avait pris sous son bras le carton que Mizzou venait de déposer. Je me rappelai y avoir vu des clés USB. Peut-être contenaient-elles des renseignements dont nous avions besoin. Je me dépêchai de rejoindre Rachel, mais lorsque je franchis la porte je vis qu'elle n'était pas à la voiture. Je me retournai et l'aperçus qui tournait le coin du bâtiment et suivait l'allée.

– Hé ! lui criai-je.

Je fonçai jusqu'à l'allée et tournai le coin à mon tour. Elle avançait d'un pas décidé.

– Rachel, où vas-tu ? lui demandai-je.

– Il y avait trois poubelles là-dedans, me répondit-elle par-dessus son épaule. Elles étaient toutes vides.

Je compris alors qu'elle se dirigeait vers la première des bennes à ordures rangées dans des alcôves de l'autre côté de l'allée. Juste au moment où je la rattrapais, elle me tendit le carton de Freddy.

– Tiens-moi ça, dit-elle.

Elle rejeta en arrière le lourd couvercle en acier de la benne, celui-ci allant cogner bruyamment contre le mur derrière lui. Je jetai un œil dans le carton de Freddy et vis que quelqu'un – probablement Mizzou – lui avait pris ses cigarettes. Je doutai fort qu'elles lui manquent.

– T'as vérifié les éléments dans la cuisine, hein ? me demanda Rachel.

Oui.

– Y avait-il des sacs-poubelles ?

Il me fallut un moment pour comprendre.

– Euh, oui, oui, il y en avait une boîte sous l'évier.

– Ils étaient blancs ou noirs ?

– Euh…

Je fermai les yeux et tentai de visualiser ce que j'avais trouvé dans le placard sous l'évier.

– … noirs. Noirs avec un cordon rouge.

– Bien. Ça limite les recherches.

Déjà elle avait passé la main dans la benne et y déplaçait des ordures. Le container était à moitié plein et puait un maximum. La plupart des détritus ne se trouvaient pas dans des sacs, mais y avaient été jetés en vrac, les trois quarts d'entre eux provenant de chantiers de construction ou de rénovation. Le reste n'était qu'ordures pourrissantes.

– On essaie l'autre, dit-elle.

Nous traversâmes l'allée pour rejoindre l'autre alcôve. Je posai le carton par terre et ouvris le lourd couvercle de la benne. L'odeur était encore plus stupéfiante, au point que je me demandai si nous n'avions pas trouvé Freddy Stone. Je reculai et me détournai pour souffler par le nez et la bouche et repousser la puanteur.

– Ne t'inquiète pas, me dit Rachel, ce n'est pas lui.

– Comment le sais-tu ?

– Parce que je sais ce que sent un corps en décomposition, et c'est bien pire.

Je regagnai la benne. Il y avait beaucoup de sacs en plastique, bon nombre d'entre eux noirs. Un certain nombre s'étaient déchirés et leur contenu putride se répandait partout.

– Tu as les bras plus longs, reprit Rachel. Sors les sacs noirs.

– Je viens juste d'acheter cette chemise, lui renvoyai-je en protestant, mais je plongeai les mains dans la benne.

Je sortis tous les sacs noirs qui étaient encore fermés et dont on ne voyait pas le contenu, et les posai par terre. Rachel commença à les ouvrir en déchirant le plastique de telle manière que ce qu'ils renfermaient ne se renverse pas. À croire qu'elle procédait à leur autopsie.

– Fais comme ça et ne mélange pas les contenus de différents sacs, reprit-elle.

– Pigé. Qu'est-ce qu'on cherche ? On ne sait même pas si ces trucs viennent de chez Stone.

– Je sais, mais il faut quand même regarder. Y aura peut-être quelque chose qui nous fera comprendre.

Le premier sac que j'ouvris contenait essentiellement des lambeaux de documents passés à la déchiqueteuse.

– J'ai des papiers en lambeaux.

Elle regarda.

– Ça pourrait lui appartenir. Il y avait une déchiqueteuse près du poste de travail. Mets ça de côté.

Je fis ce qu'on me disait et ouvris le sac suivant. Celui-là était plein de ce qui ressemblait beaucoup à des ordures ménagères de base. Mais je reconnus aussitôt un des emballages de nourriture.

– C'est à lui. Il avait la même marque de pizza micro-ondes dans son congélo.

Rachel regarda.

– Bien. Tu cherches tout ce qui pourrait être personnel.

Elle n'avait pas besoin de me le dire, mais je ne râlai pas. Je passai doucement les mains dans le sac déchiré et, emballages, boîtes de conserve, peaux de banane et trognons de pomme qui pourrissaient, je compris tout de suite que tout venait de la cuisine. Et m'aperçus que ce n'était pas aussi méchant que ç'aurait pu l'être. Il n'y avait qu'un four à micro-ondes dans l'entrepôt. Ça limitait le choix et la nourriture se trouvait dans de beaux emballages qu'on pouvait fermer hermétiquement avant de les jeter.

Au fond du sac je tombai sur un journal. Je le sortis avec précaution, en me disant que la date de parution pourrait peut-être nous aider à réduire le nombre de jours où on avait pu le balancer dans la benne. On l'avait plié en quatre, comme un voyageur aurait pu vouloir le porter. C'était un numéro du *Las Vegas Review-Journal* du mercredi précédent. Le jour même où j'étais venu à Las Vegas.

Je le dépliai et remarquai qu'on avait couvert de gribouillis au feutre noir la photo d'un visage publiée en première page. Quelqu'un lui avait fait cadeau d'une paire de lunettes de soleil et d'un jeu de cornes de diable, avec la barbichette pointue de rigueur. Il y avait aussi un rond de tasse de café sur le cliché. Le rond masquait en partie un nom écrit avec le même feutre noir.

— J'ai un journal de Las Vegas avec un nom écrit dessus.

Rachel leva aussitôt les yeux de dessus le sac qu'elle avait dans les mains.

— C'est quoi, ce nom ?

— Il est caché par un rond de café. C'est… Georgette quelque chose. Ça commence par un B et finit par M-A-N.

Je tins le journal en l'air et le lui inclinai de façon à ce qu'elle puisse voir la première page. Elle l'examina une seconde, puis je vis son regard s'enflammer : elle l'avait reconnu. Elle se redressa.

— Ça y est ! Tu l'as trouvé !

— Qu'est-ce que j'ai trouvé ?

— Notre bonhomme. Tu te rappelles quand je t'ai parlé de l'e-mail envoyé à la prison d'Ely ? Celui qui a valu à Oglevy d'être aussitôt bouclé ? C'était un mot de la secrétaire du gardien chef adressé à son patron.

— Oui.

— Eh bien, cette fille s'appelle Georgette Brockman.

Toujours accroupi à côté du sac ouvert, je regardai fixement Rachel en assemblant les pièces du puzzle. Il ne pouvait y avoir qu'une raison pour expliquer que Freddy Stone ait écrit ce nom sur un journal de Las Vegas dans son entrepôt. Il m'avait suivi jusqu'à Vegas et savait que je me rendais à Ely pour parler à Oglevy. C'était lui qui avait voulu m'isoler au milieu de nulle part. C'était M. Favoris. Le Sujinc.

Rachel me prit le journal des mains. Elle était arrivée aux mêmes conclusions que moi.

– C'est lui qui t'as suivi au Nevada. Il a eu le nom de cette fille et l'a trouvé en farfouillant dans la base de données de la prison. C'est lui, le lien, Jack. Tu as réussi !

Je me levai et m'approchai d'elle.

– Non, nous, Rachel, nous avons réussi. Mais… qu'est-ce qu'on fait maintenant ?

Elle baissa le journal le long de sa jambe et je vis la tristesse se marquer sur son visage.

– Il ne faut plus rien toucher ici, dit-elle. Il faut laisser ça et appeler le Bureau. C'est à eux de reprendre l'affaire.

Côté équipement, le FBI semblait toujours prêt à tout. Moins d'une heure après que Rachel eut appelé l'antenne locale du Bureau, nous nous retrouvâmes dans des salles d'interrogatoires séparées, au milieu d'un véhicule indéfinissable de la taille d'un bus et garé juste devant l'entrepôt où avait vécu Freddy Stone. Nous y fûmes interrogés par des agents pendant que certains de leurs collègues se répandaient dans l'entrepôt et l'allée voisine pour y chercher d'autres indices prouvant que Stone était impliqué dans les meurtres au coffre et trouver où il pouvait se cacher.

Bien sûr, le FBI ne parlait pas de « salles d'interrogatoires » et se serait indigné que je traite ce mobile-home aménagé de « Guantanamo Express ». Pour eux, il s'agissait d'une « unité mobile d'interviews de témoins ».

La salle où l'on m'avait collé était un cube sans fenêtres d'environ trois mètres sur trois et celui qui m'interrogeait un certain John Bantam. Ce nom ne lui allait pas vraiment : le bonhomme était si grand[1] qu'il semblait remplir toute la pièce. Il faisait les cent pas devant moi en se frappant régulièrement la cuisse avec le bloc-notes grand format qu'il portait de façon à ce que je me dise que, la prochaine fois, ce serait ma tête qui prendrait.

1. Comme déjà évoqué plus haut dans le texte, un *bantam weight* est un poids coq en boxe *(NdT)*.

Il me cuisina pendant une heure sur la manière dont j'avais fait le lien avec la Western Data et sur tout ce que Rachel et moi avions fait après ça. D'un bout à l'autre de cette séance, je suivis le conseil que Rachel m'avait donné juste avant que les troupes fédérales débarquent : *Ne mens surtout pas. Mentir à un agent fédéral est un crime. Dès que tu l'as commis, ils te tiennent. Ne mens sur rien.*

Je leur dis donc la vérité, mais pas toute la vérité. Je ne répondis qu'aux questions qu'on me posait et ne donnai aucun détail qu'on ne m'ait pas spécifiquement demandé de fournir. Bantam me fit l'impression d'être constamment frustré et agacé de ne jamais arriver à poser les bonnes questions. La sueur commençait à luire sur sa peau noire. Je me dis qu'il devait incarner la frustration de devoir constater que c'était un journaliste qui avait vu le lien qu'ils avaient loupé ; toujours est-il que je ne le rendais pas heureux. La séance passa de l'interview cordiale à l'interrogatoire de plus en plus tendu et qui semblait s'éterniser.

Je finis par toucher le fond et me levai de la chaise sur laquelle je m'étais assis. Même en me mettant debout, j'avais quinze bons centimètres de moins que Bantam.

– Écoutez, lui lançai-je, je vous ai dit tout ce que je sais. J'ai un article à écrire.

– Asseyez-vous. Nous n'avons pas fini.

– Cette interview était volontaire. Ce n'est pas à vous de me dire quand nous en aurons terminé. J'ai répondu à toutes vos questions sans exception et maintenant vous ne faites que vous répéter pour voir si je vais me prendre les pieds dans le tapis. Sauf que ça n'arrivera pas parce que je ne vous ai dit que la stricte vérité. Bon alors, je peux y aller ou pas ?

– Eh bien mais… je pourrais vous arrêter dans l'instant pour effraction et pour vous être fait passer pour un agent fédéral.

– Écoutez, si vous voulez inventer, vous devriez pouvoir m'arrêter pour des tas de motifs. Cela dit, je n'ai commis aucune effraction. J'ai suivi quelqu'un dans un entrepôt quand nous l'avons vu y entrer, et me suis dit qu'il était peut-être sur le point de commettre un délit. Et je ne me suis pas fait passer pour un agent fédéral. Que ce gamin nous ait peut-être pris pour des agents du Bureau n'empêche pas que ni l'un ni l'autre nous n'avons dit ou fait quoi que ce soit qui aurait pu le lui laisser croire, même de loin.

— Asseyez-vous. Nous n'avons pas fini.

— Je pense que si.

Il fit claquer le bloc-notes sur sa jambe et me tourna le dos. Gagna la porte, puis se retourna.

— Nous avons besoin que vous ne publiiez pas votre article, dit-il.

Je hochai la tête. Enfin nous y étions.

— C'est donc de ça qu'il s'agissait ? Tout cet interrogatoire, toutes ces intimidations pour ça ?

— Ce n'était pas un interrogatoire. Croyez bien que si c'en avait été un, vous l'auriez su.

— Comme vous voudrez. Mais cet article, je ne peux pas ne pas le publier. Cela représente une avancée considérable dans une affaire de première importance. Sans compter que balancer la tête de Stone partout dans les médias pourrait vous aider à l'attraper.

Ce fut à son tour de hocher la tête.

— Pas tout de suite, répéta-t-il. Nous avons besoin de vingt-quatre heures pour évaluer ce que nous avons ici et dans d'autres lieux. Et nous voulons le faire avant qu'il sache que nous avons retrouvé sa trace. Après, balancer sa tête partout dans les médias sera génial.

Je me rassis sur la chaise pliante et réfléchis aux suites possibles. C'était avec mes rédacteurs en chef que j'étais censé discuter toute décision de publication, mais on avait dépassé ça depuis longtemps. C'était mon dernier article et je voulais prendre le commandement des opérations.

Bantam tira une chaise appuyée au mur, la déplia et s'assit pour la première fois depuis le début de la séance, juste en face de moi.

Je consultai ma montre. Il était presque quatre heures. Les rédacteurs en chef de Los Angeles étaient sur le point de se réunir pour décider ce qui allait paraître en première page.

— Voici ce que je suis prêt à faire, lui dis-je. Nous sommes mardi. Je ne publie pas l'article aujourd'hui. Je l'écris demain pour l'édition de jeudi. On ne met rien en ligne de façon à ce que les agences de presse ne puissent rien faire avant jeudi matin tôt et ne commencent pas à faire aussitôt des vagues à la télé. (Je consultai à nouveau ma montre). Ça vous donne au moins trente-six heures.

Il acquiesça d'un signe de tête.

— D'accord, dit-il. Ça devrait marcher.

Il fit mine de se lever.

— Attendez une minute. Ce n'est pas tout. Voici ce que je veux en échange. L'exclusivité, évidemment. C'est moi qui ai trouvé la faille et le sujet m'appartient. Il n'y aura ni fuites ni conférences de presse avant que mon article paraisse en première page du *Times*.

— Ça ne pose aucun problème. Nous...

— Je n'ai pas fini. Il y a plus. Je veux accès à tout. Je veux être dans la confidence. Je veux savoir ce qui se passe. Je veux être embarqué.

Il eut une grimace de mépris et hocha la tête.

— Nous n'« embarquons » personne. Si vous voulez être « embarqué », allez en Irak. Nous ne mêlons aucun citoyen, surtout pas des journalistes, à nos enquêtes. Cela pourrait être dangereux et compliquer les choses. Et du point de vue juridique, cela pourrait compromettre la mise en accusation.

— Bien. Nous n'avons donc pas conclu affaire et je vais devoir appeler mon rédacteur en chef dans l'instant.

Sur quoi je glissai ma main dans ma poche pour y prendre mon portable. Le geste était théâtral et j'espérai qu'il emporte le morceau.

– Bon, d'accord, attendez, dit-il. Je ne peux pas prendre cette décision tout seul. Restez ici et je reviens vers vous.

Il se leva et quitta la pièce en fermant la porte derrière lui. Je me levai à mon tour et allai vérifier la poignée. Comme je m'en doutais, la porte était fermée à clé. Je sortis mon portable et consultai l'écran. Pas de réseau. L'isolation phonique de la salle avait dû couper le réseau, ce que Bantam savait probablement depuis toujours.

Je passai une autre heure assis sur ma chaise pliante, en me levant de temps à autre pour aller frapper fort à la porte ou faire les cent pas dans cette pièce minuscule, comme Bantam l'avait fait avant moi. La tactique de l'abandon du témoin commença à produire ses effets. Je ne cessai de consulter ma montre ou d'ouvrir mon portable, alors même que je savais très bien qu'il n'y avait toujours pas de réseau et aucune chance que ça change. À un moment donné, je décidai de tester la théorie paranoïde selon laquelle on m'écouterait et me surveillerait tout le temps que je resterais dans cette salle. J'ouvris mon portable et le présentai à tous les coins de la pièce, tel le contrôleur qui regarde son compteur Geiger. Arrivé au troisième coin, je fis comme si j'avais trouvé un réseau et appelais mon rédacteur en chef pour lui dire, avec toute l'excitation nécessaire, que j'étais prêt à lui dicter un article de première importance sur l'identité du tueur au coffre.

Mais Bantam ne se précipita nullement dans la salle, ce qui ne prouvait qu'une chose : ou bien la salle n'était pas équipée de micros et de caméras vidéo, ou bien les agents qui m'observaient de l'autre côté de la porte savaient que mon serveur était bloqué et que je ne pouvais pas avoir donné le coup de fil que j'avais fait semblant de passer.

Pour finir, à cinq heures quinze, la porte s'ouvrit. Mais ce ne fut pas Bantam qui entra. Ce fut Rachel. Je me levai. Mon regard trahit probablement ma surprise, mais je tins ma langue.

– Assieds-toi, Jack, dit-elle.

J'hésitai, puis me rassis.

Elle prit l'autre chaise et s'assit en face de moi. Je la regardai et lui montrai le plafond en haussant les sourcils d'un air interrogateur.

– Oui, nous sommes enregistrés, dit-elle. Audio et visuel. Mais tu peux parler librement.

Je haussai les épaules.

– Bien, quelque chose me dit que tu as pris du poids depuis que je t'ai vue la dernière fois. Comme si... tu avais retrouvé une arme et un insigne ?

Elle fit oui de la tête.

– De fait, je n'ai ni l'un ni l'autre, mais ils sont en route, me précisa-t-elle.

– Tu ne vas pas me dire que tu as trouvé Oussama Ben Laden à Griffith Park, si ?

– Pas exactement, non.

– Mais tu as retrouvé ton poste.

– Techniquement parlant, ma demande de démission n'avait pas encore été envoyée. L'extrême lenteur de la bureaucratie, tu vois ? J'ai eu de la chance. J'ai été autorisée à la retirer.

Je me penchai en avant et lui murmurai :

– Et le jet ?

– Tu n'as pas besoin de chuchoter. Le jet ne pose plus de problème.

– J'espère que tu as tout ça par écrit.

– J'ai obtenu ce que je voulais.

Je hochai la tête : je connaissais la chanson. Elle s'était servie de tout ce qu'elle avait pour faire pression et avait conclu un marché.

– Bien, laisse-moi deviner : il faut qu'on dise que c'est un agent du Bureau qui a identifié Freddy Stone comme étant le Sujinc, et pas du tout quelqu'un qu'ils venaient de foutre à la porte du service.

Elle acquiesça d'un signe de tête.

– Quelque chose comme ça, oui, dit-elle. Et maintenant, j'ai pour tâche de m'occuper de toi. Ils ne t'ouvriront aucune porte, Jack. Ce serait le désastre assuré. Tu te rappelles ce qui s'est passé avec le Poète.

– C'est du passé et aujourd'hui, c'est aujourd'hui.

– Il n'empêche : ça n'arrivera pas.

– Dis-moi, on pourrait pas sortir de ce cube ? On pourrait pas aller se promener dans un endroit où il n'y a ni micros ni caméras cachées ?

– Bien sûr, allons-y.

Elle se leva et gagna la porte. Elle tapa deux coups rapprochés, puis un troisième, et la porte s'ouvrit aussitôt. Lorsque nous passâmes dans l'étroit couloir qui conduisait à l'avant du bus et à la sortie, je remarquai que c'était Bantam qui se trouvait derrière la porte. Je frappai, moi aussi, deux coups rapprochés, puis un troisième dessus.

– Si seulement j'avais su la combinaison, lui lançai-je. J'aurais pu sortir d'ici il y a une heure.

Il ne trouva rien d'amusant à mon petit commentaire. Je me détournai et suivis Rachel dehors. Où je vis que l'entrepôt et l'allée étaient toujours le siège d'une intense activité. Plusieurs techniciens et agents spéciaux s'y déplaçaient en tout sens, recueillant ici des indices matériels, prenant là des mesures et des photos et transcrivant des choses dans des carnets posés sur des écritoires portatives.

– Il y en a du monde ! m'exclamai-je. Ils ont trouvé des trucs qui nous auraient échappé ?

Elle eut un petit sourire entendu.

– Pas pour l'instant, non, dit-elle.

– Bantam m'a informé que le FBI avait investi d'autres endroits, oui… au pluriel. Quels endroits ?

– Écoute, Jack. Avant qu'on puisse causer, il faut qu'on soit clairs sur un point. Je ne t'ai pas pris avec moi et tu n'es pas un journaliste embarqué. Je suis ton contact, ta source, et je le serai tant que tu garderas ton article pour toi, soit un jour comme tu l'as promis.

– Mon offre était conditionnée à un accès à tout.

– Oh allons, Jack, ça ne se produira pas. Mais tu m'as, moi, et tu peux me faire confiance. Rentre à L.A. et écris ton article demain. Je te dirai tout ce que je peux te dire.

Je me détachai d'elle et me dirigeai vers l'allée.

– Tu vois ? C'est exactement ça qui m'inquiète. Tu me diras tout ce que tu peux me dire. Mais qui décidera ce que tu pourras me dire ?

– Je te dirai tout ce que je sais.

– Mais est-ce que tu sauras tout ?

– Allons, Jack. Arrête de jouer sur les mots. Est-ce que tu me fais confiance ? Ce n'est pas ce que tu m'as dit quand tu m'as appelée la semaine dernière en plein désert ?

Je la regardai dans les yeux un instant, puis me tournai de nouveau vers l'allée.

– Bien sûr que je te fais confiance, dis-je.

– Alors tu n'as pas besoin de plus. Rentre à Los Angeles. Demain, si tu veux, tu pourras m'appeler toutes les heures à l'heure juste et moi, je te dirai ce qu'on a. Tu seras au courant de tout jusqu'à ce que tu publies l'article. Le sujet sera à toi et à personne d'autre, ça, je te le promets.

Je gardai le silence. Regardai fixement l'allée, où plusieurs techniciens et agents spéciaux disséquaient les sacs-poubelles noirs que nous avions découverts. Ils répertoriaient chaque ordure tels des archéologues sur le site d'une fouille en Égypte.

Rachel commençait à perdre patience.

– Alors, Jack, marché conclu ?

Je la regardai.

– Oui, marché conclu, dis-je.

– Ma seule demande est que lorsque tu écriras ton papier, tu m'identifies en tant qu'agent spécial. Tu ne dis rien de ma démission et du fait que je l'ai retirée.

– C'est toi qui le veux ou c'est le Bureau ?

– Qu'est-ce que ça peut faire ? C'est oui ou c'est non ?

J'acquiesçai d'un hochement de tête.

– Non, Rachel, je n'en parlerai pas. Ton secret sera bien gardé avec moi.

– Merci.

Je me détournai de l'allée et la regardai en face.

– Bon, où en est-on ? Qu'est-ce que c'est que ces autres endroits dont parle Bantam ?

– On a des agents à la Western Data et chez Declan McGinnis, à Scottsdale.

– Et que dit McGinnis pour sa défense ?

– Rien pour l'instant. On ne l'a pas localisé.

– Il a disparu ?

Elle haussa les épaules.

– Nous ne savons pas trop si cette disparition est volontaire ou involontaire, mais il a filé. Et son chien aussi. Il se peut qu'il ait lui aussi mené son enquête après la visite des agents vendredi. Peut-être s'est-il un peu trop approché de Stone, qui aura réagi. Mais il y a aussi une autre possibilité.

– Qu'ils aient été de connivence ?

Elle acquiesça.

– Oui, qu'ils aient fait équipe. McGinnis et Stone. Et qu'ils soient ensemble là où ils sont.

Je réfléchis : je savais que cette situation n'était pas sans précédents. Le Hillside Strangler[1] s'était ainsi révélé être deux cousins. Et des tandems de tueurs en série, il y en avait eu avant et après eux. Je songeai à Bittaker et Norris, deux des pires prédateurs sexuels à avoir jamais foulé le sol de la planète : ils s'étaient trouvés et avaient fait équipe en Californie. Ils enregistraient leurs séances de torture. Un jour, un flic m'avait passé la copie d'une de ces séances, qui se déroulaient à l'arrière d'un van. J'avais éteint l'appareil juste après le premier hurlement de panique et de douleur.

– Tu vois, Jack ? reprit-elle. C'est pour ça que nous avons besoin d'un peu de temps avant que les médias se

1. Ou l'Étrangleur des collines, célèbre tueur en série qui sévit à Los Angeles à la fin des années soixante-dix (NdT).

déchaînent. Ces deux types avaient des ordinateurs portables et les ont pris avec eux. Mais ils avaient aussi des ordinateurs à la Western Data et ceux-là, nous les avons. On a une équipe de l'URP qui arrive de Quantico. Elle devrait atterrir à...

– L'URP ?

– L'Unité de recouvrement des preuves électroniques. Ils sont déjà dans l'avion. Nous allons les mettre sur toute l'électronique de la Western Data et nous verrons bien ce qu'ils nous trouveront. Et n'oublie pas ce que nous avons déjà appris aujourd'hui : tout est sous surveillance audio et vidéo. Les enregistrements qu'ils ont aux archives devraient nous aider aussi.

J'acquiesçai. Je songeais toujours à McGinnis et à Stone travaillant ensemble et formant équipe pour tuer.

– Qu'est-ce que tu en penses ? demandai-je à Rachel. Tu crois qu'il y a un seul Sujinc ou qu'il y en a deux ?

– Je ne peux pas en jurer pour l'instant. Mais oui, j'ai l'impression que nous avons affaire à une équipe.

– Pourquoi ?

– Tu te rappelles le scénario qu'on a échafaudé l'autre soir ? Celui où le Sujinc vient à Los Angeles, attire Angela chez toi, puis la tue avant de prendre l'avion pour te suivre à Las Vegas ?

– Oui.

– Eh bien, le FBI a vérifié tous les vols en partance des aéroports de LAX et de Burbank à destination de Las Vegas ce soir-là. Seuls quatre passagers ont acheté des billets pour les derniers vols de la journée. Tous les autres voyageurs avaient des réservations. Nos agents ont retrouvé et interrogé trois de ces passagers et ils sont OK. Le quatrième, bien sûr, c'était toi.

– Bon, d'accord, mais il aurait pu y aller en voiture.

Elle fit non de la tête.

– Oui, il aurait pu, mais pourquoi envoyer un paquet GO ! quand on a décidé de prendre le volant ? Tu vois ?

L'envoi du paquet n'a de sens que s'il avait pris l'avion et se proposait de le reprendre ou s'il l'avait envoyé à quelqu'un.

– Son associé.

J'acquiesçai et commençai à marcher en rond comme si je me faisais un petit riff sur ce scénario. Tout cela semblait logique.

– Et donc Angela va sur le site piège et, ce faisant, les alerte. Ils lisent son mail. Puis ils lisent le mien. Et leur réaction est la suivante : l'un des deux file à L.A. pour s'occuper d'elle tandis que l'autre part pour Las Vegas pour s'occuper de moi.

– C'est comme ça que je vois les choses.

– Attends. Et son téléphone portable à elle ? Tu viens de me dire que le FBI avait remonté l'appel que m'a passé le tueur sur son portable à elle jusqu'à l'aéroport de Las Vegas. Comment ce portable aurait-il fait pour arriver à...

– Le paquet GO ! Il a envoyé ton arme *et* le portable d'Angela. Ils savaient que ce serait une façon de plus de te relier à son assassinat. Après ton suicide, les flics auraient retrouvé son portable dans ta chambre. Mais quand ça n'a pas marché comme prévu, Stone t'a appelé de l'aéroport. Peut-être voulait-il simplement bavarder, ou alors il savait que ça aiderait à établir l'hypothèse qu'il y avait un assassin qui était allé de Los Angeles à Las Vegas.

– Stone ? Ce que tu es en train de me dire, c'est donc que McGinnis est allé à Los Angeles pour tuer Angela et que Stone est venu à Las Vegas pour me régler mon compte, à moi ?

Elle fit oui de la tête.

– Tu m'as dit que le type aux favoris n'avait pas plus de trente ans. Stone en a vingt-six et McGinnis quarante-six. On peut toujours changer son apparence, mais une des choses les plus difficiles à faire sans que ça se voie trop est de déguiser son âge. Et il est bien plus difficile de se rajeunir que de se vieillir. Je te parie que ton bonhomme à favoris, c'était Stone.

Ça aussi, ça me semblait logique.

— Il y a encore autre chose qui milite en faveur de la thèse de l'équipe, reprit-elle. Et on l'a sous le nez depuis le début.

— Oui, quoi ?

— Un détail resté inexpliqué dans le meurtre de Denise Babbit. Elle a été mise dans le coffre de sa propre voiture, voiture qui a été abandonnée à South L.A., où Alonzo Winslow est tombé dessus par hasard.

— Et alors ?

— Et alors ? S'il travaillait seul, comment l'assassin aurait-il pu sortir de South L.A. après avoir abandonné la voiture ? Ça se passait dans un quartier essentiellement noir, et tard le soir. Il aurait pris le bus ou appelé un taxi et attendu au bord du trottoir ? Les Rodia Gardens se trouvent à environ quinze cents mètres de la première station de métro. Il aurait fait le trajet à pied ? Lui, un Blanc dans un quartier noir en pleine nuit ? Je ne le pense pas. On ne termine pas un meurtre aussi bien préparé que celui-là sur une fuite aussi nulle. Aucun de ces scénarios n'a grand sens.

— Ce qui fait que celui qui a abandonné la voiture de Denise avait quelqu'un qui l'attendait avec une bagnole ?

— Tu as tout compris.

Je hochai la tête et gardai le silence un bon moment en pensant à tous ces nouveaux renseignements. Rachel finit par m'interrompre dans mes raisonnements.

— Jack, dit-elle, il va falloir que je me mette au travail. Et que toi, tu prennes ton avion.

— C'est quoi, ton boulot ? Enfin, je veux dire... en dehors de t'occuper de moi ?

— Je vais travailler avec l'URP à la Western Data. Il faut que j'y aille tout de suite pour tout préparer.

— Le FBI a fermé l'installation ?

— Plus ou moins. Ils ont renvoyé tout le monde a la maison, à l'exception d'une équipe minimale chargée de garder le système opérationnel et d'aider l'équipe de l'URP. Carver au bunker, O'Connor au rez-de-chaussée, plus quelques autres, je crois.

– La boîte va tomber.

– Ça, on ne peut rien y faire. Sans compter que si le PDG et son jeune associé piquaient dans les données clients pour se trouver des victimes propres à satisfaire leurs rêves de meurtre, je crois que lesdits clients devraient avoir le droit de le savoir. Quant à ce qui se passera après...

J'acquiesçai d'un signe de tête.

– Tu as sans doute raison.

– Jack, il faut que tu y ailles. J'ai dit à Bantam que je pouvais m'occuper de ça. J'aimerais pouvoir t'embrasser fort, mais ce n'est pas le moment. Je veux que tu fasses très attention. Rentre à L.A. et mets-toi à l'abri. Quoi qu'il arrive, tu m'appelles, surtout si tu as des nouvelles d'un de ces types.

J'acquiesçai d'un signe de tête.

– Je rentre à l'hôtel chercher mes affaires, lui dis-je. Tu veux que je te laisse la chambre ?

– Non, maintenant c'est le FBI qui me prend en charge. Peux-tu laisser mon sac à la réception en partant ? J'y repasserai plus tard dans la journée.

– OK, Rachel. Et toi aussi, fais attention.

En me retournant pour gagner ma voiture, je tendis subrepticement la main et lui serrai le poignet. J'espérai que le message serait clair et net : dans cette affaire, nous étions ensemble.

Dix minutes plus tard, j'avais l'entrepôt dans mon rétroviseur et j'étais en route pour la Mesa Verde. La Southwest Airlines m'avait mis en attente. J'essayais de réserver une place pour Los Angeles, mais ne pouvais me concentrer que sur cette seule idée : le Sujinc aurait été deux tueurs agissant de conserve.

Imaginer deux individus se rencontrant et agissant ensemble pour obéir aux mêmes fantasmes de meurtre et de sadisme sexuel faisait plus que doubler l'impression de terreur suscitée par des faits aussi sinistres. Je songeai au terme dont s'était servie Yolanda Chavez pendant la visite de la Western Data : la fibre noire. Se pouvait-il qu'il y ait quelque chose d'aussi profond et sombre dans les fibres d'un individu que le désir de partager le genre de crimes dont avaient été victimes Denise Babbit et les autres ? Je ne le pensais pas et le seul fait de l'envisager me glaçait jusqu'au plus profond de l'âme.

17

La ferme

Les trois agents du FBI qui formaient l'Unité de recouvrement des preuves électroniques s'étaient emparés des trois postes de travail de la salle de contrôle. Carver n'avait plus que le droit de faire les cent pas derrière eux et de jeter de temps en temps un coup d'œil aux écrans par-dessus leurs épaules. Il n'était pas inquiet : il savait qu'ils ne trouveraient que ce qu'il voulait bien leur laisser trouver. Mais il devait se comporter de façon à leur faire croire qu'il l'était. Après tout, ce qui se produisait dans cette enceinte menaçait la réputation de la Western Data dans tout le pays.

— Monsieur Carver, lui lança l'agent Torres, il faudrait vraiment que vous vous calmiez. La nuit promet d'être longue et que vous n'arrêtiez pas de tourner et virer comme ça ne fera que la rendre encore plus longue… pour vous et pour nous.

— Je m'excuse, dit Carver. Je m'inquiète seulement de savoir ce que ça va signifier, vous voyez ?

— Oui, monsieur, nous comprenons. Pourquoi ne vous…

L'agent fut interrompu par la musique de *Riders on the storm* montant de la poche de blouse de Carver.

— Je vous demande pardon, dit ce dernier.

Il sortit le portable de sa poche et répondit.

— C'est moi, lui lança Freddy Stone.

— Salut ! lui renvoya Carver avec un enthousiasme destiné aux agents.

— Ils ont trouvé ?

– Non, toujours pas. Je suis encore ici et ça va prendre du temps.

– Je lance le plan, dis ?

– Il faudra juste que vous y alliez sans moi.

– C'est là que tu me testes, c'est ça ? C'est là que je dois faire mes preuves, dit Stone avec un rien d'indignation.

– Après ce qui est arrivé la semaine dernière, je suis assez content de passer mon tour.

Il y eut une pause, puis Stone changea de sujet.

– Ces agents savent-ils déjà qui je suis ?

– Je ne sais pas, mais je ne peux rien y faire pour l'instant. Le boulot avant tout. Je suis certain d'être disponible la semaine prochaine et vous pourrez me repiquer du fric, dit Carver en espérant que ses réponses soient bien comprises par les agents fédéraux comme ayant trait à une partie de poker.

– Je te retrouve plus tard où tu sais ? demanda Stone.

– Oui, chez moi. Apportez les chips et la bière. À plus. Faut que j'y aille.

Il mit fin à l'appel et laissa retomber son portable dans sa poche. Les manœuvres et l'indignation de Stone commençaient à l'inquiéter. Quelques jours plus tôt, celui-ci le suppliait de l'épargner et là, il n'appréciait pas qu'on lui dise ce qu'il fallait faire ? Carver repensa aux derniers événements. Il aurait peut-être dû mettre un terme à tout ça dans le désert et jeter Stone dans le trou avec McGinnis et le clebs. Fin de l'histoire. Fin de la menace.

Il le pouvait encore. Plus tard dans la soirée, peut-être. Encore une occasion genre deux pour le prix d'un. Ce serait la fin de Stone et d'un tas d'autres choses. La Western Data ne pourrait pas résister au scandale. La boîte fermerait et il passerait à autre chose. Tout seul. Comme avant. Il aurait appris sa leçon et recommencerait ailleurs.

Le changelin, c'était lui. Il s'en savait capable.

I am a changeling, see me change. I am a changeling, see me change.

Torres se détourna de son écran et dévisagea Carver. Qui se reprit. Avait-il chantonné ?

– Une soirée de poker ratée ? lui demanda Torres.

– Oui, désolé de vous avoir dérangé.

– Dommage que vous ne puissiez pas jouer.

– Ce n'est pas grave. Sans vous, j'en aurais sans doute été de cinquante dollars.

– Le FBI est toujours heureux de rendre service.

Sur quoi, Torres y alla d'un sourire, la fille qui était avec lui, Mowry, souriant elle aussi.

Carver essaya de sourire à son tour, mais ça semblait faux et il s'arrêta. La vérité dans tout ça, c'était qu'il n'y vraiment pas de quoi sourire.

18

Passer à l'acte

Je passai toute la soirée dans ma chambre d'hôtel à écrire l'essentiel de l'article du lendemain et à appeler et rappeler Rachel sans arrêt. Mettre l'article sur pied n'avait rien de sorcier. Je commençai par appeler mon Ram, Prendergast, pour lui en parler et lui proposai un budget signes. Puis, après lui avoir envoyé ma demande, je commençai à bâtir mon histoire. Bien que mon papier ne doive pas passer avant le prochain round de nouvelles, j'en avais déjà bien en main les éléments principaux. Dès le lendemain matin, je me mettrais au courant des derniers détails de l'affaire et les y insérerais.

Enfin… si nouveaux détails on me donnait. Car ce qui n'avait d'abord été qu'une légère dose de paranoïa avait vite fleuri en quelque chose de nettement plus massif lorsque les appels que je passais à Rachel à heure fixe et les messages que je lui laissais avaient commencé à rester sans réponse. Les plans que je m'étais concoctés pour la soirée – et pour l'avenir – se heurtaient au mur du doute.

Pour finir, juste avant onze heures, mon portable sonna. L'écran m'informa qu'on m'appelait du Mesa Verde. C'était elle.

– Comment ça va, à L.A. ? me demanda-t-elle.

– Bien. J'ai essayé de te joindre. Tu n'as pas reçu mes messages ?

– Je suis navrée. Mon portable a rendu l'âme. C'est fou ce que j'avais dû passer comme appels avant. Je suis revenue à l'hôtel et je viens juste d'écouter mes messages. Merci d'avoir laissé mon sac à la réception.

Le coup du téléphone qui rend l'âme était plausible. Je commençai à me détendre.

— Pas de problème, dis-je. Dans quelle chambre t'ont-ils mise ?

— La 717. Et toi ? Tu es quand même rentré chez toi ?

— Non, je suis toujours à l'hôtel.

— Vraiment ? Je viens d'appeler le Kyoto qui m'a passé ta chambre, mais je n'ai pas eu de réponse.

— Oh. Ça devait être quand je suis allé chercher des glaçons dans le couloir, dis-je en regardant fixement la bouteille de Grand Embrace Cabernet que m'avait fait monter le service en chambre. Bon alors, ajoutai-je pour changer de sujet, tu as fini ta journée ?

— Doux Jésus, j'espère bien. Je viens juste de passer commande au service en chambre. J'imagine qu'ils me rappelleront s'ils trouvent autre chose à la Western Data.

— Qu'est-ce que tu veux dire ? Il y a encore des gens là-bas ?

— Les types de l'URP y sont toujours. Ils se siphonnent du Red Bull comme si c'était de l'eau claire et ils vont y passer la nuit. Carver est avec eux. Mais moi, je n'ai pas tenu. J'avais besoin de manger quelque chose et de dormir un peu.

— Et Carver va les laisser travailler toute la nuit ?

— Il s'avère qu'en fait d'épouvantail, on a plutôt affaire à un oiseau de nuit. Il se tape plusieurs services de nuit par semaine. Il dit que c'est là qu'il fait le meilleur boulot ; bref, rester debout ne le gêne pas.

— Qu'est-ce que tu as commandé à manger ?

— De la bouffe qui réconforte. Un cheeseburger avec des frites.

Je souris.

— J'ai commandé la même chose, mais sans le fromage. Pas de Pyrat ou de rhum ?

– Oh que non ! Maintenant que je suis aux indemnités journalières du FBI, je n'ai plus droit à l'alcool. Et ce n'est pas que ça ne me ferait pas du bien.

Je souris de nouveau, mais décidai de commencer par le boulot.

– Alors, quelles sont les dernières nouvelles côté McGinnis et Stone ?

Elle eut une hésitation avant de répondre.

– Jack, dit-elle, je suis crevée. La journée a été longue et, ces quatre dernières heures, je les ai passées au bunker. J'espérais pouvoir manger mon repas tranquille avant de prendre un bain. On ne pourrait pas remettre le boulot à demain ?

– Écoute, Rachel, moi aussi, je suis fatigué, mais n'oublie pas que je me suis laissé mettre sur la touche à condition, et c'était une promesse, que tu me tiennes informé. Je n'ai plus aucune nouvelle de toi depuis que j'ai quitté l'entrepôt et maintenant, tu me dis que tu es trop crevée pour me parler ?

Deuxième hésitation.

– D'accord, d'accord, dit-elle enfin, tu as raison. Alors, débarrassons-nous de tout ça maintenant. La nouvelle est qu'il y en a de bonnes et de mauvaises. La bonne est que nous savons qui est Freddy Stone, et que Freddy Stone n'est pas Freddy Stone. Nous espérons que connaître son identité véritable nous aidera à le pincer.

– Freddy Stone est un pseudo ? Comment a-t-il réussi à passer au travers de tous ces prétendus contrôles de sécurité de la Western Data ? Ils n'ont pas vérifié ses empreintes digitales ?

– Le problème est que, d'après les archives de la société, Declan McGinnis aurait approuvé son embauche. Il aurait pu faciliter les choses.

J'acquiesçai d'un signe de tête. McGinnis avait effective-ment très bien pu faire entrer son copain tueur dans la boîte sans difficulté.

– Bon d'accord. Alors, qui est-ce ? demandai-je.

J'ouvris mon sac à dos sur le lit et en sortis un carnet de notes et un stylo.

– De son vrai nom, il s'appelle Marc Courier. Marc avec un « c ». Même âge, vingt-six ans, avec deux arrestations pour fraude dans l'Illinois. Il a disparu de la circulation il y a trois ans, juste avant son procès. Des histoires de vol d'identité. Il piquait des cartes de crédit et ouvrait des comptes bancaires, tout le bazar, quoi. Tout indique que c'était un hacker très doué, voire un troll super vicieux avec tout un tas d'infractions numériques à son actif. Un voyou, donc, et il était là, dans le bunker.

– Quand est-il venu travailler pour la Western Data ?

– Il y a trois ans aussi. Il semble avoir disparu de Chicago et être aussitôt descendu à Mesa avec une nouvelle identité.

– Ce qui fait que McGinnis le connaissait ?

– À notre avis, c'est lui qui l'a recruté. Autrefois, il était toujours étonnant de voir se mettre ensemble deux tueurs avec les mêmes fantasmes. Mais avec l'Internet, toutes les règles du jeu ont changé. C'est un grand lieu de rencontres, pour le meilleur et pour le pire. Avec des chat rooms et des sites Web dédiés à toutes sortes de fétichismes et de paraphélies, des types qui ont les mêmes intérêts se retrouvent toutes les trois secondes. Et ça, on y aura droit de plus en plus, Jack. Des types qui rêvent et vivent dans le cyberespace et qui tout d'un coup passent dans la réalité. Des types qui en rencontrent d'autres avec les mêmes penchants et se trouvent donc justifiés de les avoir. Ça enhardit. Des fois même jusqu'à passer à l'acte.

– Ce nom de Freddy Stone appartenait-il à quelqu'un d'autre ?

– Non, tout laisse à penser qu'il s'agit d'une invention.

– Des antécédents de violence ou de délits sexuels à Chicago ?

– Lorsqu'il a été arrêté à Chicago il y a trois ans, son ordinateur a été saisi et on y a trouvé beaucoup de pornographie. Cela incluait des films de torture tournés à Bangkok, mais aucun chef d'accusation n'a été retenu contre lui. Il est toujours difficile de monter ce genre de dossier d'inculpation dans la mesure où il est toujours précisé dans ces films qu'il s'agit seulement d'acteurs et que rien de tout ce qu'on voit n'est réel, alors même qu'il y a toutes les chances pour que la torture et la douleur le soient.

– Et le truc avec les attelles pour les jambes ? Ce genre de bazars ?

– Non, rien de tout ça dans son dossier, mais on va chercher, tu peux me croire. Si le lien entre Courier et McGinnis est bien l'abasiophilie, on le trouvera. S'ils ont fait connaissance dans une chat room Vierges de fer, ça aussi, on le trouvera.

– Comment avez-vous découvert son identité ?

– Par l'empreinte de sa main conservée dans le lecteur biométrique de la porte de la salle des serveurs.

Je finis de noter ce qu'elle me disait et jetai un coup d'œil à l'ensemble pour lui poser une autre question.

– Me donnera-t-on une photo d'identité de Courier ?

– Regarde tes mails. Je t'en ai envoyé une avant de partir. Je veux que tu me dises si ça te rappelle quelque chose.

Je tirai mon portable en travers du lit et ouvris mes mails. Le message de Rachel était le premier de la liste. J'ouvris, puis examinai de près la photo d'identité de Courier prise trois ans plus tôt lors de son arrestation. Cheveux longs et bien noirs, bouc maigrichon et moustache. Il aurait collé parfaitement avec Kurt et Mizzou au bunker de la Western Data.

– Ça pourrait être le type de l'hôtel d'Ely ? me demanda Rachel.

Je continuai d'examiner la photo sans répondre.

– Jack ?

– Je ne sais pas. Ce n'est pas impossible. Dommage que je n'aie pas vu ses yeux.

Je regardai la photo quelques secondes de plus, puis je passai à autre chose.

– Bon alors... tu m'as dit avoir de bonnes et de mauvaises nouvelles. C'est quoi, les mauvaises ?

– Avant de filer, Courier a collé des virus à réplication dans son ordinateur de labo et dans les archives de la Western Data. Ils avaient boulotté pratiquement tout lorsque nous l'avons découvert. Il ne reste plus rien des enregistrements des caméras de surveillance. Même chose pour des tas de données de la société.

– Ce qui veut dire ?

– Ce qui veut dire que nous n'allons pas pouvoir remonter dans son passé aussi facilement que nous le pensions. À quel moment il était là, à quel moment il ne l'était pas... tous les liens ou rencontres avec McGinnis... ce genre de choses. Les mails qu'ils auraient pu échanger. Ç'aurait été bien d'avoir tout ça.

– Comment se fait-il que Carver et tous les systèmes d'alarme qu'ils sont censés avoir dans cette boîte n'aient rien remarqué ?

– Rien n'est plus facile que de travailler de l'intérieur. Courier connaissait les systèmes de défense. Il aura construit un virus qui les a contournés.

– Et McGinnis et son ordinateur ?

– Là, on me dit avoir plus de chances. Mais les techniciens ne s'y sont attaqués que tard ce soir et j'en saurai davantage demain matin en arrivant. Une équipe est aussi partie fouiller chez lui toute la nuit. Il vit seul et n'a pas de famille. On m'a dit que des trucs intéressants avaient été découverts, mais la fouille n'est pas terminée.

– Intéressants comment ?

– Euh... je ne sais pas trop si tu as envie de le savoir, mais ils ont trouvé un exemplaire de ton livre sur le Poète sur son étagère de livres. Je te l'avais dit, qu'on le trouverait.

Je ne relevai pas. Je sentis soudain une bouffée de chaleur me monter au visage et dans le cou et gardai le silence en songeant au fait que j'avais écrit un livre qui, d'une manière ou d'une autre, avait peut-être servi de modèle à un autre tueur. Il ne s'agissait en aucune façon d'un manuel de l'assassinat, mais j'y détaillais bel et bien comment le FBI profile les tueurs en série et mène ses enquêtes.

Mieux valait changer de sujet.

– Qu'ont-ils trouvé d'autre ?

– Je ne l'ai pas vu, mais on m'a dit qu'ils avaient trouvé un jeu complet d'attaches et d'attelles pour des jambes de femmes. Et de la pornographie autour de ces pratiques.

– Ce fils de pute est vraiment malade dans sa tête.

Je pris quelques notes sur ces découvertes, puis je feuilletai mon bloc pour voir s'il y avait de quoi poser une autre question. Entre ce que je savais et ce que Rachel venait de me dire, j'allais avoir un sacré article pour le lendemain.

– Et donc, la Western Data est complètement fermee, c'est ça ?

– À peu près, oui. Bien sûr, les sites Web hébergés fonctionnent toujours. Mais on a gelé le centre de colocation Aucune donnée n'y entre ou n'en sort avant que l'URP soit allée au bout de son évaluation.

– Certains clients, je pense aux grands cabinets d'avocats, vont grimper aux rideaux quand ils découvriront que leurs dossiers sont entre les mains du FBI, tu ne crois pas ?

– C'est probable, mais nous n'ouvrons aucun dossier. Enfin… pas pour l'instant. Nous nous contentons de maintenir le système en l'état. Rien n'y entre, rien n'en sort. Avec Carver, nous avons rédigé un message qui est arrivé chez tous les clients pour les tenir informés. Il y est dit qu'il s'agit d'une situation temporaire et qu'en tant que représentant de la société Carver surveille l'enquête du FBI et se porte garant de l'intégrité des dossiers, blablabla blablabla. On ne peut pas faire plus. Qu'ils grimpent aux rideaux si ça leur plaît.

– Et Carver ? Vous l'avez vérifié, n'est-ce pas ?

– Oui, il est OK, et on est remonté jusqu'à ses années d'étudiant au MIT[1]. Il faut bien qu'on fasse confiance à quelqu'un dans cette boîte et bon, disons que c'est lui.

1. Le Massachusetts Institute of Technology est un des centres scientifiques les plus réputés des États-Unis *(NdT)*.

Je gardai le silence en rédigeant quelques notes finales. J'avais plus qu'assez de matière pour écrire l'article du lendemain. Même si je ne pouvais plus joindre Rachel, j'étais certain que mon papier serait le plus important du numéro et attirerait l'attention générale. Deux tueurs en série pour le prix d'un.

– Jack ? T'es toujours là ?

– Oui, j'écris juste des trucs. Autre chose ?

– Non, c'est à peu près tout.

– Tu fais attention à toi ?

– Évidemment. Mon arme et mon badge me sont envoyés cette nuit même. Je serai au net et armée demain matin.

– Alors, tu seras complètement prête.

– Complètement, oui. Bon, on ne pourrait pas enfin parler de nous deux ?

Brusquement, l'angoisse me transperça la poitrine comme une lance. Elle voulait en finir avec le boulot pour pouvoir me dire ce qu'elle voulait de notre relation. Après tous ces appels restés sans réponse, je me dis que ça ne présageait rien de bon.

– Euh, bien sûr, dis-je. Alors ?

Je me levai pour être debout quand ça tomberait. Je me dirigeai vers la bouteille de vin et m'en emparai. Je la regardais fixement lorsque Rachel attaqua.

– Eh bien, je n'avais pas envie qu'on ne parle que du boulot, dit-elle.

Je me sentis un peu mieux. Je reposai la bouteille et commençai à me détendre.

– Moi non plus, dis-je.

– De fait, je me disais... je sais que ça va te paraître fou, mais...

– Quoi ?

– Quand ils m'ont rendu mon boulot tout à l'heure... je me suis sentie... je ne sais pas... transportée de joie. Innocentée, d'une certaine manière. Mais quand je suis rentrée toute seule ce soir, j'ai repensé à ce que tu m'as dit en plaisantant...

Je ne m'en souvenais pas, j'entrai donc dans son jeu.

– Et... ?

Elle eut comme un petit rire avant de répondre.

– Et bon... je me dis que ça pourrait être vraiment marrant d'essayer.

Je me creusai la cervelle et me demandai si ç'avait à voir avec la théorie de la balle unique. Qu'est-ce que j'avais donc dit ?

– Tu le penses vraiment ?

– Ben, je suis nulle en affaires et je ne sais pas comment on pourrait trouver des clients, mais j'aimerais assez travailler avec toi sur des enquêtes. Ça serait amusant. Ça l'est déjà.

Enfin je me rappelai : l'agence Walling et McEvoy, Enquêtes en toute discrétion. Je souris. Et m'ôtai ma lance de la poitrine et la fichai dans le sol pour revendiquer mon territoire comme l'avait fait l'astronaute en plantant son drapeau sur la lune.

– Oui, Rachel, c'est chouette, dis-je en espérant que cette bravade super-cool masque bien mon soulagement. Mais... je ne sais pas. Tu m'as paru bien troublée quand tu devais tout affronter sans ton badge.

– Je sais. Je me raconte peut-être des histoires. On finirait sans doute par faire du divorce et ça, ça doit tout tuer avec le temps.

– Ouais.

– Mais bon, ça vaut le coup d'y réfléchir.

– Hé ! J'ai rien d'autre qui m'attend, moi ! Ce n'est pas moi qui vais aller contre. Je veux juste être sûr que tu ne fasses pas une erreur. Parce que... tout est vraiment pardonné avec le FBI ? Ils t'ont rendu ton boulot et on ne parle plus de rien ?

– Probablement pas, non. Ils vont se mettre en embuscade. Ils le font toujours.

J'entendis qu'on frappait à sa porte et le bruit étouffé d'une voix qui lançait :

– Service en chambre !

– Mon dîner vient d'arriver, dit-elle. Faut que j'y aille.

– D'accord. À bientôt, Rachel.

– OK, Jack. Bonne nuit.

Je souris en mettant fin à l'appel. Ce bientôt allait arriver nettement plus vite qu'elle le croyait.

Après m'être brossé les dents et regardé dans la glace, j'attrapai la bouteille de Grand Embrace et glissai dans ma poche le tire-bouchon pliant que m'avait fourni le service en chambre. Puis je m'assurai que j'avais bien ma carte-clé sur moi et quittai la chambre.

La cage d'escalier se trouvait juste à côté de ma porte et, Rachel n'étant qu'un étage au-dessus de moi et quelques portes plus loin, je décidai de ne pas perdre de temps. Arrivé à la porte de l'escalier, je montai les marches deux à deux en jetant un bref coup d'œil en bas par-dessus la rambarde. Je me tapai aussitôt une belle dose de vertige, reculai et continuai de grimper. Je pris le virage au palier intermédiaire en me demandant quels seraient ses premiers mots quand elle me verrait en ouvrant la porte. J'étais tout sourire lorsque j'arrivai à l'étage du dessus. Et c'est là que je vis un type allongé sur le dos, à côté de la porte du couloir du septième étage. Il portait un pantalon noir, une chemise blanche et un nœud papillon.

D'un seul coup je compris qu'il s'agissait du garçon d'étage qui m'avait apporté mon dîner et la bouteille de vin que je tenais à la main. En arrivant à la dernière marche, je vis du sang couler de son corps sur le ciment. Je me mis à genoux à côté de lui et posai ma bouteille.

— Hé ! criai-je en lui poussant l'épaule pour voir s'il réagissait.

Rien - je me dis qu'il était mort. Je vis le badge attaché à sa ceinture et eus confirmation de ce que je pensais : Edward Hoover, personnel des cuisines.

Je tirai aussitôt une autre conclusion.

Rachel !

Je bondis et tirai violemment la porte à moi. Puis je sortis mon portable et appelai le 911 en entrant dans le couloir. L'hôtel faisait un grand U et je me trouvais tout au bout à droite. Je commençai à longer le couloir en regardant les numéros de portes. 722, 721, 720... J'arrivai devant celle de Rachel et vis qu'elle était entrouverte. Je la poussai et entrai sans frapper.

— Rachel ?

La chambre était vide et il y avait des signes évidents de lutte. Des assiettes, de l'argenterie et des frites tombées d'une desserte roulante s'étaient répandues par terre. Les couvre-lits avaient disparu et je vis un oreiller taché de sang sur le plancher.

Je me rendis brusquement compte que je tenais mon portable le long de ma jambe et qu'une toute petite voix m'appelait. Je repassai dans le couloir et relevai l'appareil.

— Allô ?

— Ici, le 911. Quelle est votre urgence ?

Je me mis à courir dans le couloir, la panique m'engloutissant alors que je hurlais dans mon portable.

— J'ai besoin d'aide ! À la Mesa Verde Inn, septième étage. Tout de suite !

Je retrouvai le couloir central et l'espace d'une seconde aperçus un type aux cheveux blonds décolorés. Vêtu d'une veste de serveur, il poussait un gros chariot de linge dans une porte à double battant, de l'autre côté des ascenseurs réservés aux clients. Je ne l'avais vu qu'un instant, mais quelque chose ne collait pas.

— Hé là ! criai-je.

J'accélérai l'allure, couvris rapidement la distance et arrivai aux doubles portes une seconde après les avoir vues se refermer. J'entrai dans un petit vestibule de nettoyage et vis se refermer la porte d'un ascenseur de service. Je me ruai dessus en tendant la main en avant, mais trop tard. Le chariot avait disparu. Je reculai et levai la tête. Il n'y avait ni numéros ni flèches pour me dire si le l'ascenseur montait ou descendait. Je franchis les doubles portes dans l'autre sens et courus jusqu'aux ascenseurs réservés aux clients. Les escaliers situés aux deux extrémités du couloir étaient trop éloignés pour que j'envisage d'en prendre un.

Je me dépêchai d'appuyer sur le bouton de descente en me disant que c'était évidemment le choix qu'il fallait faire. Ça conduisait à la sortie. À la fuite. Je repensai au chariot de linge et revis l'angle que faisait l'homme qui le poussait. Il y avait quelque chose de plus lourd que du linge dans ce chariot, j'en étais sûr. Il tenait Rachel.

Il y avait quatre ascenseurs et j'eus de la chance. Je venais juste d'appuyer sur le bouton d'appel lorsque, la sonnerie d'arrivée se faisant entendre, une porte d'ascenseur s'ouvrit. Je bondis à l'intérieur et vis que le bouton du rez-de-chaussée était déjà illuminé. J'appuyai à toute vitesse sur le bouton de fermeture de la porte et attendis longtemps, très longtemps, avant que celle-ci se referme gentiment.

– Doucement, mec, me lança quelqu'un. On va y arriver.

Je me retournai et m'aperçus qu'il y avait déjà un type dans la cabine. Il portait un badge de congressiste avec un ruban bleu. J'étais sur le point de lui dire qu'il s'agissait d'une urgence lorsque je me souvins du portable que je tenais à la main.

– Allô ? Vous êtes toujours là ? demandai-je.

Il y avait de la friture sur la ligne, mais la communication n'avait pas été coupée. Je sentis l'ascenseur commencer à descendre rapidement.

– Oui, monsieur. J'ai envoyé la police. Pouvez-vous me dire...

– Écoutez-moi. Il y a un type déguisé en serveur qui est en train d'enlever un agent fédéral. Appelez le FBI. Envoyez tout ce... allô ? Y a quelqu'un ?

Rien. J'avais perdu le réseau. Je sentis l'ascenseur s'arrêter brutalement au rez-de-chaussée. Le congressiste se tassa dans un coin en essayant de disparaître. Je m'approchai de la porte et la franchis avant même qu'elle ne s'ouvre entièrement.

Je me retrouvai dans un petit vestibule, à l'écart de la réception. Je me situai par rapport à l'endroit où devait se trouver l'ascenseur de service, pris à gauche, et encore à gauche, franchis une porte marquée RÉSERVÉ AU PERSONNEL et me retrouvai dans un couloir à l'arrière du bâtiment. J'entendis des bruits de cuisine et sentis des odeurs de nourriture. Il y avait là des étagères en acier inoxydable couvertes de boîtes de conserve de taille industrielle. Je vis bien l'ascenseur de service, mais aucun signe du chariot de linge ou de l'homme en veste rouge. Étais-je descendu plus vite que l'ascenseur de service ? Le kidnappeur était-il monté au lieu de descendre ?

J'appuyai sur le bouton d'appel.

– Hé vous ! Vous n'avez pas le droit d'être ici !

Je me retournai rapidement et vis un type en tenue blanche de cuisinier et tablier sale s'avancer vers moi dans le couloir.

– Avez-vous vu un type pousser un chariot de linge ? lui demandai-je aussitôt.

– Pas dans la cuisine, non.

– Il y a un sous-sol ?

Il ôta une cigarette non allumée de sa bouche pour me répondre.

– Y a pas de sous-sols ici, dit-il en faisant non avec la main qui tenait la cigarette.

Je compris qu'il se préparait à en griller une. Il y avait donc une sortie tout près.

– Est-ce qu'il y a un passage pour aller au parking ?

Il me montra quelque chose derrière moi.

– L'aire de chargement est... Hé, attention !

Je commençai juste à me retourner pour regagner l'ascenseur lorsque le chariot me rentra dedans. Je le reçus dans la cuisse et tout le haut de mon corps bascula en avant. Je tendis les mains devant moi pour amortir ma chute et ne pas tomber dans le tas de linge et le couvre-lit. Je sentis quelque chose de doux mais de solide sous les couvertures et compris que c'était Rachel. Je me repoussai en arrière et me redressai.

Je levai la tête alors que le type en veste rouge appuyait sur le bouton de fermeture de la porte qui commençait à se refermer. Je regardai vite son visage et reconnus l'individu dont j'avais vu la photo d'identité un peu plus tôt dans la soirée. Il n'avait ni barbe ni moustache et était blond, mais je fus sûr et certain qu'il s'agissait de Marc Courier. Je jetai un coup d'œil au panneau de contrôle de l'ascenseur et y vis une lumière tout en haut. Courier avait décidé de remonter.

Je tendis la main dans le chariot, tirai le couvre-lit et... c'était Rachel. Elle portait les mêmes vêtements que plus tôt dans la journée. Elle avait la figure dans le linge et les bras et les jambes attachés dans le dos. La ceinture d'un peignoir en tissu éponge avait été nouée en travers de sa bouche en guise de bâillon. Elle saignait abondamment du nez et de la bouche. Elle avait déjà le regard absent et les yeux vitreux.

– Rachel ! hurlai-je en me penchant en avant et lui ôtant son bâillon. Rachel ? Ça va ? Tu m'entends ?

Elle resta sans réaction. Le type des cuisines s'avança et regarda dans le chariot.

– Mais qu'est-ce qui se passe, nom de Dieu ? s'écria-t-il.

Rachel avait été attachée avec des liens en plastique. Je sortis le tire-bouchon pliant de ma poche et me servis de la petite lame de couteau pour les trancher.

– Aidez-moi à la sortir de là !

Nous la soulevâmes doucement et l'allongeâmes par terre. Je m'agenouillai à côté d'elle et m'assurai qu'elle pouvait respirer. Ses narines étaient obstruées par des caillots de sang séché, mais pas sa bouche. Elle avait été battue et son visage commençait à enfler.

Je regardai le type des cuisines.

— Allez appeler la sécurité. Et le 911. Tout de suite ! ALLEZ !

Il partit chercher un téléphone en courant. Je me retournai, regardai Rachel et vis qu'elle commençait à retrouver ses esprits.

— Jack ?

— Ça ira, Rachel. Tu es en sécurité.

La peur et la douleur se lisaient dans ses yeux. Je sentis la rage m'envahir.

J'entendis le type des cuisines se mettre à hurler au bout du couloir.

— Ils arrivent ! Les ambulanciers et les flics !

Je ne me retournai pas et gardai les yeux fixés sur Rachel.

— Là, tu as entendu ? Les secours arrivent.

Elle hocha la tête, le retour à la vie se marquant plus fort dans ses yeux. Elle toussa et essaya de se redresser. Je l'aidai, puis l'attirai à moi et l'enlaçai en lui frottant la nuque.

Elle murmura quelque chose que je n'arrivai pas à entendre. Je me redressai pour la regarder et lui demandai de répéter.

— Je croyais que tu étais à Los Angeles, dit-elle.

Je souris et fis non de la tête.

— J'étais bien trop parano pour m'éloigner de ce qui se passe. Et de toi. J'allais te faire la surprise d'arriver avec une bonne bouteille. Et c'est là que je l'ai vu. Courier.

Elle fit très légèrement oui de la tête.

— Tu m'as sauvé la vie, Jack. Je ne l'avais pas reconnu dans le judas. Et quand j'ai ouvert la porte, il était trop tard. Il m'a frappée. J'ai essayé de me battre, mais il avait un couteau.

Je la fis taire. Aucune explication n'était nécessaire.

— Écoute… Était-il tout seul ou avec McGinnis ?

Elle hocha la tête.

— Je n'ai vu que Courier. Et je l'ai reconnu trop tard.

— T'inquiète pas pour ça.

Le type des cuisines se tenait à l'autre bout du couloir avec d'autres bonshommes en tenue de cuisiniers. Je leur fis signe de venir, mais ils commencèrent par ne pas bouger. Puis l'un d'eux avança à contrecœur et les autres le suivirent.

– Vous pouvez appuyer sur ce bouton d'appel ? leur dis-je.

– Vous êtes sûr ? me demanda quelqu'un.

– Faites-le.

Je me penchai en avant et enfouis mon visage dans le cou de Rachel. Je la serrai très fort contre moi, me remplis de son odeur et lui chuchotai à l'oreille.

– Il est monté. Je vais me le faire.

– Non, Jack, attends ici. Reste avec moi.

Je me redressai et la regardai dans les yeux. Et me tus jusqu'à ce que j'entende s'ouvrir la porte de l'ascenseur. Alors je regardai le type des cuisines à qui j'avais parlé en premier. Hank était le nom brodé sur sa chemise blanche.

– Où sont les gars de la sécurité ? lui demandai-je.

– Ils devraient arriver. Ils sont en route.

– Bon, d'accord. Ce que je veux, c'est que vous attendiez ici avec elle. Ne la laissez pas seule. Et quand les types de la sécurité seront là, dites-leur qu'il y a une autre victime dans la cage d'escalier au septième et que je suis monté tout en haut pour coincer le tueur. Dites-leur de bloquer toutes les sorties et de surveiller les ascenseurs. Ce type est monté, mais il va bien falloir qu'il redescende.

Rachel commença à se lever.

– J'y vais avec toi, dit-elle.

– Oh non, pas question ! Tu es blessée. Tu restes ici et je reviens tout de suite. Promis.

Sur quoi, je la laissai et montai dans l'ascenseur. J'appuyai sur le bouton du douzième et me retournai pour regarder Rachel. La porte se refermait lorsque je remarquai que Hank, très nerveux, allumait sa cigarette.

Au diable le règlement et ça valait autant pour lui que pour moi.

L'ascenseur de service montait si lentement que je compris soudain tout ce que le sauvetage de Rachel devait à la chance – l'ascenseur qui se traîne, le fait que je sois resté à Mesa pour lui faire la surprise, que j'aie pris les escaliers avec ma bouteille de vin, etc. Mais bon, je n'avais aucune envie de m'appesantir sur ce qui aurait pu se passer. Je me concentrai sur l'instant et lorsque l'ascenseur arriva enfin en haut de l'immeuble, je me tins prêt... avec ma lame de petit couteau de tire-bouchon. Je songeai que j'aurais dû prendre une arme plus sérieuse dans les cuisines, mais il était trop tard.

La resserre nettoyage du douzième étage était vide, hormis la veste rouge de serveur que je trouvai jetée par terre. Je poussai les doubles portes pour passer dans le couloir central. J'entendis des sirènes dehors. Beaucoup de sirènes.

Je regardai à droite et à gauche, ne vis rien et commençai à comprendre que fouiller tout seul un hôtel de douze étages aussi large qu'il était haut serait une belle perte de temps. Entre les ascenseurs et les cages d'escalier, Courier avait le choix pour s'enfuir.

Je décidai de retrouver Rachel et de laisser la fouille aux agents de sécurité de l'hôtel et à la police qui arrivait.

Cela dit, je savais qu'en redescendant je couvrirais au moins un itinéraire de fuite possible. Et si la chance me souriait encore ? Je choisis les escaliers nord – c'était les plus proches du parking de l'hôtel. C'était aussi ceux qu'avait pris Courier pour cacher le corps du garçon d'étage.

Je suivis le couloir, tournai le coin et poussai la porte de sortie. Je commençai par jeter un coup d'œil par-dessus la rambarde, jusqu'en bas. Je ne vis rien et n'entendis que l'écho des sirènes. Je m'apprêtais à descendre lorsque je remarquai que si j'étais bien au dernier étage de l'hôtel, l'escalier, lui, continuait de monter.

Il fallait absolument que je vérifie s'il y avait un accès au toit. Je commençai à monter.

La cage d'escalier était faiblement éclairée par une applique électrique à tous les paliers. Chaque étage comportait deux volées de marches disposées à contresens, avec un palier intermédiaire. Arrivé à celui-ci, je tournai pour prendre la deuxième volée de marches et atteindre ce qui devait être le treizième étage lorsque je vis que le dernier palier était encombré de meubles d'hôtel qu'on y avait entreposés. Je montai jusqu'à la dernière marche et me retrouvai dans une vaste zone de stockage. Il y avait là des sommiers empilés les uns sur les autres et des matelas appuyés aux murs quatre par quatre. Sans compter les piles de chaises, de minibars et de meubles de télévision remontant à l'époque où il n'y avait pas d'écrans plats. Cela me rappela les classeurs que j'avais vus dans le couloir du Bureau des avocats commis d'office. On enfreignait le règlement anti-incendie, mais qui donc le voyait ? Qui donc montait jamais là-haut ? Qui donc s'en souciait ?

Je me frayai un chemin entre des lampadaires en acier inoxydable et gagnai une porte munie d'une petite fenêtre à hauteur de visage. Le mot TOIT y était inscrit au pochoir. Mais lorsque j'y arrivai je la trouvai fermée. Je poussai fort sur la barre d'ouverture, sans succès. Quelque chose avait enrayé ou bloqué le mécanisme et la porte refusait de bouger. Je regardai par la vitre et vis un toit plat et recouvert de gravier qui s'étendait au-delà des parapets de l'hôtel. À quarante mètres de là se dressait la structure qui abritait la machinerie de l'ascenseur. Plus loin encore se trouvait une autre porte donnant sur la cage d'escalier située de l'autre côté de l'hôtel.

Je me déportai sur la gauche et m'approchai de la fenêtre pour mieux voir le toit. Courier pouvait s'y cacher.

Juste à ce moment-là, je vis l'ombre d'un mouvement passer dans la vitre.

Il y avait quelqu'un derrière moi.

Instinctivement je sautai de côté en me retournant. Armé d'un couteau, Courier abattit le bras sur moi et me manqua de justesse en allant s'écraser sur la porte.

Je me carrai sur mes pieds et me jetai sur lui en levant le bras et lui faisant entrer ma lame de couteau dans le flanc.

Mais mon arme était trop courte. Même si j'avais visé juste, la blessure n'était pas suffisante pour le faire tomber. Il poussa un petit cri et me frappa au poignet, mon couteau tombant aussitôt par terre. Puis, fou de colère, il essaya de m'atteindre avec le sien. Je réussis à l'éviter en me baissant, mais pus le voir de près. La lame faisant au moins dix centimètres de long, je compris que si jamais il me touchait, c'en serait tout de suite fini de moi.

Il essaya encore un coup, cette fois je l'évitai par la droite et lui attrapai le poignet. Mon seul avantage était ma taille. J'étais plus vieux et plus lent, mais je pesais vingt kilos de plus que lui. Tout en maintenant son couteau loin de moi, je me jetai à nouveau sur lui, le poussai en arrière dans la forêt de lampadaires et finis par le faire tomber sur le sol en ciment.

Il réussit à se dégager dans sa chute et se remit vite debout, son couteau en avant. J'attrapai un des lampadaires et, sa base ronde devant moi, me préparai à défléchir l'assaut suivant.

Rien ne se produisit pendant un moment. Il tenait son couteau prêt et nous donnions l'impression de nous jauger, chacun attendant que l'autre fasse un geste. Je chargeai avec la base du lampadaire, mais il n'eut aucun mal à sauter de côté. Nous reprîmes nos marques. Il avait comme un sourire désespéré sur la figure et respirait fort.

– Et où vas-tu aller, dis, Courier ? Tu entends toutes ces sirènes ? Ils sont arrivés. Il va y avoir des flics et des agents du FBI absolument partout dans deux minutes. Où est-ce que tu vas aller, hein ?

Il garda le silence, je lui balançai un deuxième coup de lampadaire. Il en attrapa la base, nous tirâmes un moment chacun de notre côté pour le récupérer, puis je le repoussai dans un empilement de mini-réfrigérateurs qui dégringolèrent par terre.

J'ignorais tout des combats au couteau, mais l'instinct me soufflait de parler sans arrêt. Si j'arrivais à le distraire, je pourrais diminuer la menace de son arme et qui sait ? peut-être même le frapper lorsqu'il se découvrirait. Je continuais donc de lui jeter des questions à la tête en attendant le bon moment.

– Où est passé ton copain ? lui lançai-je. Où est passé McGinnis ? Qu'est-ce qu'il fabrique ? Il t'a envoyé faire le sale boulot tout seul ? Comme au Nevada, hein ? Et t'as encore loupé ton coup.

Il me sourit, mais ne mordit pas à l'hameçon.

– Il te dit juste ce qu'il faut faire ? Comme si c'était ton mentor en assassinat ? C'est ça ? Putain, mec ! Le maître va pas être très content de toi ce soir, tu sais ? Ça fait déjà deux fois que tu merdes.

Cette fois, il ne put se contrôler.

– McGinnis est mort, espèce de connard ! Je l'ai enterré dans le désert. Exactement comme j'allais enterrer ta pute après en avoir fini avec elle !

Je fis semblant de l'attaquer à nouveau avec le lampadaire et tentai de le faire parler encore.

– Je pige pas, Courier. S'il est mort, pourquoi tu t'es pas barré… tout simplement ? Pourquoi tout risquer pour avoir la fille ?

Au moment où il ouvrait la bouche pour me répondre, je fis semblant de le frapper à la poitrine, lui remontai la base du lampadaire droit dans la figure et la lui enfonçai en plein dans la mâchoire. Il partit un instant en arrière, je fonçai en avant, lui lançai le lampadaire dessus et me ruai sur son couteau à deux mains. Nous nous écrasâmes dans un meuble télé, moi sur lui et me battant pour m'emparer du couteau.

Il gigota sous moi, nous roulâmes trois fois sur le sol, et je me retrouvai sous lui. Je lui serrais le poignet à deux mains, il me colla sa main libre dans la figure et tenta de se dégager en force. Je réussis enfin à lui retourner le poignet en arrière jusqu'à ce que ça fasse mal. Il hurla et son couteau dégringola par terre. D'un coup de coude, j'expédiai ce dernier vers la cage d'escalier, mais il s'arrêta juste avant et resta en équilibre sous la rambarde bleue. Là, à deux mètres.

Alors je me ruai sur Courier comme une bête et, mu par une rage primitive comme je n'en avais encore jamais éprouvé, je le défonçai à coups de poings et de pieds. Je lui attrapai une oreille et tentai de la lui arracher. Je lui flanquai un coup de coude dans les dents. Mais l'énergie de la jeunesse finit par lui donner l'avantage. Je me fatiguais vite et il réussit à se dégager et à reculer. Et me balança un coup de genou dans l'entre-deux et soudain l'air quitta mes poumons. Une douleur paralysante me traversa de part en part et affaiblit mon emprise. Il se libéra entièrement et se leva pour aller chercher le couteau.

En faisant appel à mes dernières réserves, je rampai et me jetai à moitié sur lui en essayant de me relever. J'étais blessé et sans force, mais je savais que si jamais il atteignait le couteau, ce serait la fin.

Je me ruai sur lui par-derrière. Il s'écrasa dans la rambarde, le haut de son corps se pliant dessus. Sans réfléchir, je me baissai, lui attrapai une jambe et le fis complètement basculer par-dessus. Il essaya de se raccrocher au bord en acier, mais sa main glissa et il tomba.

Son hurlement ne dura que deux secondes. Sa tête heurtant une rambarde ou la paroi en ciment de la cage d'escalier, il continua de tomber sans plus rien dire, son corps allant s'écraser d'un mur à l'autre sur treize étages.

Je le regardai tomber jusqu'en bas. Jusqu'à ce que le dernier et très violent impact de son corps sur le sol remonte jusqu'à moi en écho.

J'aimerais pouvoir dire que je me sentis coupable ou que j'éprouvai comme un vague remords. De fait, j'avais eu envie de pousser des hourras à chaque instant de sa chute.

Le lendemain matin, je retournai à Los Angeles pour de bon et, la tête appuyée au hublot, dormis pendant tout le trajet. J'avais passé les trois quarts de ma nuit dans le local maintenant familier du FBI. L'agent spécial Bantam et moi nous étions à nouveau fait face dans la salle d'interrogatoires du mobile-home, où je lui avais raconté et reraconté ce que j'avais fait la veille au soir et comment Courier en était arrivé à trouver la mort en tombant de treize étages. Je lui avais aussi rapporté ce qu'il m'avait dit sur McGinnis et le désert, et ce qu'il prévoyait de faire à Rachel Walling.

Pas un seul instant Bantam ne s'était départi de son masque d'agent fédéral. Pas une fois il ne m'avait remercié d'avoir sauvé la vie à sa collègue. Il s'était contenté de poser ses questions, parfois cinq ou six fois de suite et toujours dans des formulations différentes. Et quand enfin ça s'était terminé, il m'avait informé que les détails de la mort de Marc Courier seraient soumis à un grand jury d'accusation de l'État pour déterminer si un crime avait été commis ou si mes actes relevaient de la légitime défense. Ce n'était qu'à ce moment-là qu'il avait enfin brisé le moule et m'avait parlé comme un être humain.

– J'ai des sentiments très ambivalents à votre endroit, McEvoy, m'avait-il dit. Il ne fait aucun doute que vous avez sauvé la vie de l'agent Walling, mais monter vous en prendre à Courier n'était pas ce qu'il fallait faire. Vous auriez dû attendre. Si vous l'aviez fait, il pourrait être encore en vie à l'heure qu'il est et nous pourrions, nous, avoir des réponses à certaines de nos questions. En l'état, si McGinnis est effectivement mort, les trois quarts de ces secrets se sont écrasés au fond de cette cage d'escalier avec Courier. Le désert est grand, si vous voyez ce que je veux dire.

– Oui, bon, je suis vraiment désolé, agent Bantam, lui avais-je renvoyé. Pour moi, si je ne l'avais pas poursuivi, il aurait pu se sauver. Et si c'était arrivé, il y a toutes les chances pour que vos réponses, vous ne les ayez jamais eues non plus. Et que vous ayez encore plus de cadavres sur les bras.

– C'est possible, mais ça, nous ne le saurons jamais.

– Bon et maintenant ?

– Comme je vous l'ai dit, nous allons présenter les faits à un jury d'accusation. Je doute que cela vous vaille des ennuis. Ce n'est pas comme si on allait éprouver beaucoup de pitié pour Marc Courier.

– Je ne parlais pas de moi. Ça ne m'inquiète pas. C'est quoi la suite pour l'enquête ?

Il avait marqué une pause comme s'il ne savait pas trop s'il devait me dire quoi que ce soit.

– Nous allons essayer de reconstituer la suite des événements, m'avait-il enfin répondu. C'est tout ce que nous pouvons faire. Nous n'avons pas fini le travail à la Western Data. Nous allons continuer et tenter de dresser le tableau de ce qu'ont fait ces types. Et nous allons continuer de chercher McGinnis. Qu'il soit vivant ou mort. Pour l'instant nous n'avons que la parole de Courier pour affirmer qu'il est mort. Personnellement, je ne suis pas très sûr de le croire.

J'avais haussé les épaules. Je lui avais rapporté fidèlement ce que Courier m'avait dit. Aux experts de décider si c'était la vérité. S'ils voulaient afficher une photo de McGinnis dans tous les bureaux de poste du pays, moi, ça ne me gênait pas.

— Je peux rentrer à Los Angeles ? lui avais-je demandé.

— Vous êtes libre de vos mouvements. Mais si jamais il vous revenait quelque chose, appelez-nous. Et nous ferons de même.

— Compris.

Il ne m'avait pas serré la main. Il s'était contenté de m'ouvrir la porte. En sortant du bus, j'étais tombé sur Rachel qui m'attendait. Nous nous trouvions dans le parking de devant de la Mesa Verde Inn. Il n'était pas loin de cinq heures du matin, mais ni elle ni moi ne nous sentions particulièrement fatigués. Les infirmiers l'avaient examinée. Les enflures commençaient à diminuer, mais elle avait une lèvre méchamment coupée et une contusion sous le coin de l'œil gauche. Elle avait refusé de se faire transporter à l'hôpital du coin pour se faire examiner plus en détail. La dernière chose qu'elle avait envie de faire à ce moment-là était bien de s'éloigner du cœur même de l'enquête.

— Comment te sens-tu ? lui avais-je demandé.

— Ça va. Et toi ?

— Ça va aussi. Bantam m'a dit que je pouvais partir. Je pense prendre le premier vol pour L.A.

— Tu ne restes pas pour la conférence de presse ?

J'avais fait non de la tête.

— Qu'est-ce qu'ils vont bien pouvoir dire que je ne sache pas déjà, hein ?

— Rien.

— Combien de temps penses-tu rester ici ?

— Je ne sais pas. Jusqu'à ce qu'ils aient tout fini, je pense. Et ça, ça n'arrivera pas avant que nous sachions tout ce qu'il y a à savoir.

J'avais acquiescé d'un signe de tête et consulté ma montre. Le premier vol pour L.A. ne partirait sans doute pas avant deux bonnes heures.

— Tu veux aller prendre un petit déjeuner quelque part ? lui avais-je proposé.

Elle avait essayé de faire la moue pour me monter tout le dédain que lui inspirait mon idée, mais la douleur avait eu raison de ses efforts.

— Je n'ai pas tellement faim. Je voulais juste te dire au revoir. Il faut que je retourne à la Western Data. Ils sont tombés sur le grand filon.

— Qui serait ?

— Un serveur non répertorié auquel McGinnis et Courier avaient tous les deux accès. On y a trouvé des vidéos, Jack. Ils filmaient leurs crimes.

— Et on les y voit tous les deux ?

— Je n'ai pas vu les bandes, mais on m'a dit qu'ils ne sont pas facilement identifiables. Ils portent des masques et filment selon des angles qui montrent surtout leurs victimes et pas eux. On m'a aussi dit que dans une des vidéos, McGinnis porte une capuche de bourreau... comme celle que portait le Zodiac[1].

— Tu plaisan... attends une minute : il faudrait qu'il ait plus de soixante ans pour être le Zodiac.

— Non, ce n'est pas ce qu'ils laissent entendre... la capuche, on peut l'acheter dans toutes les boutiques cultes de San Francisco. Ça donne juste une indication de ce qu'ils sont. C'est comme d'avoir ton livre sur sa table de nuit. Ils ne sont pas nuls en histoire. Ce qui montre à quel point la peur a de l'importance dans leur jeu. Épouvanter la victime fait partie de leur plaisir.

Je ne pensais pas qu'il faille être profileur au FBI pour le comprendre. Mais cela m'avait fait sentir à quel point les derniers instants de leurs victimes devaient être horribles.

Une fois encore, je m'étais rappelé les enregistrements audio des séances de torture organisées par Bittaker et Norris à l'arrière de leur van. À l'époque, je n'avais pas pu les écouter. Et là, c'était à peine si je voulais avoir la réponse à la question que je me posais.

1. Nom d'un célèbre tueur en série qui sévit en Californie dans les années soixante *(NdT)*.

— Angela a été filmée ?

— Non, elle était trop récente. Mais il y en a d'autres.

— Tu veux dire… des victimes ?

Rachel avait regardé par-dessus son épaule, jeté un bref coup d'œil à la porte du bus du FBI, puis s'était tournée à nouveau vers moi. Je m'étais dit que, quel que puisse être l'accord que j'étais censé avoir avec eux, elle devait me parler en cachette.

— Oui. Ils n'ont pas tout visionné, mais ils ont au moins six victimes différentes. McGinnis et Courier faisaient ça depuis longtemps.

Je m'étais beaucoup demandé si j'avais envie de partir. Pour finir, plus le nombre de cadavres serait important, plus mon article allait avoir d'écho. Deux tueurs et au moins six victimes… S'il était possible que cette histoire devienne plus énorme qu'elle ne l'était déjà, voilà qui était fait.

— Et les trucs orthopédiques ? Tu avais raison ?

Elle acquiesça d'un air solennel. C'était là une des choses sur lesquelles il n'était pas génial d'avoir raison.

— Oui, ils leur faisaient porter des prothèses.

J'avais hoché la tête comme si je voulais repousser cette idée. Puis j'avais cherché dans mes poches. Je n'avais pas de stylo et mon carnet était encore dans ma chambre.

— T'as de quoi écrire ? avais-je demandé à Rachel. Il faut que je le note.

— Non, Jack, je n'ai pas de stylo à te donner. Je t'ai dit plus de choses que je n'aurais dû. Pour l'instant, il ne s'agit que de données brutes. Attends que je maîtrise mieux la situation et je t'appellerai. Tu n'as pas à rendre ton article avant douze heures minimum.

Elle avait raison. Il me restait encore une journée entière pour le préparer et d'autres renseignements ne manque-raient pas de m'arriver pendant ce temps-là. Sans compter qu'aussitôt revenu à la salle de rédaction, je serais confronté au même problème que la semaine précédente. Encore une fois, j'étais un acteur de l'histoire. J'avais tué un des deux types faisant l'objet de l'article. Conflit d'intérêts oblige, ce n'était pas moi qui écrirais le papier. Encore une fois, j'allais devoir m'asseoir en face de Larry Bernard et lui fournir tous les éléments d'un article qui ferait le tour du monde. C'était plus que frustrant, mais je commençais à m'y faire.

– D'accord, Rachel. Eh bien, je vais remonter préparer mes affaires et filer à l'aéroport.

– OK, Jack. Je t'appellerai. Je te le promets.

J'avais beaucoup apprécié qu'elle me le promette avant que je sois obligé de le lui demander. Je l'avais regardée un instant, je voulais la toucher, la prendre dans mes bras. Elle avait paru me comprendre. C'est elle qui, faisant le premier pas, m'avait enlacé.

– Tu m'as sauvé la vie tout à l'heure, Jack. Et tu crois t'en tirer en me serrant la main ?

– En fait, j'espérais bien davantage, lui avais-je répondu.

Je l'avais embrassée doucement sur la joue pour ne pas effleurer ses lèvres abîmées. Ni elle ni moi ne nous souciions que l'agent Bantam ou quelqu'un d'autre se tenant derrière les vitres fumées du centre de commandement mobile du FBI nous observe.

Pas loin d'une minute s'était écoulée avant que nous nous séparions.

– Va-t'en écrire ton article, Jack, m'avait-elle lancé en me regardant dans les yeux et hochant la tête.

– C'est ce que je vais faire… si on m'y autorise.

Je m'étais retourné et avais repris le chemin de l'hôtel.

Tous les regards se fixèrent sur moi lorsque je traversai la salle de rédaction. Aussi vite qu'un vent de Santa Anna, la nouvelle selon laquelle j'avais tué un type la veille au soir s'y était répandue en un instant. Pour beaucoup, je l'avais fait pour venger Angela Cook. D'autres pensaient sans doute que j'étais une espèce d'accro à la violence qui se mettait en danger pour le plaisir.

Alors que je m'approchais de mon box, le téléphone se mit à sonner et je vis que le témoin des messages était allumé. Je posai mon sac à dos par terre et décidai de m'occuper du téléphone et des messages plus tard. Il était presque onze heures du matin, je gagnai le radeau pour voir si Prendo était arrivé. Je voulais me débarrasser de cette partie-là du boulot le plus vite possible. S'il était dit que je doive donner mes informations à un autre journaliste, je voulais le faire tout de suite.

Prendo n'était pas encore arrivé, mais Dorothy Fowler avait pris place à l'avant du radeau. Elle leva le nez de dessus son ordinateur, me vit et sursauta.

— Jack, s'écria-t-elle, comment vas-tu ?

Je haussai les épaules.

— Pas mal, je crois. Quand Prendo doit-il arriver ?

— Sans doute pas avant une heure. Tu te sens de bosser aujourd'hui ?

— Tu veux dire, est-ce que je me sens mal à cause du type qui est tombé dans la cage d'escalier hier soir ? Non, Dorothy, en fait, je me sens même plutôt bien. Oui, vraiment bien. Comme disent les flics : AEHI – aucun être humain impliqué. Ce type était un tueur qui aimait torturer les femmes en les violant et les étouffant. Ce qui lui est arrivé ne me met pas vraiment mal à l'aise. De fait, même, j'aurais assez aimé qu'il reste conscient jusqu'en bas.

– D'accord. Je pense comprendre.

– La seule chose qui m'embête pour l'instant est que je ne vais probablement pas avoir le droit d'écrire l'article, c'est ça ?

– J'en ai peur, me répondit-elle en fronçant les sourcils et hochant la tête.

– Deuxième déjà-vu, donc.

Elle plissa les paupières comme si elle se demandait si je comprenais à quel point ce que je venais de dire était idiot.

– C'est une citation. Yogi Berra ? Le joueur de base-ball ?

Elle ne comprit pas. Je sentais que tous les regards étaient braqués sur nous.

– Aucune importance. À qui veux-tu que je donne mes infos ? Le FBI m'a confirmé qu'il y avait deux assassins et ils ont trouvé des vidéos des tueurs avec leurs victimes. Il y en a au moins six en plus d'Angela. Ils vont annoncer tout ça à une conférence de presse, mais j'ai des tas d'infos dont ils ne parleront pas. Avec ce qu'on a, ça va déménager sec.

– Exactement ce que j'avais envie d'entendre, dit-elle. Je te remets avec Larry Bernard, pour la continuité. Tu as tes notes ? Tu es prêt à y aller ?

– Dès qu'il le sera, lui.

– D'accord. Laisse-moi le temps de passer un coup de fil et de vous réserver la salle de conférence pour que vous puissiez vous mettre au boulot tous les deux.

Je passai les deux heures suivantes à donner tout ce que j'avais à Larry Bernard, à lui refiler mes notes et à lui raconter de tête tout ce que j'avais fabriqué. Il m'interviewa ensuite pour un encart consacré à mon corps-à-corps avec le tueur en série.

– Dommage que tu ne l'aies pas laissé répondre à la dernière question, me lança-t-il.

– De quoi parles-tu ?

– À la fin… quand tu lui as demandé pourquoi il n'avait pas filé au lieu de chercher à s'en prendre à Walling. Parce que c'est la question essentielle, non ? Pourquoi ne s'est-il pas barré ? Il s'en est pris à elle et ça n'a pas grand sens. Il répondait, mais tu dis l'avoir frappé avec le lampadaire avant qu'il réponde à celle-là.

Je n'aimai pas beaucoup sa question. Tout se passait comme s'il doutait de mes propos ou de ce que j'avais fait.

– Écoute, lui dis-je, c'était un combat au couteau et je n'en avais pas. Je n'étais pas en train de l'interviewer. J'essayais de le distraire. Qu'il pense à mes questions, et il ne penserait pas à me plonger son couteau dans la gorge. Et ça a marché. Dès que j'ai vu l'ouverture, j'ai foncé. J'ai eu le dessus et c'est pour ça que je suis vivant et que lui ne l'est pas.

Larry se pencha en avant et regarda son magnétophone pour être sûr qu'il marchait toujours.

– Super, la citation, dit-il.

J'étais journaliste depuis plus de vingt ans et je venais de me faire piéger par mon propre ami et collègue.

– J'ai envie de faire une pause. T'as encore besoin de beaucoup de choses ?

– Non, en fait, je pense avoir ce qu'il me faut, dit-il sans s'excuser le moins du monde. (Pour lui, tout ça n'était que du boulot.) On fait une pause et je regarde mes notes pour être sûr. Pourquoi t'appellerais pas l'agent spécial Walling pour voir s'il ne s'est pas passé quelque chose depuis une heure ou deux ?

– Elle m'aurait appelé.

– T'es sûr ?

Je me levai.

– Oui, j'en suis sûr. Arrête de me travailler au corps, Larry. Je sais comment on fait.

Il leva les bras en l'air en signe de reddition. Mais il souriait.

– D'accord, d'accord, dit-il. Va prendre ta pause. Faut que je fasse deux ou trois propositions de longueur.

Je quittai la salle de conférence et regagnai mon box. Je décrochai le téléphone et vérifiai mes messages. J'en avais neuf, la plupart d'autres agences qui auraient bien aimé avoir mes commentaires pour leurs propres articles. Le producteur de CNN auquel j'avais épargné les foudres des censeurs en lui évitant l'interview d'Alonzo Winslow me demandait de le rappeler pour avoir les dernières nouvelles de l'affaire.

Je décidai de traiter toutes ces demandes le lendemain, après que le *Times* aurait publié l'article en exclusivité. J'étais loyal jusqu'au bout, alors même que je ne savais vraiment pas pourquoi j'aurais dû l'être.

Le dernier message émanait de mon agent littéraire fantôme. Je n'avais plus de nouvelles de lui depuis plus d'un an, et il ne m'appelait que pour me dire qu'il n'avait pas réussi à vendre ma dernière idée de livre – un an dans la vie d'un inspecteur des affaires non classées. Il m'informait qu'il était déjà en train d'examiner toutes sortes d'offres pour un livre sur l'affaire du meurtre au coffre. Il voulait savoir si les médias avaient déjà trouvé un surnom à l'assassin. Il pensait qu'un surnom accrocheur rendrait le livre plus facile à mettre sur le marché et à vendre. Il voulait que j'y réfléchisse et que je me tienne tranquille pendant qu'il se démenait.

De fait, il avait du retard : il n'avait pas encore compris qu'il y avait deux tueurs, et pas un seul. Mais son message m'aida à oublier la frustration que j'éprouvais de ne pas pouvoir écrire l'article. Je fus tenté de le rappeler, mais décidai d'attendre qu'il m'annonce une offre intéressante. Et me concoctai un petit plan : je n'accepterais d'offre que d'un éditeur me promettant de publier aussi mon premier roman. Qu'il veuille assez fort mon bouquin de non-fiction et il accepterait mes conditions.

Après avoir raccroché, je consultai mon écran et regardai dans la corbeille Métro pour voir si les articles de Larry avaient eu droit à un budget signes. Comme il fallait s'y attendre, le budget comprenait un package de trois articles consacrés à l'affaire.

TUEUR EN SÉRIE – Soupçonné d'être un tueur en série ayant pris part à l'assassinat d'au moins sept femmes, dont une journaliste du *Times,* un homme est mort mardi soir à Mesa, Arizona, suite à la confrontation qui l'a opposé à un autre reporter de ce journal et l'a vu faire une chute de treize étages dans une cage d'escalier. Marc Courier, vingt-six ans, originaire de Chicago, a été identifié comme étant un des deux individus soupçonnés d'enlèvements et de meurtres de femmes dans au moins deux États. Le deuxième suspect identifié par le FBI est un certain Declan McGinnis, quarante-six ans, lui aussi de Mesa. D'après les agents du FBI, McGinnis était le patron d'une firme de stockage de données, essentiellement des dossiers de cabinets d'avocats dans lesquels les victimes étaient choisies. Courier travaillait pour McGinnis à la Western Data Consultants et avait un accès direct à ces dossiers. Courier a déclaré à un journaliste du *Times* avoir tué McGinnis et le FBI ne sait toujours pas où se trouve ce dernier. Quatorze mille signes avec photo d'identité judiciaire de Courier. BERNARD.

ENCART DE BERNARD – Lors d'un combat à mort au dernier étage de la Mesa Verde Inn, le journaliste du *Times* Jack McEvoy, pour vaincre Marc Courier, armé d'un couteau, s'est employé à le distraire avec les seuls outils de son métier : les mots. Dès qu'il a vu le tueur en série baisser la garde, McEvoy a pris le dessus et Courier a trouvé la mort en tombant dans une cage d'escalier. D'après les autorités, le suspect aurait laissé plus de questions que de réponses derrière lui. Cinq mille cinq cents signes avec illustration. BERNARD.

QUELQUES FAITS – On appelle ça des « bunkers » et des « fermes ». On les trouve dans des pâtures et des déserts. Ils sont aussi indéfinissables que les entrepôts anonymes qui bordent les rues des quartiers industriels de nos villes. Ces centres de stockage sont considérés comme économiques, fiables et sûrs. On y stocke des dossiers numériques d'une importance vitale et ce afin de pouvoir y accéder d'un seul clic où qu'on se trouve. Mais l'enquête commencée cette semaine sur la façon dont deux individus se sont servis de ces dossiers confidentiels pour choisir, suivre et attaquer des femmes soulève certaines questions sur une industrie en développement exponentiel depuis quelques années. D'après les autorités, la question centrale n'est pas de savoir où et comment stocker ses données numériques, mais bien d'être sûr de la personne qui les gère. Le *Times* a ainsi appris que nombre de ces sites de stockage embauchent les meilleurs experts pour assurer la sécurité de ces données. Le seul problème est que parfois ces meilleurs experts sont aussi d'anciens criminels. Le suspect Marc Courier en est un exemple flagrant. Sept mille cinq cents signes avec illustrations. GOMEZ-GONZMART.

Encore une fois, on y allait à fond. Tels étaient les articles qui feraient le numéro et donneraient le *la* sur cette affaire. Tous les autres médias devraient citer le *Times* ou faire tout leur possible pour l'égaler. Ce serait une belle journée pour le journal. Les rédacteurs en chef reniflaient déjà le prix Pulitzer. Je lâchai mon écran et songeai à l'encart que Larry se préparait à écrire. Il avait raison. La mort de Courier laissait plus de questions que de réponses.

J'ouvris un nouveau dossier à l'écran et notai au mieux l'échange que j'avais eu avec Courier. Il ne me fallut que cinq minutes pour le faire : pas grand-chose n'avait été dit.

MOI : Où est passé McGinnis ? Il t'a envoyé faire le sale boulot tout seul ? Comme au Nevada, hein ?

LUI : Pas de réponse.

MOI : Il te dit ce qu'il faut faire ? C'est ton mentor en assassinat et ce soir le maître va pas être très content de son disciple. Ça fait déjà deux fois que tu merdes.

LUI : McGinnis est mort, espèce de connard ! Je l'ai enterré dans le désert. Exactement comme j'allais enterrer ta pute après en avoir fini avec elle !

MOI : Pourquoi tu t'es pas barré... tout simplement ? Pourquoi tout risquer pour avoir la fille ?

LUI : Pas de réponse.

Lorsque j'eus fini, je relus plusieurs fois mes notes, les polis et y ajoutai quelques détails. Larry avait raison. Tout se réduisait à la dernière question. Courier avait été sur le point de répondre, mais j'avais profité de sa distraction pour me jeter sur lui au moment où il baissait la garde. Je ne le regrettais pas. C'était cet instant de distraction de sa part qui m'avait à peu près certainement sauvé la vie. Mais j'aurais quand même bien aimé avoir une réponse à la question que je lui avais posée.

Le lendemain matin, le *Times* baigna dans la gloire d'être au centre de toutes les nouvelles nationales, et moi avec. Je n'avais écrit aucun des articles à l'origine de ce grand remue-ménage médiatique, mais j'étais le sujet de deux d'entre eux. Mon téléphone n'arrêtait pas de sonner et ma boîte de réception d'e-mails déborda en un rien de temps.

Mais je ne répondis ni à mes mails ni à mes appels téléphoniques. Je ne baignais dans rien du tout. Je ruminais. J'avais passé la nuit à réfléchir à la question à laquelle Courier n'avait pas répondu et, quel que soit mon angle d'attaque, quelque chose ne collait pas. Que fabriquait Courier dans cet hôtel ? Quelle était donc la grande récompense à espérer d'une telle prise de risque ? Rachel ? Il était clair qu'enlever et assassiner un agent fédéral mettrait McGinnis et Courier au panthéon des tueurs dont la légende fait trembler les chaumières. Mais était-ce bien ça qu'ils voulaient ? Rien n'avait jamais indiqué que ces deux types auraient voulu attirer l'attention générale. C'était avec beaucoup de précautions qu'ils avaient planifié et camouflé leurs assassinats. Tenter ainsi d'enlever Rachel détonnait dans la suite des événements qui conduisaient à cet acte. Bref, il y avait une autre raison.

Je commençai à envisager le problème sous un autre éclairage. Je pensai à ce qui se serait produit si j'étais allé à Los Angeles et si Courier avait réussi à s'emparer de Rachel et à la faire sortir de l'hôtel

Il était vraisemblable que cet enlèvement aurait été vite découvert lorsque le garçon d'étage ne serait pas redescendu aux cuisines. Pour moi, dans l'heure suivante tout l'hôtel aurait été sur le pied de guerre. Le FBI aurait envahi les lieux, frappé à toutes les portes et tout retourné pour tenter de retrouver et sauver un de ses agents. Mais à ce moment-là Courier aurait filé depuis longtemps.

Il était clair que cet enlèvement aurait fait venir le FBI et l'aurait ainsi beaucoup distrait de son enquête sur McGinnis et Courier. Mais il était tout aussi clair que cela n'aurait pas duré. À mon avis, dès avant midi le lendemain, des agents auraient débarqué par avions entiers afin de montrer la puissance et la détermination de l'agence fédérale. Ce qui aurait permis de ne pas se laisser avoir par cette distraction et aurait encore accentué la pression sur l'enquête tout en maintenant un effort déjà impressionnant pour retrouver Rachel.

Plus j'y pensais et plus je regrettais de ne pas avoir donné à Courier la possibilité de répondre à cette dernière question : Pourquoi n'avez-vous pas filé ?

Cette réponse, je ne l'avais pas et il était trop tard pour l'obtenir de la source. Je continuai donc de tourner et retourner la question dans ma tête, à tel point qu'il n'y eut bientôt plus qu'elle dans mes pensées.

– Jack ?

Je jetai un œil par-dessus la cloison de mon box et tombai sur Molly Robards, la secrétaire du rédacteur en chef adjoint.

– Oui ?

– Vous ne répondez pas au téléphone et votre boîte d'e-mails est pleine.

– Oui, j'en reçois trop… Ça pose problème

– M. Kramer voudrait vous voir.

– Ah, d'accord.

Je ne bougeai pas, mais elle non plus. On l'avait manifestement envoyée me chercher. Je finis par repousser mon fauteuil en arrière et me levai.

Kramer m'attendait avec un grand sourire tout ce qu'il y a de plus faux sur la figure. J'eus le sentiment que quoi qu'il soit sur le point de me dire, ça ne venait pas de lui. J'y vis un bon signe, ce qui venait de lui étant rarement bon.

— Jack, assieds-toi donc, me lança-t-il.

Je m'exécutai. Il rangea des trucs sur son bureau avant d'attaquer.

— J'ai de bonnes nouvelles pour toi, Jack, reprit-il enfin.

Et de sourire à nouveau. Du même sourire que celui dont il m'avait gratifié en m'informant que j'étais viré.

— Vraiment ?

— On a décidé de revenir sur ton licenciement.

— Qu'est-ce que ça veut dire ? Je ne suis plus viré ?

— Exactement.

— Et côté salaire et avantages sociaux ?

— Rien de changé. Même chose qu'avant.

C'était comme Rachel retrouvant son badge. L'excitation me prit jusqu'à ce que la réalité s'impose.

— Et ça, ça veut dire que vous avez viré quelqu'un d'autre à ma place.

Il s'éclaircit la gorge.

— Jack, dit-il, je ne vais pas te mentir. Tu étais le quatre-vingt-dix-neuvième sur… oui, t'étais à ça !

— Bref, je garde mon boulot et c'est quelqu'un d'autre qui se fait sabrer.

— C'est Angela Cook qui sera la quatre-vingt-dix-neuvième. Et elle, nous ne la remplacerons pas.

— Ça tombe bien. Et le centième, c'est qui ? (Je pivotai dans mon fauteuil et regardai la salle de rédaction à travers la vitre). Bernard ? GoGo ? Collins…

Il m'interrompit.

— Jack, je ne peux pas parler de ça avec toi.

Je lui tournai le dos.

— Mais quelqu'un d'autre est sur le point de se faire saquer parce que moi, je peux rester. Que se passera-t-il quand mon affaire sera terminée ? Tu me rappelleras et tu me vireras encore un coup ?

— Nous ne nous attendons pas à une autre réduction involontaire des effectifs. Le nouveau patron nous a clairement...

— Et le patron d'après ? Et celui d'après après ?

— Écoute, je ne t'ai pas fait venir ici pour que tu me fasses un prêche. Tout est en train de changer sérieusement. C'est un combat à la vie à la mort. Et la question est la suivante : tu veux garder ton boulot, oui ou non ? Moi, je te l'offre.

Je pivotai entièrement de manière à lui tourner complètement le dos et pouvoir regarder la salle de rédaction. Ce n'était pas elle qui me manquerait. Ce serait les gens. Sans me retourner vers Kramer, je lui donnai ma réponse.

— Ce matin, mon agent littéraire m'a téléphoné de New York à six heures. Il m'a dit avoir reçu une offre pour deux livres. Pour deux cent cinquante mille dollars. Il me faudrait presque trois ans pour gagner ça ici. Sans parler de l'offre de boulot que j'ai reçue du Cercueil en velours. Don Goodwin lance une page d'enquêtes sur son site Web. Pour rattraper le mou quand le *Times* lâche prise. Ça ne paie pas des masses, mais ça paie. Et je peux travailler chez moi... où que ce soit. (Je me levai et me retournai vers lui). Je lui ai dit oui. Donc, merci pour ton offre, mais tu me peux me mettre au numéro cent sur ta liste. Après-demain, c'est fini pour moi.

— T'as pris un boulot avec la concurrence ? s'écria-t-il, indigné.

— Qu'est-ce que tu espérais ? Tu m'as viré, tu te rappelles ?

— Mais je reviens sur ma décision ! bafouilla-t-il. On a déjà atteint notre quota.

— Qui ? Qui as-tu viré ?

Il regarda son bureau et chuchota le nom de sa dernière victime.

— Michael Warren.

Je hochai la tête.

– Ben tiens ! C'est le seul mec de la salle de rédaction auquel je n'aurais jamais rien filé et maintenant, c'est moi qui lui sauve son boulot. Allez, tu peux le réembaucher parce que ton boulot, je n'en veux plus.

– Parfait. Alors tu vides ton bureau dans l'instant. J'appelle la sécurité et je demande qu'on te raccompagne à la sortie.

Je le regardai de haut en souriant tandis qu'il décrochait son téléphone.

– Ça me va très bien, lui lançai-je.

Je trouvai un carton vide dans la salle de photocopie et dix minutes plus tard me mis à le remplir avec tout ce que je voulais garder de mon bureau. Le premier objet à y entrer fut le dictionnaire rouge tout usé que m'avait donné ma mère.

En dehors de ça, il n'y avait pas grand-chose qui valait la peine d'être gardé. Une pendule Mont-Blanc qui, Dieu sait comment, ne m'avait jamais été volée, une agrafeuse rouge et quelques dossiers avec des numéros de téléphone et des contacts. Point final

Un type de la sécurité me surveilla pendant que je remplissais mon carton et j'eus l'impression que ce n'était pas la première fois qu'on le mettait dans une situation aussi embarrassante. J'eus pitié de lui et ne lui reprochai pas de faire tout simplement son boulot. Mais l'avoir debout à côté de mon bureau fut comme d'agiter un drapeau. Bientôt Larry Bernard se pointa.

– Qu'est-ce qui se passe ? Tu as jusqu'à demain.

– Non, plus maintenant. Kramer m'a dit de prendre la porte.

– Comment ça ? Qu'est-ce que t'as fait ?

– Il a essayé de me rendre mon boulot, mais je lui ai dit qu'il pouvait se le garder.

– Quoi ? Tu as refusé...

– J'ai un autre boulot, Larry. J'en ai même deux, en fait.

Mon carton était aussi plein qu'il le serait jamais. Lamentable : après sept ans de boulot, ça n'allait vraiment pas loin. Je me levai, me passai mon sac à dos à l'épaule et ramassai mon carton : j'étais prêt à y aller.

— Et l'article ? me lança Larry.

— Il est à toi. Tu maîtrises.

— Oui, grâce à toi. Qui c'est qui va me donner les infos confidentielles maintenant ?

— Tu es journaliste. Tu trouveras.

— Je pourrai t'appeler ?

— Non, tu ne pourras pas.

Il fronça les sourcils, mais je ne le laissai pas mijoter trop longtemps.

— Cela dit, tu peux me payer à déjeuner sur le compte du journal. Là, je te parlerai.

— Un vrai mec, que t'es.

— À plus, Larry.

Je me dirigeai vers le vestibule des ascenseurs, l'homme de la sécurité derrière moi Je jetai un grand coup d'œil à la salle de rédaction en faisant bien attention à ce que mon regard ne croise celui de personne. Je ne voulais aucun adieu. Je longeai la rangée de bureaux en verre sans me donner la peine de regarder un seul des rédacteurs en chef pour lesquels j'avais travaillé. Je n'avais plus qu'une envie : sortir de là.

— Jack ?

Je m'arrêtai et me retournai. Dorothy Fowler était sortie du bureau que je venais de dépasser. Elle me fit signe de revenir.

— Tu peux entrer une minute avant de partir ?

J'hésitai, puis je haussai les épaules. Et tendis mon carton au type de la sécurité.

— Je reviens tout de suite, lui dis-je.

J'entrai dans le bureau de la rédactrice en chef du service Métro et ôtai mon sac à dos en m'asseyant devant son bureau. Elle avait un sourire rusé sur la figure. Elle parla à voix basse, comme si elle avait peur qu'on entende ce qu'elle avait à me dire.

– J'ai dit à Richard qu'il se racontait des salades. Que tu ne reprendrais jamais ton boulot. Ils prennent les gens pour des marionnettes dont ils croient pouvoir tirer les ficelles.

– Tu n'aurais pas dû en être aussi sûre. J'étais à deux doigts de le reprendre.

– J'en doute fort, Jack. Vraiment vraiment fort.

J'y vis un compliment. Je hochai la tête et regardai derrière elle le mur couvert de photos, de cartes de visite et de coupures de journaux. Elle avait une des plus géniales manchettes jamais publiées dans un tabloïd de New York : « Serveuse sans haut retrouvée sans tête dans un bar ». Difficile de faire mieux.

– Qu'est-ce que tu vas faire ? me demanda-t-elle.

Je lui donnai une version plus fournie de ce que j'avais dit à Kramer. J'allais écrire un livre où je dirais le rôle que j'avais tenu dans l'affaire Courier-McGinnis et aurais enfin la possibilité depuis longtemps espérée de publier un livre. En attendant, je serais la figure de proue à Cercueil-en-velours-point-com et libre de prendre les sujets d'enquêtes qui me plairaient. Ça ne paierait pas des masses, mais ce serait du journalisme. Enfin je faisais le saut et entrais dans l'univers du numérique.

– Tout ça me semble génial, dit-elle. Tu vas vraiment nous manquer ici. T'es un des meilleurs.

Je ne prends pas très bien ce genre de compliments. Je suis cynique et cherche toujours la faille. Si j'étais vraiment si bon que ça, pourquoi m'avait-on collé sur la liste des types à virer ? La réponse ne pouvait être que celle-ci : j'étais bon, oui, mais pas assez, et elle ne faisait que m'enfumer. Je me détournai comme de quelqu'un qui vous ment, et retrouvai les images collées à son mur.

Et c'est là que je vis la chose. La chose qui m'avait échappé jusque-là. Mais pas cette fois. Je tendis le cou en avant pour mieux voir, me levai et me penchai en travers du bureau.

– Qu'est-ce qu'il y a, Jack ?

Je lui montrai le mur.

– Je peux regarder ? Là, la photo du *Magicien d'Oz*.

Elle tendit la main, ôta la photo du mur et me la passa.

– C'est une blague d'un ami, dit-elle. Je suis originaire du Kansas.

– Je sais, dis-je.

J'examinai le cliché et me concentrai sur l'Épouvantail. La photo était trop petite pour que je sois complètement sûr.

– Je pourrais lancer vite vite une recherche sur ton ordinateur ? lui demandai-je.

Je fis le tour de son bureau avant même qu'elle me réponde.

– Euh, oui, bien sûr, qu'est-ce que tu...

Elle se leva et s'écarta du passage. Je m'installai dans son fauteuil, regardai son écran et ouvris Google. Sa bécane n'était pas des plus rapides.

– Allons, allons, al-lons !

– Jack, qu'est-ce qu'il y a ? me demanda-t-elle.

– Laisse-moi juste...

La fenêtre s'affichant enfin, je cliquai sur les Images de Google. J'entrai « Épouvantail » dans la barre de recherche et laissai filer.

Mon écran fut bientôt rempli par seize petites images d'épouvantails. Dont quelques-unes du très aimable personnage du *Magicien d'Oz* et quelques planches en couleurs tirées de bandes dessinées de Batman et représentant un super-vilain appelé « L'Épouvantail ». Il y avait aussi d'autres photos et dessins d'épouvantails tirés de plusieurs livres, films et catalogues de costumes d'Hollywood. Cela allait du mignon et gentil à l'horrible et menaçant. Certains avaient le sourire et le regard pétillant, d'autres des yeux et des bouches cousus.

Je passai deux minutes à cliquer sur chaque photo pour les agrandir. Je les étudiai et oui, les seize avaient quelque chose en commun. Tous avaient un sac en toile de jute sur la tête, sac où était dessiné le visage. Et tous ces sacs étaient attachés au cou de l'épouvantail par une corde. Parfois cette corde était épaisse, parfois il ne s'agissait que d'une corde à linge ordinaire. Mais peu importait. L'image ne variait pas et correspondait à ce que j'avais vu dans les dossiers que j'avais accumulés et à celle qui me restait d'Angela Cook.

Je m'aperçus alors que dans tous ces meurtres, on s'était servi d'un sac en plastique transparent pour obtenir le visage de l'épouvantail. Le sac n'était pas en toile de jute, mais cette différence dans l'imagerie reconnue n'avait pas d'importance. La construction du personnage était la même. Ces sacs sur la tête et ces cordes autour du cou servaient bien à créer la même image.

Je cliquai sur l'écran suivant. Même construction du personnage. Plus anciennes, les images remontaient à travers le siècle jusqu'aux illustrations originales du *Magicien d'Oz*. C'est alors que je compris : ces illustrations étaient de William Wallace Denslow. William Denslow comme dans Bill Denslow.. comme dans Denslow Data.

Je n'eus plus le moindre doute : j'avais trouvé la signature La signature secrète dont Rachel m'avait dit qu'elle existait forcément.

J'éteignis l'écran et me levai.

— Il faut que j'y aille, dis-je

Je refis le tour du bureau et repris mon sac à dos par terre.

— Jack ?

Je me dirigeai vers la porte.

— J'ai eu plaisir à travailler avec toi, Dorothy, lui lançai-je.

L'avion atterrit durement sur le tarmac de Sky Harbor, mais je le remarquai à peine. Je m'étais tellement habitué à voyager en avion depuis une quinzaine de jours que je ne me donnais même plus la peine de regarder par le hublot pour aider l'appareil à toucher terre sans danger rien qu'avec mes pouvoirs parapsychiques.

Je n'avais pas encore appelé Rachel. Je voulais d'abord arriver en Arizona de façon à ce que tout ce qui pouvait advenir de ce que je saurais implique que je sois dans le coup. Techniquement parlant, je n'étais plus journaliste, mais cela ne m'empêchait pas de toujours protéger mon sujet.

Ce délai me permettrait aussi de réfléchir plus profondément à ce que j'avais et d'arrêter un plan d'attaque. Après avoir pris une voiture de location et roulé jusqu'à Mesa, je me garai sur le parking d'une supérette et entrai dans le magasin pour y acheter un téléphone jetable. Je savais que Rachel travaillait au bunker de la Western Data. Je ne voulais pas qu'elle voie mon nom sur son écran quand je l'appellerais et qu'elle me répondrait en présence de Carver.

Enfin prêt et de retour à la voiture, je passai mon appel, auquel elle répondit au bout de cinq sonneries.

– Allô, agent Walling à l'appareil.

– C'est moi. Surtout ne dis pas mon nom.

Elle marqua une pause avant de continuer.

– Que puis-je faire pour vous ?

– Tu es avec Carver ?

– Oui.

– OK. Je suis à Mesa, à une dizaine de minutes en voiture de là où tu es. Il faut que je te voie sans que personne ne le sache.

– Je suis désolée, mais ça ne va pas être possible. De quoi s'agit-il ?

Au moins jouait-elle le jeu.

– Je ne peux pas te le dire. Il faut que je te montre. As-tu déjeuné ?

– Oui.

– Bon, dis-leur que tu as besoin d'un *latte* ou d'un truc qu'ils n'ont pas à leur distributeur de boissons. Et retrouve-moi au Hightower Grounds dans dix minutes. Tu prends leurs commandes de *latte* s'il le faut. Vends-leur ta salade, sors du bunker et viens me retrouver. Je ne veux pas m'approcher de la Western Data à cause des caméras qu'il y a partout.

– Et vous ne pouvez pas me donner une petite idée de ce dont il s'agit ?

– Ça concerne Carver, alors, je t'en prie, ne pose pas ce genre de questions. Trouve-toi une excuse et viens me retrouver. Ne dis à personne que je suis ici et ce que tu vas vraiment faire.

Pas de réaction, je commençai à m'impatienter.

– Rachel ! m'écriai-je. Tu viens ou tu viens pas ?

– Bon, d'accord, ça ira, dit-elle enfin. On en reparle plus tard.

Et elle coupa la communication.

Cinq minutes plus tard, j'étais au Hightower Grounds. L'établissement devait manifestement son nom à la vieille tour d'observation du désert qui se dressait derrière lui. Tout indiquait qu'elle était fermée, mais elle était hérissée d'antennes et de relais boosters de portables.

J'entrai, la salle était presque vide. Deux ou trois clients – des étudiants, semblait-il – étaient assis tout seuls avec leurs ordinateurs portables ouverts devant eux. Je gagnai le comptoir, commandai deux cafés et posai mon ordinateur sur une table de coin, loin des autres clients.

Je pris ensuite les deux cafés que j'avais commandés, noyai le mien de lait et de sucre et retournai à ma table. Puis je regardai le parking par la fenêtre, mais ne vis aucun signe de Rachel. Je m'assis, avalai une gorgée de café fumant et me connectai à l'Internet par l'intermédiaire du wifi gratuit de la cafète.

Un quart d'heure s'écoula. Je vérifiai des messages et pensai à ce que j'allais dire à Rachel… si elle venait. J'affichai la page des épouvantails à mon écran et me préparais à partir. Déjà je lisais la note jointe à ma commande.

Wifi gratuit pour tout achat !
Venez nous voir sur le Net à
www.hightowergrounds.com

Je la chiffonnai, la lançai dans une poubelle et ratai mon coup. Je me levai, réussis à la jeter dans la poubelle au deuxième essai, ouvris mon portable et m'apprêtais à rappeler Rachel lorsque enfin je la vis arriver dans le parking et se garer. Elle entra, me vit et obliqua aussitôt vers ma table. Elle tenait un bout de papier avec des commandes de café inscrites dessus.

— La dernière fois que je suis allée chercher des cafés pour les autres, j'étais une bleue et c'était en plein milieu d'une négociation dans une prise d'otages à Baltimore, dit-elle. Je ne fais plus ce genre de trucs, Jack. Vaudrait donc mieux que ce soit bon.

— T'inquiète pas. Pour être bon, ça l'est. Enfin, je crois. Et si tu commençais par t'asseoir ?

Elle le fit, je lui passai sa tasse de café en travers de la table. Elle n'y toucha pas. Elle portait des lunettes de soleil, mais je voyais encore la grosse ligne mauve qu'elle avait sous l'œil gauche. L'enflure de sa mâchoire avait complètement disparu et la coupure qu'elle avait à la lèvre s'effaçait sous son brillant. Il fallait bien regarder pour la voir. Je m'étais demandé s'il serait convenable de me pencher en travers de la table et d'essayer de l'enlacer ou de l'embrasser, mais le ton business business qu'elle avait pris était clair et je gardai mes distances.

— Bien, Jack, reprit-elle, je suis là. Qu'est-ce que tu fabriques ici ?

— Je crois avoir trouvé la signature. À moins que je ne me trompe, McGinnis n'était qu'une couverture. Qu'un pigeon. Le deuxième tueur est l'Épouvantail. Et ça ne peut être que Carver.

Elle me dévisagea longuement, son regard ne trahissant rien derrière les verres fumés. Et parla enfin :

— Et voyageur fréquent que tu es, tu as sauté dans un avion pour venir ici et me dire que le type à côté duquel je travaille est aussi l'assassin que je traque ?

— C'est ça même.

— Vaudrait mieux que ça colle, Jack.

— Qui y a-t-il d'autre que lui au bunker ?

— Deux agents de l'URP, Torres et Mowry. Mais t'occupe. Dis-moi ce qui se passe.

J'essayai de préparer le terrain pour ce que j'allais lui montrer à l'écran.

— Le premier truc, c'est qu'il y avait une question qui me tarabustait. Qu'est-ce que Courier voulait faire en te kidnappant ?

— Après avoir visionné certaines des vidéos récupérées dans le bunker, je préfère ne pas y penser.

— Je m'excuse, j'aurais dû dire ça autrement. Je ne voulais pas parler de ce qui allait t'arriver. « Pourquoi toi ? » Voilà ce que je voulais dire. Pourquoi courir un tel risque en s'en prenant à toi ? La réponse paresseuse est que cela aurait créé une énorme diversion et fait passer l'enquête au second plan. Ce qui est vrai, mais au mieux cette diversion n'aurait pu être que temporaire. Des dizaines d'agents auraient envahi les lieux. Il aurait été vite impossible de griller un feu rouge sans se faire arrêter par des fédéraux. Bref, fin de la diversion.

Rachel avait suivi mon raisonnement et acquiesça d'un signe de tête.

— Bon mais… et s'il y avait une autre raison ? On est en présence de deux tueurs. Un maître et son disciple. Et le disciple essaie d'enlever quelqu'un tout seul ? Pourquoi ?

— Parce que McGinnis était mort, me répondit-elle. Il ne restait plus que le disciple.

— D'accord. Sauf que si c'était vrai, pourquoi même essayer ? Pourquoi s'en prendre à toi ? Pourquoi ne pas quitter la ville à toute allure ? Tu vois bien que ça ne colle pas. En tous les cas dans notre façon de voir les choses depuis le début. Nous nous disons que s'emparer de toi relevait de la diversion. Sauf que ce n'en était pas vraiment une.

— Et ç'aurait été quoi ?

— Et si McGinnis n'était pas le maître ? Si tout avait été conçu pour qu'il en ait seulement l'air ? Si c'était juste un pigeon et que ton enlèvement faisait partie d'un plan destiné à assurer la sécurité du maître véritable ? À l'aider à filer ?

— Qu'est-ce que tu fais des éléments de preuve qu'on a récupérés ?

— Tu veux dire… mon bouquin sur son étagère, le coup des appareils orthopédiques pour les jambes et toute la por nographie retrouvée chez lui ? Ça ne serait pas un peu trop commode ?

— Ces trucs-là ne traînaient pas partout chez lui. Ils étaient cachés et nous ne les avons trouvés qu'après des heures et des heures de recherches. Mais bon, d'accord. Oui, tout ça aurait pu être mis chez lui pour le compromettre. Je pense plus au serveur de la Western Data plein de preuves vidéo.

— Et d'un, tu m'as dit qu'il n'y est pas identifiable. Et qui peut dire que Courier et lui étaient les seuls à y avoir accès ? Ces preuves auraient très bien pu y êtres mises comme les trucs retrouvés chez lui.

Elle ne répondit pas tout de suite et je sus que ce que je lui disais la faisait réfléchir. Il n'était même pas impossible que dès le début elle ait pensé que tout tombait un peu trop facilement sur McGinnis. Jusqu'au moment où elle hocha la tête comme si non, ça non plus, ça ne marchait pas.

– Ce n'est toujours pas logique si on dit que Carver est le maître. Il n'a jamais essayé de s'enfuir. Quand Courier m'a coincée, il était au bunker avec Torres et...

Elle n'acheva pas sa phrase. Je le fis pour elle.

– Mowry. Oui, il était avec deux agents du FBI.

Je la vis comprendre brusquement.

– Il avait un alibi en béton avec deux agents pour se porter garants de lui, dit-elle. Si je disparaissais alors qu'il se trouvait avec l'équipe de l'URP, il avait, lui, un alibi et le FBI était à peu près sûr de se dire que c'était McGinnis et Courier qui s'étaient emparés de moi.

J'acquiesçai d'un signe de tête.

– Non seulement ça le mettait au-dessus de tout soupçon, mais en plus ça le gardait pile au cœur de ton enquête.

Je n'attendis qu'une seconde qu'elle veuille bien répondre. Comme elle ne le faisait pas, j'insistai.

– Penses-y. Comment Courier pouvait-il savoir à quel hôtel tu étais descendue ? Ça, nous l'avons dit à Carver quand il nous l'a demandé pendant la visite. Tu te rappelles ? Il l'aura répété à Courier. Et l'y aura envoyé.

Elle hocha la tête.

– Hier soir, j'ai même dit que je rentrais à l'hôtel pour me payer un petit service en chambre et dormir.

J'ouvris grand les mains comme pour dire que la conclusion s'imposait.

– Sauf que ça ne suffit pas, Jack, reprit-elle. Ça ne marche pas que Carver soit le...

– Je sais. Mais... et ça... ça marcherait ?

Je tournai l'ordinateur de façon à ce qu'elle puisse voir l'écran. J'y avais affiché la page épouvantails de Google. Elle se pencha en avant, commença à la regarder et tira l'ordinateur de son côté de la table. Elle y entra quelques codes et agrandit les images une par une. Je n'eus pas besoin de dire quoi que ce soit.

– Denslow ! s'écria-t-elle soudain. T'as vu ça ? Le premier illustrateur du *Magicien d'Oz* s'appelait William Denslow.

– Oui, j'ai vu. C'est pour ça que je suis ici.

– Mais ça ne colle toujours pas complètement avec Carver.

– Aucune importance. Tout ça fait beaucoup de fumée, Rachel, et Carver est lié à pas mal de trucs. Il avait accès à McGinnis et à Freddy Stone. Il avait aussi accès aux serveurs. Et nous savons toutes les capacités techniques qu'il a démontrées dans tout ça.

– Mais il n'y a toujours pas de lien direct avec lui, Jack, me renvoya-t-elle en entrant des choses dans mon ordinateur. Ça pourrait tout aussi bien être quelqu'un qui essaie de le piéger... Mais... j'ai encore quelque chose ! Je viens de chercher Freddy Stone sur Google et regarde ça !

Elle retourna l'ordinateur pour que je puisse voir l'écran. J'y découvris la biographie Wikipedia d'un acteur du début du XXe siècle appelé Freddy Stone. D'après ce document, Stone était surtout connu pour avoir incarné pour la première fois le personnage de l'Épouvantail dans une production du *Magicien d'Oz* à Broadway en 1902.

– C'est donc forcément Carver. Tout part de lui. Il transforme ses victimes en épouvantails. C'est bien sa signature secrète.

Elle hocha la tête.

– Écoute, Jack, dit-elle. On l'avait passé au crible ! Il était clean. C'est une espèce de génie tout droit sorti de MIT

– Clean comment ? Comme dans « il n'a pas de casier judiciaire » ? Ça ne serait pas la première fois qu'un de ces types travaille sans se faire remarquer par les autorités. Quand il n'était pas en train de tuer des femmes, Ted Bundy bossait pour une espèce de hotline de crise. Ce qui le mettait en contact constant avec la police. Même que si tu veux mon avis, les génies sont les types auxquels il faut faire attention.

— Mais je les sens, moi, ces types, et je n'ai rien remarqué de douteux chez lui. J'ai déjeuné avec lui aujourd'hui même ! Il m'a emmenée au restaurant barbecue préféré de McGinnis.

Je la vis commencer à douter d'elle-même. Elle n'avait rien vu venir.

— Allons le coincer, lui dis-je. On l'affronte et on le fait causer. Les trois quarts de ces tueurs en série sont fiers de leur travail. Je te parie qu'il causera.

— Aller le « coincer » ? répéta-t-elle en levant le nez de dessus mon ordinateur. Jack, tu n'es ni flic ni agent spécial Tu es journaliste.

— Plus maintenant. Je me suis fait raccompagner à la porte du journal par un vigile qui me portait mon carton d'affaires Ma carrière de reporter est terminée.

— Quoi ?! Mais pourquoi ?

— C'est une longue histoire que je te raconterai plus tard Qu'est-ce qu'on fait pour Carver ?

— Je ne sais pas, Jack.

— Tu ne peux quand même pas retourner là-bas pour lui apporter son *latte* !

Je vis un des clients assis à quelques tables de Rachel se détourner de l'écran de son portable, lever la tête vers le plafond à poutres apparentes et se mettre à sourire. Puis il leva le poing en l'air et y alla d'un doigt d'honneur. Je suivis son regard et regardai une des poutrelles. Une petite caméra noire y était installée, objectif pointé sur notre partie de la salle. Le gamin se retourna et commença à écrire.

Je me levai d'un bond, laissai Rachel et m'approchai de lui.

— Hé ! dis-je en lui montrant la caméra. C'est quoi, ça ? Où ça va ?

Le gamin plissa le nez et haussa les épaules tant j'étais bête.

— Elle tourne, mec, et ça va partout. Je viens d'avoir un appel d'un pote d'Amsterdam qui m'a vu.

Brusquement je compris. La note. « Wifi gratis pour tout achat ! Venez-nous voir sur le Net. » Je me retournai et regardai Rachel. Mon ordinateur avec la photo plein écran de l'Épouvantail faisait face à la caméra. Je me retournai à nouveau et regardai l'objectif. Prémonition ou certitude, appelez ça comme vous voulez, mais je fus sûr et certain de regarder Carver droit dans les yeux.

— Rachel ? lançai-je sans me détourner. Tu lui as dit où tu allais chercher le café ?

— Oui, répondit-elle dans mon dos. Je lui ai dit que j'allais juste descendre au bout de la rue.

J'avais ma confirmation. Je me retournai et regagnai notre table. Je pris mon ordinateur et le fermai.

— Il nous observe, dis-je à Rachel. Il faut partir.

Je sortis de la cafète avec Rachel sur les talons.

— Je prends le volant, dit-elle.

Assise au volant de sa voiture de location, Rachel franchit le portail de la Western Data et fonça droit sur la porte d'entrée. Elle conduisait d'une main et téléphonait de l'autre. Elle mit la voiture en position parking et nous descendîmes.

– Quelque chose ne va pas, dit-elle. Personne ne répond.

Elle se servit d'une carte-clé de la Western Data pour déverrouiller la porte d'entrée. Il n'y avait personne à la réception, nous gagnâmes vite la porte suivante. Nous entrions dans le couloir intérieur lorsqu'elle sortit son arme d'un holster accroché à sa ceinture sous sa veste.

– Je ne sais pas ce qui se passe, mais il est encore là, dit-elle

– Carver ? demandai-je. Comment le sais-tu ?

– Nous avons pris sa voiture pour aller déjeuner. Et elle est encore là. La Lexus argent.

Nous prîmes l'escalier conduisant à la salle octogonale et nous approchâmes du sas du bunker. Rachel hésita avant d'ouvrir la porte.

– Quoi ? chuchotai-je.

– Il va savoir qu'on vient, dit-elle. Reste derrière moi.

Elle leva son arme, nous nous faufilâmes dans le sas et gagnâmes vite la deuxième porte. La franchîmes... la salle de contrôle était vide.

– Ça ne va pas. Où est passé tout le monde ? Et cette porte est censée rester ouverte, reprit Rachel en pointant son arme sur la porte en verre de la salle des serveurs

Elle était fermée. Je regardai la salle de contrôle et vis que la porte du bureau de Carver était entrouverte. Je m'en approchai et l'ouvris complètement.

La pièce était vide. J'entrai et me dirigeai vers la table de travail de Carver. Je posai un doigt sur le pavé tactile et les deux écrans s'allumèrent. Le principal me donna une vue aérienne de la cafèt, où je venais de démontrer à Rachel que Carver était le Sujinc.

– Rachel ?

Elle entra, je lui montrai l'écran.

– Il nous observait.

Elle se précipita dans la salle de contrôle et je la suivis. Elle gagna le poste de travail central, posa son arme sur la console et commença à travailler avec le clavier et le pavé tactile. Les deux écrans s'allumant, elle fit vite monter les multiplexes correspondant aux trente-deux caméras de surveillance de l'établissement. Mais tous étaient noirs. Elle se mit à passer d'un écran à l'autre, avec le même résultat. Aucune caméra ne marchait.

– Il a éteint toutes les caméras, dit-elle. Qu'est-ce que..

– Attends !… Là !

Je lui montrai une caméra d'angle, au milieu de plusieurs écrans noirs. Elle manœuvra le pavé tactile et monta l'image plein écran.

La vue était celle d'un passage entre deux rangées de tours de serveurs. Allongés face contre terre se trouvaient deux corps. Menottés dans le dos et les chevilles attachées.

Rachel prit le micro du bureau, appuya sur le bouton et cria presque :

– George ! Sarah ! Vous m'entendez ?

Au son de sa voix, les silhouettes bougèrent à l'écran, l'homme levant aussitôt la tête. On aurait dit qu'il y avait du sang sur sa chemise blanche.

– Rachel ? dit-il, sa voix paraissant bien faible dans le haut-parleur du plafond. Oui, je t'entends.

– Où est-il ? Où est Carver, George ?

— Je ne sais pas. Il était ici il y a une seconde. C'est lui qui nous a amenés ici.

— Qu'est-ce qui s'est passé ?

— Après ton départ, il est allé dans son bureau. Il y est resté un petit moment et dès qu'il en est sorti, il nous est tombé dessus. Il m'a pris mon arme dans ma mallette, nous a poussés jusqu'ici et nous a forcés à nous allonger par terre. J'ai essayé de lui parler, mais il n'a pas voulu répondre.

— Sarah, où est ton arme ?

— Il l'a elle aussi, répondit Mowry. Je suis désolée, Rachel. On n'a rien vu venir.

— Ce n'est pas de votre faute. C'est de la mienne. On va vous sortir de là.

Elle lâcha le micro et revint vite au poste de travail avec son arme. Puis elle gagna le lecteur biométrique et posa la main sur le scanner.

— Il pourrait être quelque part à t'attendre, lui lançai-je pour l'alerter.

— Je sais, mais que veux-tu que je fasse ? Que je les laisse par terre ?

L'appareil ayant fini de scanner sa main, elle attrapa la poignée pour faire coulisser la porte. Celle-ci refusa de bouger. L'image biométrique venait d'être rejetée.

Rachel regarda le scanner.

— C'est insensé ! On y a mis mon profil hier ! s'écria-t-elle.

Elle reposa la main sur l'appareil et recommença la procédure.

- Qui a mis ton image dedans ? lui demandai-je.

Elle se retourna vers moi et n'eut pas besoin de répondre pour que je sache que c'était Carver.

— Qui d'autre peut ouvrir la porte ?

— Personne de ce côté-ci. Il n'y avait que Mowry, Torres et moi.

— Et les employés ?

Elle s'écarta du scanner et essaya de nouveau la poignée. La porte ne bougea pas.

— Ils font partie d'une équipe minimale au rez-de-chaussée et personne n'a l'autorisation d'entrer. On est baisés ! On ne peut pas…

— Rachel ! lui criai-je en lui montrant l'écran.

Carver venait brusquement de se placer devant une des caméras de la salle des serveurs. Il se planta devant les deux agents étendus par terre et, les mains dans les poches de sa blouse de labo, regarda droit dans l'objectif.

Rachel me rejoignit rapidement pour voir l'écran.

— Qu'est-ce qu'il fait ? demanda-t-elle.

Je n'eus pas besoin de répondre : il devint vite clair que Carver sortait un paquet de cigarettes et un briquet jetable de ses poches. Comme dans un de ces moments où le cerveau donne des renseignements totalement inutiles, je compris que c'était probablement les cigarettes qui avaient disparu du carton d'affaires de Freddy Stone/Marc Courier. Là, sous nos yeux, Carver en prit calmement une dans le paquet et la mit entre ses lèvres.

Rachel tira vite le micro à elle.

— Wesley ! lança-t-elle. Qu'est-ce qui se passe ?

Carver portait déjà son briquet au bout de sa cigarette, mais s'arrêta en entendant la question. Il releva la tête pour regarder l'objectif.

— Vous pouvez laisser tomber les gentillesses, agent Walling. Nous sommes arrivés à la dernière danse.

— Qu'est-ce que vous faites ? répéta-t-elle avec plus de force.

— Vous le savez très bien, dit-il. Je mets fin à cette affaire. Je n'ai pas très envie de passer le restant de mes jours à me faire traquer comme un animal pour finir dans une cage. Et après, on me met en vitrine ? On me donne en pâture à des psys et à des profileurs du FBI qui espèrent découvrir tous les sombres secrets de l'univers ? Pour moi, ce serait un destin pire que la mort, agent Walling.

Et il leva de nouveau son briquet.

— Non, Wesley ! Laissez au moins partir les agents Mowry et Torres. Ils ne vous ont fait aucun mal.

— Sauf que ce n'est pas la question, n'est-ce pas ? C'est le monde entier qui m'a fait mal, Rachel, et ça suffit. Je suis sûr que vous avez étudié ce profil psychologique.

Rachel lâcha le bouton du micro et se tourna vite vers moi.

— L'ordinateur ! Arrête le système VESDA !

— Non, toi ! Je ne connais rien à…

— Jack est avec vous ? demanda Carver.

Je fis signe à Rachel de changer de place avec moi. Je m'approchai du micro pendant qu'elle s'asseyait dans un fauteuil et se mettait à l'ordinateur. J'appuyai sur le bouton et parlai à l'homme qui avait assassiné Angela Cook.

— Oui, Carver, je suis là. Ce n'est pas comme ça que tout devrait se terminer.

— Non, non, Jack. C'est la seule fin possible. Vous avez abattu un autre géant. Vous êtes le héros du moment.

— Non, pas encore. Je veux raconter votre histoire… Wesley. Laissez-moi la dire au monde entier.

À l'écran, je vis Carver hocher la tête.

— Il y a des choses qu'on ne peut pas expliquer, Jack. Il y a des histoires qui sont trop sombres pour qu'on les dise.

Il fit tourner la molette et la flamme apparut. Il commença à allumer la cigarette.

— Carver, non ! Il y a des innocents dans cette salle !

Il aspira profondément, garda la fumée dans sa bouche, puis il pencha la tête en arrière et l'exhala vers le plafond. J'étais sûr qu'il s'était mis juste sous un détecteur de fumée à infrarouges.

— Personne n'est innocent, Jack. Vous devriez le savoir.

Il aspira encore de la fumée et parla presque avec désinvolture, en faisant de grands gestes avec la main dans laquelle il tenait sa cigarette, de fines volutes bleues en suivant les mouvements dans l'air.

— Je sais que l'agent Walling et vous essayez d'arrêter le système, mais ça ne va pas marcher. J'ai pris la liberté de le reprogrammer. Maintenant, je suis le seul à y avoir accès. Et le mécanisme d'aspiration du dioxyde de carbone de la salle après la dispersion du personnel a été vérifié. Je voulais être sûr qu'il n'y aurait pas d'erreur. Ni de survivants.

Il exhala de nouveau, un autre nuage de fumée montant vers le plafond. Je regardai Rachel. Ses doigts volaient sur le clavier, mais elle hocha la tête.

– Je n'y arrive pas, dit-elle. Il a changé les codes d'autorisation. Je ne peux pas entrer dans…

Le hurlement d'une alarme emplit la salle de contrôle. Le système venait de s'enclencher. Une bande rouge de cinq centimètres de large traversa tous les écrans de la salle. Une voix électronique – une voix de femme, très calme – lut les mots qui s'affichaient sur la bande.

– *Attention, attention! Le système d'extinction d'incendie VESDA vient d'être activé. Tout le personnel doit quitter la salle des serveurs. Le système va entrer en action dans une minute.*

Rachel se passa les mains dans les cheveux et regarda fixement l'écran qu'elle avait devant elle. Carver était encore en train de souffler de la fumée vers le plafond. Il avait un air de calme résignation sur la figure.

– Rachel! cria Mowry derrière lui. Sors-nous d'ici!

Carver se retourna vers ses prisonniers et hocha la tête.

– C'est terminé, dit-il. C'est la fin.

C'est alors que le deuxième hurlement de l'alarme me fit sursauter.

– *Attention, attention! Le système d'extinction d'incendie VESDA vient d'être activé. Tout le personnel doit quitter la salle des serveurs. Le système va entrer en action dans quarante-cinq secondes.*

Rachel se leva et prit son arme sur le bureau.

– Couche-toi, Jack!

– Non, Rachel, non! Ce verre est à l'épreuve des balles!

– C'est ce qu'il dit.

Elle visa à deux mains et tira trois balles dans la fenêtre juste en face d'elle. Les explosions furent assourdissantes. Mais c'est à peine si les balles marquèrent le verre avant de ricocher follement dans la salle de contrôle.

— Rachel, non, non !

— Reste couché !

Elle tira deux balles de plus dans la porte en verre et obtint le même résultat. Un des projectiles dégomma un des écrans que j'avais devant moi, l'image de Carver disparaissant lorsqu'il devint tout noir.

Rachel baissa lentement son arme. Comme pour accentuer sa défaite, l'alarme retentit encore une fois.

— *Attention, attention ! Le système d'extinction d'incendie VESDA vient d'être activé. Tout le personnel doit quitter la salle des serveurs. Le système va entrer en action dans trente secondes.*

Je regardai par les fenêtres de la salle des serveurs. Des tuyaux noirs faisaient comme une grille sous le plafond et redescendaient le long du mur du fond pour rejoindre la rangée de boîtes rouges remplies de CO_2. Le système était sur le point d'entrer en action. Il allait mettre fin à trois vies alors qu'il n'y avait aucun incendie dans la salle des serveurs.

— Rachel ! m'écriai-je. Il doit bien y avoir quelque chose à faire !

— Quoi ? J'ai essayé, Jack. Il n'y a plus de solutions.

Elle abattit lourdement son arme sur le poste de travail et s'affaissa dans le fauteuil. Je m'approchai d'elle, posai les mains sur le plateau du bureau et me penchai par-dessus elle.

— Il faut que tu essaies encore ! lui dis-je. Ce système a forcément une trappe par laquelle en peut entrer dedans. Ces types installent toujours des trappes par…

Je m'arrêtai et regardai la salle des serveurs en comprenant brusquement quelque chose. Et l'alarme hurla encore un coup. Mais cette fois, c'est à peine si je l'entendis.

— *Attention, attention ! Le système d'extinction d'incendie VESDA vient d'être activé. Tout le personnel doit quitter la salle des serveurs. Le système va entrer en action dans quinze secondes.*

Carver était introuvable. Il avait choisi une allée entre deux rangées de tours, hors de vue de la salle de contrôle. Etait-ce à cause de l'endroit où se trouvait le détecteur de fumée ou y avait-il une autre raison ?

Je levai la tête et regardai l'écran encore en état devant Rachel. On y voyait un multiplex des trente-deux caméras de surveillance que Carver avait éteintes. Je ne m'étais pas encore demandé pourquoi.

En une seconde, tous les atomes s'écrasèrent les uns dans les autres pour se réorganiser. Et tout devint clair. Pas seulement ce que j'avais sous les yeux, mais aussi ce que j'avais vu avant – à savoir Mizzou en train de fumer dehors après que je l'avais vu entrer dans la salle des serveurs. J'eus encore une idée. La bonne.

– Rachel…

Cette fois l'alarme sonna fort et longtemps. Rachel se leva et regarda fixement la vitre tandis que le système entrait en action. Un gaz de couleur blanche sortit en explosion de tous les tuyaux fixés au plafond de la salle des serveurs. En quelques secondes les fenêtres furent couvertes de brume et devinrent inutiles. La décharge à grande vitesse déclencha un sifflement suraigu qui se fit entendre haut et fort à travers le verre épais.

– Rachel ! hurlai-je. Donne-moi ta clé ! Je vais coincer Carver.

Elle se retourna et me regarda.

– Qu'est-ce que tu racontes ?

– Il n'est pas du tout en train de se suicider ! Il a son respirateur et il y a forcément une porte derrière !

Le sifflement s'arrêta et nous nous tournâmes tous les deux vers les fenêtres. Toute la salle était blanche, mais le CO_2 avait cessé de se répandre.

– Rachel, donne-moi ta clé, répétai-je.

Elle me regarda.

– C'est moi qui devrais y aller, dit-elle.

– Non, toi, tu appelles les renforts et les secours d'urgence. Et après, tu fais travailler cet ordinateur et tu trouves la trappe du système.

Il n'y avait plus le temps de réfléchir et d'envisager ceci et cela. Des gens étaient en train de mourir. Nous le savions tous les deux. Elle sortit la clé de sa poche et me la tendit. Je me tournai pour partir.

– Attends ! Prends ça !

Je me retournai, elle me passa son arme. Je la pris sans hésitation, puis je me dirigeai vers le sas.

L'arme de Rachel me parut bien plus lourde que la mienne. Tout en franchissant le sas, je la levai, vérifiai l'action et visai. Côté tir, je n'étais qu'un type qui va au stand une fois par an, mais je me savais prêt à faire feu si nécessaire. Je franchis la deuxième porte et entrai dans l'octogone, le canon de mon arme levé en l'air. Il n'y avait personne dans la salle.

Je la traversai rapidement pour gagner la porte en face. D'après la visite sur le Web, je savais qu'elle donnait dans de grandes pièces abritant les systèmes électriques et de refroidissement de l'installation. L'atelier où Carver et ses techniciens montaient les tours de serveurs se trouvait lui aussi à l'arrière du bâtiment. Je me dis qu'il y avait sûrement une deuxième cage d'escalier.

Je commençai par entrer dans la salle des installations. De grandes dimensions, elle était pleine de gros équipement. Relié à des tas de conduits et de câbles montés en hauteur, un système de climatisation gros comme une caravane Winnebago se dressait au milieu de la pièce. Plus loin se trouvaient d'autres générateurs et systèmes de secours. Je courus jusqu'à une porte à gauche et me servis de la clé de Rachel pour l'ouvrir.

J'entrai alors dans une pièce longue et étroite remplie d'équipement. Une autre porte se trouvait à l'autre bout, le plan du bâtiment que j'avais dans la tête me disant qu'elle devait donner dans la salle des serveurs

Je la rejoignis rapidement et découvris un autre scanner biométrique monté à gauche de la porte. Au-dessus était installé un autre caisson contenant les respirateurs d'urgence. Cette porte devait donner à l'arrière de la salle des serveurs.

Il n'y avait pas moyen de savoir si Carver avait déjà réussi à filer. Mais je n'avais pas le temps d'attendre qu'il passe. Je me retournai, fis demi-tour, retraversai rapidement la salle des équipements et arrivai devant des doubles portes à l'autre bout.

Mon arme prête, j'en ouvris une avec la carte-clé et entrai dans l'atelier. Vaste, il était équipé d'établis alignés le long des murs droit et gauche et, au centre, d'un plan de travail où je tombai sur une tour de serveurs à moitié achevée. Le cadre et les parois étaient prêts, mais les étagères intérieures n'avaient pas encore été installées.

Plus loin, je vis un escalier en colimaçon conduisant au rez-de-chaussée. Ce devait être par là qu'on accédait à la porte de derrière et au banc des fumeurs.

Je longeai vite la tour et me dirigeai vers l'escalier.

– Bonjour, Jack !

Juste au moment où j'entendais mon nom, je sentis le canon de l'arme sur ma nuque. Je n'avais même pas vu Carver. Il était sorti de derrière la tour au moment où je passais devant.

– Cynique, notre journaliste, reprit-il. J'aurais dû me douter que vous ne marcheriez pas dans mon histoire de suicide.

Avec sa main libre il m'attrapa par le col de la chemise, le canon de son arme toujours au contact de ma peau.

– Vous pouvez lâcher votre flingue, dit-il.

Je le lâchai, il fit un grand bruit métallique en tombant sur le sol en ciment.

– C'est l'arme de l'agent Walling, n'est-ce pas ? Et si on rebroussait chemin histoire d'aller lui rendre une petite visite ? Et on finit ça tout de suite. Ou alors, qui sait ? Je siffle la fin du match pour vous et je l'emmène avec moi ? J'aimerais assez passer un moment avec l'agent spé…

J'entendis l'impact d'un objet lourd sur de la chair et des os et Carver s'effondra dans mon dos avant de tomber par terre. Je me tournai et là elle était, avec à la main une clé anglaise de taille industrielle qu'elle avait prise sur l'établi.

– Rachel ! Qu'est-ce que…

– Il avait laissé la carte-clé de Mowry sur le poste de travail qu'elle occupait. Je t'ai suivi. Allez ! On le ramène à la salle de contrôle.

– Qu'est-ce que tu racontes ?

– Sa main. Il peut ouvrir la salle des serveurs.

Nous nous penchâmes vers Carver, qui gémissait et remuait un peu sur le sol en béton. Rachel reprit son arme et celle que tenait Carver. J'en vis une deuxième dans sa ceinture, m'en emparai, la glissai dans ma propre ceinture et aidai Rachel à remettre Carver debout.

– La porte de derrière est plus près, dis-je. Et il y a des respirateurs à côté.

– Tu ouvres la voie. Tout de suite !

Nous marchâmes vite en portant à moitié Carver jusqu'à la salle des installations, puis dans la petite pièce pleine d'équipements. Il n'arrêtait pas de gémir et de marmonner des choses que je n'arrivais pas à comprendre. Il était grand mais maigre, et son poids n'avait rien d'insurmontable.

– T'as été vraiment bon, Jack, reprit Rachel. Penser à la porte de derrière comme tu l'as fait… Tout ce que j'espère, c'est qu'on n'arrivera pas trop tard.

Je n'avais aucune idée du temps qui s'était écoulé, mais je pensais plus à des secondes qu'à des minutes. Je ne lui répondis pas, mais me dis que nous avions une bonne chance de rejoindre ses collègues à temps. Dès que nous arrivâmes à la porte de derrière de la salle des serveurs, je me chargeai de Carver et commençai à le tourner de façon à ce que Rachel puisse poser sa main sur le scanner.

C'est alors que je sentis Carver se raidir. Il m'attendait. Il m'attrapa la main et pivota, mon élan me faisant perdre l'équilibre. Mon épaule heurta la porte tandis que Carver baissait une main pour me prendre mon arme dans ma ceinture. Je lui saisis le poignet, mais trop tard. Sa main droite se referma sur l'arme. Je me trouvai entre lui et Rachel et compris soudain qu'elle ne pouvait pas voir l'arme et qu'il allait nous tuer tous les deux.

– Flingue ! hurlai-je.

Il y eut une forte explosion à côté de mon oreille et Carver me lâcha et s'effondra par terre, un jet de sang m'atteignant tandis qu'il tombait.

Je reculai et me pliai en deux en me tenant l'oreille. Le sifflement était aussi fort que celui d'un train qui passe. Je me retournai et vis Rachel toujours en position de tir.

– Jack, ça va ? me lança-t-elle.

– Oui, Ça va !

– Vite, attrape-le ! Vite, avant qu'il n'ait plus de pouls.

Je me plaçai derrière Carver de façon à pouvoir lui passer les bras sous les épaules et le redresser. Même avec l'aide de Rachel, il fallut se battre. Mais nous réussîmes à le remettre debout, puis je le tins par-dessous les bras pendant que Rachel lui plaçait la main droite sur le scanner.

Un claquement sec se fit entendre quand la serrure se débloqua et Rachel poussa la porte.

Je laissai tomber Carver sur le seuil et maintins la porte ouverte pour faire entrer de l'air. Puis j'ouvris le caisson et m'emparai des respirateurs. Il n'y en avait que deux.

– Là, tiens !

J'en donnai un à Rachel au moment où nous entrions dans la ferme. Le brouillard qui régnait dans la pièce commençait à se dissiper. On y voyait maintenant à presque deux mètres. Rachel et moi passâmes nos masques et ouvrîmes grand les narines, mais Rachel n'arrêtait pas d'ôter le sien pour appeler ses collègues.

Sans obtenir de réponse. Nous descendîmes une allée centrale entre deux rangées de serveurs et eûmes la chance de trouver Torres et Mowry presque tout de suite. Carver les avait allongés près de la porte de derrière pour pouvoir s'enfuir rapidement.

Rachel s'agenouilla à côté d'eux et tenta de les réveiller en les secouant. Ni l'un ni l'autre ne réagirent. Elle s'arracha son masque et le mit sur la bouche de Torres. J'arrachai le mien et le mis sur celle de Mowry.

– Tu le prends, lui ! Je la prends, elle ! cria-t-elle.

Nous prîmes chacun un agent sous les bras et le tirâmes vers la porte par laquelle nous étions entrés. Le mien étant léger et facile à traîner, je pris beaucoup d'avance sur Rachel. Mais, arrivé à mi-chemin, je commençai à manquer de force. J'avais moi aussi besoin d'oxygène.

Plus nous approchions de la porte ouverte, plus je commençai à aspirer de l'air dans mes poumons. Je finis par atteindre la porte, tirai Torres par-dessus Carver et le fis passer dans la salle des équipements. Son atterrissage un peu rude parut le ramener à la vie. Il se mit à tousser et commença à retrouver ses esprits avant même que je le repose par terre.

Rachel arriva derrière moi avec Mowry.

– Je ne pense pas qu'elle respire !

Elle ôta le masque de la bouche de Mowry et commença la respiration artificielle.

– Jack, comment va Torres ? me demanda-t-elle sans cesser de se concentrer sur Mowry.

– Il s'en sort. Il respire.

Je rejoignis Rachel qui faisait du bouche-à-bouche à Mowry. Je ne savais pas trop comment l'aider, mais au bout de quelques instants, Mowry se convulsa et se mit à tousser. Elle se tourna sur le côté et ramena les jambes en position fœtale.

– Ça va aller, Sarah, lui dit Rachel. Tu vas t'en sortir. Tu as gagné. Tu es en sécurité.

Elle lui tapota doucement l'épaule et j'entendis Mowry lui dire merci en toussant et demander comment allait son collègue

– Il s'en sortira, lui répondit Rachel.

Je gagnai le mur le plus proche, m'assis et m'y adossai. J'étais liquidé. Je regardai le corps de Carver étalé par terre, à côté de la porte. Les deux blessures d'entrée et de sortie étaient bien visibles. La balle avait ripé sur ses lobes frontaux. Il ne bougeait plus depuis qu'il était tombé, mais au bout d'un moment je crus voir le sang battre doucement dans son cou, juste sous son oreille.

Épuisée, Rachel me rejoignit et se laissa glisser le long du mur à côté de moi.

– Les renforts arrivent, dit-elle. Je devrais sans doute me lever et aller les attendre pour leur montrer le chemin.

– Commence par reprendre ton souffle. Ça va ?

Elle fit oui de la tête, mais elle respirait toujours aussi fort. Et moi aussi. Je regardai ses yeux et vis qu'elle se concentrait sur Carver.

– C'est vraiment dommage, dit-elle, tu sais ?

– Qu'est-ce qui est dommage ?

– Que Carver et Courier morts, que leurs secrets se soient éteints avec eux. Tout le monde est mort et nous n'avons rien, aucun indice qui nous dirait ce qui les poussait à faire ce qu'ils faisaient.

Je hochai lentement la tête.

– Eh bien moi, j'ai une petite nouvelle à t'annoncer. Je crois que l'Épouvantail est toujours vivant.

19

Bakersfield

Six semaines se sont écoulées depuis les événements de Mesa. Il n'empêche, ils sont toujours aussi vifs dans ma mémoire et mon imagination. Enfin j'écris. Tous les jours. Généralement l'après-midi. Je me trouve une cafète bien bondée pour m'installer avec mon ordinateur portable. J'ai en effet découvert que le silence de la création ne me convient pas. Il faut toujours que je me batte avec le bruit blanc et tout ce qui peut me distraire. Toujours il faut que je sois au plus près de ce que je vivais en écrivant dans la salle de rédaction. Il semblerait bien que j'aie besoin du vacarme des conversations en arrière-plan, des sonneries du téléphone et du claquement des touches de clavier pour me sentir à l'aise et chez moi. Naturellement, tout cela n'est que succédané de l'expérience véritable : il n'y a aucun esprit de camaraderie dans une cafète. Aucun sentiment du « nous contre le reste du monde ». Aussi bien y avait-il dans l'atmosphère des salles de rédaction des choses qui me manqueront toujours.

Je réserve mes matinées à la documentation. Wesley John Carver est en gros toujours une énigme, mais je m'approche de plus en plus de ce qu'il est vraiment. Et là, tandis qu'il gît dans les ténèbres crépusculaires du coma – il est détenu à l'hôpital du Metropolitan Correctional Center de Los Angeles –, je le cerne de plus près.

Certaines des choses que j'ai apprises me viennent d'un FBI qui continue à travailler sur l'affaire en Arizona, au

Nevada et en Californie. Mais l'essentiel, c'est moi qui l'ai trouvé seul ou en ayant recours à plusieurs de mes sources.

Carver était un assassin d'une grande intelligence et d'une vision très claire de lui-même. Astucieux et calculateur, il savait manipuler les gens en faisant appel à leurs désirs les plus profonds et les plus noirs. Il rôdait dans des chat rooms et des sites Web, où il identifiait des disciples et des victimes possibles qu'il suivait ensuite jusque chez eux en les traquant par tous les portails de l'univers numérique. Alors seulement, il prenait contact avec eux dans le monde réel. Pour se servir d'eux ou les tuer, ou les deux.

Il faisait ça depuis des années – il avait commencé bien avant que les meurtres au coffre et ceux de la Western Data attirent l'attention de quiconque. Marc Courier n'était que le dernier d'une longue lignée de disciples.

Cela dit, que Carver ait commis tous ces sinistres forfaits ne saurait masquer ses motivations. C'est ce que mon directeur de collection de New York ne cesse de me dire chaque fois que nous nous parlons. Pour lui, dire seulement ce qui s'est passé ne suffit pas. Il faut aussi que je dise le pourquoi de ces choses. Question d'ampleur et de profondeur encore une fois et ça, j'ai l'habitude.

Et donc, ce que j'ai appris pour l'instant : fils unique, Carver a grandi sans jamais savoir qui était son père. Sa mère travaillant dans le circuit des boîtes de strip-tease, toute sa jeunesse durant il voyagea entre Los Angeles, San Francisco et New York. Il était ce qu'on appelle « un enfant des loges », patronnes d'hôtels, costumières et autres danseuses le prenant dans leurs bras dès que sa mère entrait en scène pour se lancer dans son numéro vedette. Elle avait « L.A. Woman » pour nom de scène et ne dansait que sur la musique d'un groupe de rock de l'époque – les Doors.

Certains indices font penser qu'il aurait été violé par pas mal des gens avec lesquels on le laissait dans les loges et nombreuses étaient les nuits où il dormait dans la chambre d'hôtel même où sa mère satisfaisait les clients qui la payaient pour passer un moment avec elle.

Plus important que tout cela est le fait que sa mère souffrait d'une maladie dégénérative des os qui menaçait sa carrière. Quand elle n'était pas sur scène et se trouvait loin de l'univers dans lequel elle travaillait, elle portait souvent des attelles pour soutenir les ligaments et les jointures de plus en plus faibles de ses jambes. Il n'était pas rare qu'on fasse appel au jeune Wesley pour l'aider à en serrer les lanières de cuir autour de ses jambes.

Le tableau est certes sinistre et déprimant, mais ne saurait à lui seul expliquer ces meurtres à répétition. Les ingrédients secrets de ces éléments carcinogènes n'ont toujours pas été trouvés – ni par moi ni par le FBI. Ce qui a fait que les horreurs vécues par Carver dans son enfance se sont métastasées dans le cancer que fut sa vie d'adulte reste à découvrir. Mais Rachel me rappelle souvent une de ses phrases préférées tirée d'un film des frères Coen : « Personne ne connaît quiconque – aussi bien que ça. » Et d'ajouter que personne ne saura jamais ce qui expédia Wesley Carver sur la mauvaise pente.

Aujourd'hui, je suis à Bakersfield. Cela fait quatre jours de suite que je passe la matinée à écouter Karen Carver me dire les souvenirs qu'elle garde de son fils. Elle ne l'a pas revu et ne lui a pas parlé depuis le jour où, âgé de dix-huit ans, il l'a quittée pour aller à MIT, mais ce qu'elle sait de son enfance et la gentillesse avec laquelle elle est prête à en parler avec moi me rapprochent d'une réponse possible à la question du pourquoi.

Demain, mes entretiens avec la mère de l'assassin prenant provisoirement fin – Karen Carver est maintenant condamnée au fauteuil roulant –, je vais rentrer chez moi. Il y a d'autres recherches à mener à bien et je dois rendre mon livre à une date précise. Plus important encore, cela fait déjà cinq jours que je n'ai pas vu Rachel et cette séparation est de plus en plus difficile à supporter. Je suis devenu un fervent partisan de la théorie de la balle unique et le besoin de rentrer se fait sentir.

En attendant, pour Wesley Carver, le pronostic n'est pas bon. Les médecins qui s'occupent de lui pensent qu'il ne retrouvera jamais conscience, que les dommages que lui a infligés la balle de Rachel l'ont plongé dans des ténèbres éternelles. Il marmonne et parfois il chantonne dans son lit d'hôpital, mais il n'y aura jamais rien d'autre.

Certains demandent qu'il soit poursuivi, condamné et exécuté dans cet état. D'autres trouvent cette idée barbare, aussi ignobles soient par ailleurs les crimes qu'il est accusé d'avoir commis. Une manifestation récente juste devant la prison du centre-ville de Los Angeles a vu des gens brandir des pancartes demandant qu'on débranche les assassins tandis que d'autres proclamaient que toute vie est sacrée.

Je me demande parfois ce que Carver en penserait. Cela l'amuserait-il ? Le réconforterait-il ?

Tout ce que je sais, c'est que moi, je suis incapable d'effacer l'image d'Angela Cook glissant aux ténèbres les yeux grands ouverts sur sa peur. Pour moi, Wesley Carver a déjà été condamné par une cour supérieure. Et c'est à la perpétuité sans aucune remise de peine possible.

20

L'épouvantail

Dans les ténèbres Carver attend. Son esprit n'est que confusion de pensées. Tellement il en a qu'il ne sait plus trop ce qui est souvenirs véritables et souvenirs inventés.

À travers son esprit ils passent comme fumées. Aucun ne s'y arrête. Aucun auquel il pourrait se raccrocher.

Parfois il entend des voix, mais jamais il ne les distingue clairement. On dirait des conversations étouffées tout autour de lui. Personne ne lui parle. Mais là, autour de lui on parle. Quand il pose une question, personne ne répond.

Il a encore sa musique – c'est la seule chose qui le sauve. Il l'entend et tente de l'accompagner en chantant, mais souvent il n'a pas de voix et doit se contenter de fredonner. Encore et encore il prend du retard sur les paroles.

This is the end... beautiful friend, the end...[1]

Il croit que la voix qui chante est celle de son père. Le père qu'il n'a jamais connu, le père qui enfin vient à lui par la grâce de la musique.

Comme à l'église.

Sa douleur est énorme. Comme s'il avait une hache plantée au milieu du front. Jamais la douleur ne s'arrête. Il attend que quelqu'un y mette fin. La lui épargne. Mais personne ne vient. Personne ne l'entend

Dans les ténèbres il attend.

1. Soit : « Voici la fin. . mon bel ami, la fin. » (*NdT*).

Remerciements

L'auteur est reconnaissant à tous ceux et celles qui l'ont aidé à se documenter et à écrire et peaufiner ce livre. À leur nombre se trouvent Asya Muchnick, Bill Massey, Daniel Daly, Dennis « Cisco » Wojciechowski, James Swain, Jane Davis, Jeff Polack, Linda Connelly, Mary Mercer, Roger Mills, Pamela Marshall, Pamela Wilson, Philip Spitzer, Roger Mills, Scott B. Anderson, Shannon Byrne, Sue Gissal et Terrell Lee Lankford.

Tous mes remerciements aussi à Gregory Hoblit, Greg Stout, John Houghton, Mick Roche, Rick Jackson et Tim Marcia.

DU MÊME AUTEUR

Les Égouts de Los Angeles
Prix Calibre 38, 1993
Seuil, 1993, nouvelle édition, 2000
et « Points », n° P19

La Glace noire
Seuil, 1995
et « Points », n° P269

La Blonde en béton
Prix Calibre 38, 1996
Seuil, 1996
et « Points », n° P390

Le Poète
Prix Mystère, 1998
Seuil, 1997
et « Points », n° P534

Le Cadavre dans la Rolls
Seuil, 1998
et « Points »", n° P646

Créance de sang
Grand Prix de littérature policière, 1999
Seuil, 1999
et « Points », n° P835

Le Dernier Coyote
Seuil, 1999
et « Points », n° P781

La lune était noire
Seuil, 2000
et « Points », n° P876

L'Envol des anges
Seuil, 2000
et « Points », n° P989

L'Oiseau des ténèbres
Seuil, 2001
et « Points », n° P1042

Wonderland Avenue
Seuil, 2002
et « Points », n° P1088

Darling Lilly
Seuil, 2003
et « Points », n° P1230

Lumière morte
Seuil, 2003
et « Points », n° P1271

Los Angeles River
Seuil, 2004
et « Points », n° P1359

Deuil interdit
Seuil, 2005
et « Points », n° P1476

La Défense Lincoln
Seuil, 2006
et « Points », n° P1690

Chroniques du crime
Seuil, 2006
et « Points », n° P1761

Echo Park
Seuil, 2007
et « Points », n° P1932

À genoux
Seuil, 2008
et « Points », n° P2157

Le Verdict du plomb
Seuil, 2009
et « Points », n° P2397

RÉALISATION : NORD COMPO À VILLENEUVE-D'ASCQ
IMPRESSION : CPI FIRMIN-DIDOT AU MESNIL-SUR-L'ESTRÉE (EURE)
DÉPÔT LÉGAL : MAI 2010. N° 92385-6 (101390)
IMPRIMÉ EN FRANCE

James Church
Un mort à l'hôtel Koryo
Quand la lune disparaît

Sarah Cohen-Scali
Les Doigts blancs

Robert Crais
L'Ange traqué
Casting pour l'enfer
Meurtre à la sauce cajun

Arne Dahl
Misterioso
Qui sème le sang

Eno Daven
L'Énigme du pavillon aux grues

Ed Dee
Un saut dans le vide
La Fille de l'arnaqueur

Bradley Denton
Blackburn

Knut Faldbakken
L'Athlète

Stephen W. Frey
Offre Publique d'Assassinat
Opération vautour

Sue Grafton
K... comme killer
L... comme lequel ?
M... comme machination

N... comme nausée
O... comme oubli
P... comme péril
Q... comme querelle
R... comme ricochet
S... comme silence
T... comme traîtrise

Dan Greenburg
Le Prochain sur la liste

Steve Hamilton
Ciel de sang
Un chapeau dans la neige
Un été pourri

Veit Heinichen
Les Requins de Trieste
Les Morts du Karst
Mort sur liste d'attente
À l'ombre de la mort

Steve Hodel
L'Affaire du Dahlia noir

Thierry Jonquet
Mon vieux

Faye Kellerman
Les Os de Jupiter
Premières Armes

Jonathan Kellerman
La Psy
Tordu
Fureur assassine
Comédies en tout genre
Meurtre et Obsession

Faye & Jonathan Kellerman
Double Homicide
Crimes d'amour et de haine

Michael Koryta
La Mort du privé
Et que justice soit faite
Une tombe accueillante
La Nuit de Tomahawk

Volker Kustsher
Le Poisson mouillé

Laura Lippman
Ce que savent les morts

Henning Mankell
Le Guerrier solitaire
La Cinquième Femme
Les Morts de la Saint-Jean
La Muraille invisible
Les Chiens de Riga
La Lionne blanche
L'Homme qui souriait
Avant le gel
Le Retour du professeur de danse

Alexandra Marinina
Ne gênez pas le bourreau
L'Illusion du péché
Le Requiem

Petros Markaris
Le Che s'est suicidé
Actionnaire principal

Deon Meyer
Jusqu'au dernier

Un des meilleurs Connelly.

Le Parisien

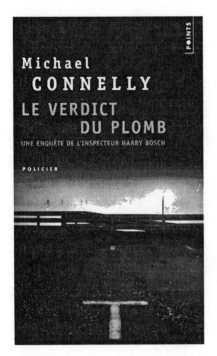

L'avocat à la Lincoln est de retour. Guéri de son addiction aux antalgiques, Mickey Haller hérite de la clientèle d'un confrère mystérieusement assassiné. Il décroche ainsi l'affaire de l'année : Walter Elliot, un magnat de Hollywood, est accusé du meurtre de sa femme et de son amant. Bien que tout l'accable, Elliot semble curieusement peu inquiet de l'issue du procès...

9 €